Cher lecteur, chère lectrice,

Il me fait plaisir de vous offrir un voyage dans le temps, au cœur du Montréal des années 1930.

Vous y ferez la connaissance de trois jeunes femmes, unies par une amitié sincère et déterminées à s'épanouir en tant qu'infirmières.

Je vous souhaite de passer de bons moments en compagnie de Flavie, Simone et l'incomparable Evelina !

Mylène Gilbert-Dumas

# LES INFIRMIÈRES DE NOTRE-DAME

www.quebecloisirs.com
UNE ÉDITION DU CLUB QUÉBEC LOISIRS INC.
Avec l'autorisation de Les Éditeurs réunis (LÉR)


Dépôt Légal --- Bibliothèque et Archives nationales du Québec, 2013
ISBN Q.L. 978-2-89666-236-4
Publié précédemment sous ISBN 978-2-89585-264-3

Imprimé au Canada

MARYLÈNE PION

# LES INFIRMIÈRES DE NOTRE-DAME

## Flavie

*À ma Rosalie.*

# 1

Tous les tiroirs de la commode étaient ouverts, laissant dépasser les quelques vêtements qui resteraient là, n'étant pas nécessaires pour le voyage. La vieille malle de sa mère reposait sur le plancher de sa chambre et Flavie en inspectait minutieusement le contenu. Elle tenait à la main la liste des effets à apporter. La jeune femme repassait chacun des articles en se demandant une fois de plus si c'était une bonne chose qu'elle quitte sa famille. Les réticences de sa mère auraient peut-être raison de sa décision de partir pour Montréal. Flavie avait longtemps réfléchi avant d'envoyer sa candidature à l'école d'infirmières de l'hôpital Notre-Dame.

Elle avait terminé sa dixième année et elle hésitait à présent quant à son avenir. En 1936, peu d'occasions s'offraient à une jeune femme dans la vingtaine. Celle-ci pouvait devenir domestique, enseignante ou infirmière – depuis quelques années, le programme en soins infirmiers était ouvert aux jeunes femmes désireuses de faire carrière dans une profession longtemps réservée aux religieuses –; à la campagne, à part le mariage, il n'y avait pratiquement aucune autre possibilité. Il ne restait plus, à toutes celles que ces options n'intéressaient pas, qu'à se faire embaucher dans une des usines de Montréal. Mais ce dur travail n'était pas tentant, d'autant plus que l'industrie se relevait tranquillement de la crise économique des années précédentes.

Flavie aurait pu s'inscrire à l'École normale et devenir institutrice, mais cette perspective ne l'enchantait pas vraiment. Depuis qu'elle était toute petite, elle rêvait de devenir infirmière. En envoyant sa demande à l'École de soins infirmiers de l'hôpital Notre-Dame, elle avait espéré sans trop y croire que sa candidature serait retenue parmi toutes celles reçues. Elle avait toujours obtenu de bons résultats scolaires et ne craignait pas les longues heures d'étude, mais si elle était acceptée dans un programme comme celui qu'offrait l'hôpital Notre-Dame, cela dépasserait ses espérances. Sa grand-mère avait insisté en lui disant qu'elle devait aller au bout de ses ambitions, qu'elle en avait la capacité.

Flavie avait toujours craint de se lancer dans une nouvelle aventure. Mais, une fois la barrière de la peur franchie, elle regrettait rarement de s'être jetée à l'eau. Tout ce dont elle avait eu besoin, c'est d'un peu d'encouragement de la part de sa famille pour faire le grand saut. Sa mère n'était pas d'accord avec sa décision, mais elle s'y ferait. Elle n'aurait pas le choix parce qu'une fois décidée, Flavie revenait rarement en arrière.

La jeune femme déposa sa liste et s'assit sur le lit en poussant un soupir. Ces derniers jours, l'appréhension de quitter la maison lui tenaillait le ventre et l'empêchait de penser clairement. Sa mère avait remis en question plusieurs fois sa décision de s'installer à Montréal. « Es-tu certaine, Flavie, de ta décision ? C'est difficile le métier d'infirmière ; tu serais bien mieux de penser à trouver autre chose. Ça m'inquiète de te voir partir pour Montréal. J'aimerais vraiment mieux que tu restes ici. » Derrière ces mots, Flavie percevait l'inquiétude de sa mère de s'ennuyer d'elle et son souhait de couver encore un peu sa dernière-née.

Chassant de son esprit les paroles de sa mère, elle repassa chacun des items de sa liste en rayant ceux-ci avec sa plume à mesure que le vêtement ou l'accessoire trouvait refuge au fond de la malle. Soudain, Flavie s'interrompit, la plume dans les airs. « Ah non ! Qu'est-ce que j'ai fait de mes trois robes ? » pensa-t-elle en catastrophe avant de retourner tous les vêtements sur le lit. « C'est vrai, grand-mère a dû les raccourcir parce qu'elles étaient beaucoup trop longues », se rassura-t-elle en continuant la révision de sa liste. « Bon, passons les robes, nous y reviendrons plus tard. Voilà les tabliers blancs, les jupons de coton, les chemises de nuit, dont celle-là que j'aime beaucoup », songea-t-elle en déposant ses effets dans la valise. Elle y joignit le reste : ses bas de soie, ses camisoles, ses sous-vêtements, deux corsets, des pantoufles tricotées par sa grand-mère ainsi que quelques vêtements de tous les jours pour quand elle aurait un congé. « Il ne me manque que la coiffe. Mais je dois faire mes quatre mois de probation avant de la recevoir », se dit-elle en se regardant quelques secondes dans le miroir accroché au-dessus de la commode.

Elle replaçait une mèche de cheveux derrière son oreille quand on frappa à la porte. Delvina Lemire entra. Après avoir placé les trois robes pliées sur le dessus de la malle, elle s'assit sur le lit face à sa petite-fille.

— Voilà, tout est prêt. Tes robes sont empesées et ton bord de jupe arrive à 14 pouces du sol comme il se doit. Je ne pensais pas que les exigences de la tenue vestimentaire étaient aussi strictes. Il ne te manque rien ?

— Non. J'ai bien relu ma liste et tout est complet. Il ne me reste qu'à cirer mes chaussures.

Delvina toussa pour attirer l'attention de la jeune femme, perdue dans ses pensées.

— Je sais que tu es inquiète, Flavie. Ça fait plusieurs nuits que je t'entends faire les cent pas dans ta chambre. Tu as beaucoup de chance d'avoir été reçue comme étudiante. Ne t'en fais pas, les Sœurs grises prendront soin de toi et tu auras un métier quand tu termineras tes études.

— Je le sais, grand-mère. J'ai vraiment envie de devenir infirmière, mais tout ça me fait un peu peur. Je suis bien ici avec maman, Antoine et vous.

— Ne te tracasse pas trop pour ta mère, elle se remettra de ton départ. Ce n'est pas comme si tu t'en allais à l'autre bout du monde. Je l'ai bien laissée partir pour Montréal, moi, quand elle a décidé de s'y installer avec ton père.

Bernadette frappa à la porte et pénétra dans la pièce. En voyant sa mère en grande conversation avec sa fille, elle recula d'un pas. Delvina l'invita à entrer. Puis, elle embrassa Flavie sur le front et laissa la mère et la fille seules. Se tordant les mains, Bernadette resta silencieuse. Au cours des derniers jours, elle avait réalisé qu'elle n'avait pas félicité Flavie pour son admission à l'école d'infirmières de l'hôpital Notre-Dame. C'est elle qui, au printemps, était allée chercher la lettre au bureau de poste. Elle s'était retenue d'ouvrir l'enveloppe en reconnaissant dans le coin gauche les armoiries de l'hôpital Notre-Dame, composées des lettres H, N et D entrelacées au centre. Bernadette avait alors éprouvé des sentiments contradictoires. Elle était fière de Flavie et était convaincue que sa fille avait tout le potentiel pour réussir. Mais Bernadette savait aussi qu'inévitablement la jeune femme s'éloignerait d'elle pour vivre sa vie, et cette idée l'attristait. Ses enfants vieillissaient et elle devait les laisser voler de leurs propres ailes. Elle ne savait pas comment dire à Flavie qu'elle acceptait son départ et qu'elle lui faisait confiance. Bernadette se souvenait de la mine réjouie de celle-ci quand elle avait lu la missive lui annonçant que sa candidature avait été retenue. L'été était passé sans qu'elle s'en rende compte et, le lendemain, sa fille quitterait la maison familiale pour s'installer à Montréal, dans le pavillon adjacent à l'hôpital qui hébergeait les élèves infirmières.

Flavie posa sa main sur celle de sa mère et lui dit d'un ton réconfortant :

— Si je me rends compte que j'ai fait le mauvais choix, je reviendrai, c'est certain.

— Tout se passera bien, ma grande. Je suis très fière de toi et tu as tout ce qu'il faut pour réussir.

Ces paroles eurent l'effet d'un baume sur le cœur de Flavie. Sa mère ne lui en voulait pas de partir pour Montréal, contrairement à ce qu'elle croyait.

— Merci de m'encourager comme ça. Je vous écrirai le plus souvent possible, c'est promis. Et il faudra tout me raconter sur ce qui se passera ici. Vous me manquerez.

— Tu vas même pouvoir nous appeler avec le téléphone. Comme tu seras loin de nous, Antoine m'a persuadée de faire entrer cet appareil dans la maison. Je t'écrirai quand même... Les paroles s'envolent, mais les écrits restent ! Évidemment, s'il te manque quoi que ce soit, fais-le-nous savoir. Ou encore, tu peux demander à ton oncle Victor ; il se fera un plaisir de te procurer ce qu'il te faut.

— C'est promis ! Je le ferai.

Flavie pensa à son parrain, un ami de la famille qu'elle avait toujours appelé « oncle Victor ». C'est un peu grâce à lui qu'elle avait pu postuler pour devenir infirmière. Elle lui avait déjà fait part de son rêve de s'occuper des malades. Il avait entendu parler de l'école d'infirmières de l'hôpital Notre-Dame et il avait écrit à Bernadette, suggérant que Flavie fasse parvenir sa candidature. Le programme de soins infirmiers offert dans cet hôpital moderne – construit depuis une dizaine d'années – était un des meilleurs qui soient. Les infirmières diplômées n'avaient aucun mal à se trouver du travail, que ce soit à l'hôpital, comme hygiéniste pour la ville ou encore dans un dispensaire dans les nouvelles colonies que le gouvernement venait de fonder en région. Bien que la population ressentît encore les contrecoups de la crise économique, le besoin en personnel médical demeurait omniprésent. Contrairement à bien des secteurs de l'économie, le métier d'infirmière n'avait pas été touché par la crise de 1929. Il y aurait toujours des gens dans le besoin, et Flavie voulait s'occuper des malades. Partir seule pour la ville lui faisait un peu peur, mais savoir son parrain tout près la rassurait.

Bernadette avait écrit à Victor, lui demandant de veiller sur sa fille quand elle serait à Montréal. Elle-même avait habité la grande ville pendant plusieurs années et elle savait que la vie là-bas était bien différente de celle de la campagne. La crise de 1929 n'avait pas aidé à améliorer le sort des travailleurs. Elle était fière de savoir que Flavie apprendrait un métier et qu'elle pourrait subvenir à ses besoins.

— Si j'avais eu ta chance et que j'avais eu un métier, je n'aurais probablement pas travaillé dans une usine à petit salaire après la mort de ton père. Nous aurions pu rester à Montréal et grand-mère aurait pu nous rejoindre.

Flavie savait à quel point Bernadette avait trouvé difficile de devoir quitter Montréal pour revenir habiter à La Prairie chez sa mère. Flavie n'avait aucun souvenir de son père : Edmond Prévost s'était enrôlé dans l'armée quelque temps après sa naissance et il était mort à la bataille de Vimy en 1917. Bernadette s'était retrouvée veuve à vingt-cinq ans avec deux enfants en bas âge à sa charge. Elle avait peiné durant quelques mois dans une usine qui fabriquait des gants, mais elle avait dû se rendre à l'évidence : elle ne réussirait pas à élever ses enfants avec son maigre salaire. Delvina, sa mère, l'avait convaincue de revenir à la maison. Bernadette avait quitté la grande ville pour retourner dans son village natal.

Flavie n'avait jamais souffert de l'absence de son père. Sa mère et sa grand-mère avaient fait en sorte que son frère et elle ne manquent de rien. Elle s'était quelquefois interrogée, non à cause de l'absence de figure masculine, mais uniquement par curiosité, sur ce qu'aurait été sa vie avec un père à ses côtés. Antoine, son frère, lui avait déjà confié qu'il se souvenait un peu d'Edmond et qu'il aurait aimé le connaître davantage. Flavie savait par contre que sa mère avait mis plusieurs années à se remettre du départ inopiné de son mari.

Assises côte à côte sur le bord du lit, la mère et la fille réfléchissaient chacune de leur côté. Flavie pensait à ce père qu'elle n'avait pas connu ; Bernadette, elle, espérait que tout se passerait bien pour sa fille à Montréal. Cette dernière se leva, embrassa sa fille et la laissa seule pour terminer de préparer ses bagages. Flavie retint les larmes qui lui piquaient les yeux depuis le matin. Le lendemain, à la même heure, elle serait à Montréal.

* * *

Delvina Lemire avait préparé de la bagatelle, le dessert préféré de Flavie, pour le dernier souper à la maison de sa petite-fille. La jeune femme lui manquerait, mais elle savait que cette dernière avait pris la bonne décision. Elle avait saupoudré du sucre d'érable sur le plat avant de le ranger dans la glacière. Avec son cours d'infirmière, Flavie pourrait se trouver une bonne situation, être autonome et libre de prendre mari ou non. Delvina avait déjà tout prévu ; quand elle ne serait plus de ce monde, Antoine s'occuperait de la ferme. Son petit-fils était un homme vaillant qui adorait les animaux et qui serait capable de faire prospérer la petite ferme laitière. Pour Flavie, les choix étaient limités. En aucun cas, Delvina ne la voyait devenir la femme d'un cultivateur ; elle aimait beaucoup trop les études pour s'enterrer sur une ferme. Flavie lui ressemblait beaucoup sur ce point : elle aimait apprendre et avait une grande facilité d'apprentissage. Delvina était heureuse que la jeune femme se soit décidée à s'inscrire à l'école d'infirmières. Flavie était beaucoup trop couvée par sa mère et manquait de confiance en ses capacités. S'éloigner du giron maternel lui ferait le plus grand bien. Delvina se revit à l'âge de Flavie. Elle avait alors la responsabilité d'une trentaine d'enfants à qui elle devait enseigner du matin au soir dans une petite école de rang. Lorsqu'elle avait rencontré Ernest Lemire, celui qui allait devenir son mari, elle avait tout laissé tomber pour le suivre sur la ferme. Elle n'avait pas regretté son choix, même si la voie était déjà toute tracée pour elle. Une femme mariée ne pouvait continuer à exercer le métier de maîtresse d'école. Flavie, elle, aurait le choix, contrairement à la majorité des femmes qui se mariaient et avaient des enfants. Elle pourrait exercer son métier d'infirmière et ne serait pas obligée de se marier.

Delvina leva les yeux en entendant Flavie descendre l'escalier qui menait à la cuisine.

— Ça sent si bon, ici ! s'exclama la jeune femme. Je doute fort que les sœurs me nourrissent aussi bien que vous, grand-mère.

— Ça te fera une raison de plus pour venir nous voir souvent, ma belle Flavie.

— Je n'ai pas besoin de petits plats pour ça, grand-mère ! Je ne sais pas à quoi ressemblera mon emploi du temps, mais une chose est certaine : dès que je le peux, je reviens !

— Tout ce que je peux te dire c'est d'étudier fort, Flavie. Mais n'oublie pas aussi de t'amuser. C'est important de garder un équilibre.

Flavie s'assit à la table et commença à peler les pommes de terre. Elle observait à la dérobée sa grand-mère qui vérifiait l'assaisonnement du rôti qui avait cuit tout l'après-midi et embaumé la maison au complet. Delvina était une femme de caractère qui avait toujours dirigé la maisonnée avec fermeté – sans doute à l'image de l'ancienne institutrice qu'elle était. Quand elle avait pris une décision, personne ne pouvait la faire changer d'idée. Flavie aurait voulu ressembler à sa grand-mère sur ce point, car, contrairement à son aïeule, elle doutait constamment de tout.

Flavie tenait la pomme de terre d'une main et, dans l'autre, le couteau restait immobile. Le tubercule n'était pas encore pelé.

— Voyons, ma fille ! À ce rythme-là, nous ne souperons pas ce soir. Sors de la lune !

En voyant que son aïeule s'amusait à ses dépens, Flavie soupira et reprit sa tâche.

— Je me demande, grand-mère, si j'ai fait le bon choix. Ça me fait un peu peur de me retrouver seule là-bas.

— Si tu n'essayes pas, jamais tu ne sauras si ce métier est fait pour toi. Tu doutes toujours de toi, ma belle fille. Laisse-toi porter par la brise, Flavie !

Devait-elle écouter le conseil de Delvina ? De toute façon, si elle ne partait pas, elle ne saurait jamais en quoi consistait le métier d'infirmière. Elle avait lu plusieurs livres qui idéalisaient la profession, mais qu'en était-il vraiment ? La seule façon de le savoir était de partir pour Montréal.

* * *

Les traits tirés, Flavie descendit prendre son déjeuner. Elle avait mal dormi ; cela lui avait pris un temps exagérément long avant de s'endormir. Elle avait repassé le contenu de sa malle en mémoire, un peu comme si elle comptait des moutons. C'est seulement très tard dans la nuit que la jeune femme était parvenue à tomber dans les bras de Morphée. L'angoisse du départ l'avait tenue éveillée, mais elle ressentait aussi une légère excitation à la pensée de la nouvelle vie qui s'offrait à elle. Petite, Flavie avait lu l'histoire de Florence Nightingale et elle s'était laissée inspirer par la vie de cette grande dame, pionnière des soins infirmiers modernes. Elle soignerait et réconforterait les patients tout comme son modèle. C'est avec cette pensée qu'elle était parvenue à trouver le sommeil.

Pendant qu'elle terminait sa tranche de pain grillé, Flavie entendit un bruit de moteur provenant de l'extérieur. Un large sourire illuminant son visage, Antoine entra en trombe dans la maison.

— Monsieur Beaudoin m'a prêté son automobile ! Je vais pouvoir emmener ma petite sœur à Montréal !

— Est-ce que nous nous rendrons ? Tu ne sais même pas conduire, Antoine !

— Eh oui, ma petite sœur ! répliqua le jeune homme en lui faisant un clin d'œil. Monsieur Beaudoin m'a donné quelques leçons au printemps ! Ta malle est prête ?

— Elle est dans ma chambre. Tu peux aller la chercher.

Antoine embrassa sa sœur sur le front et monta à l'étage. Flavie entendit le jeune homme pousser un juron en soulevant la lourde malle. Elle se retint de s'esclaffer. La bonhomie de son frère allait lui manquer. Il trouvait toujours le bon mot pour la faire rire. Antoine adorait s'occuper du troupeau de vaches et il était parfaitement à l'aise sur une ferme. Il comptait agrandir son cheptel au printemps suivant pour produire encore plus de lait. Il lui avait fait part de ses projets d'établir une fromagerie au village. Flavie admirait son esprit d'entrepreneuriat et sa confiance en lui. Comme sa mère et sa grand-mère, Antoine avait fortement encouragé sa sœur à poursuivre son rêve.

Delvina et Bernadette, qui revenaient du poulailler avec un panier rempli d'œufs, s'écartèrent de la porte pour laisser passer Antoine avec la lourde malle. Delvina lança à sa petite-fille :

— Ça y est ma belle Flavie ! Tu es prête pour le grand départ ?

— Oui, grand-mère. Tout est prêt et moi aussi !

— Bon ! Je savais que la peur ne pouvait pas t'empêcher de partir.

Bernadette s'était tournée en direction de la pompe à eau pour cacher ses larmes. Delvina tapota l'épaule de sa fille.

— Voyons donc, Bernadette ! Flavie va devenir la meilleure garde-malade qui soit ! Rappelle-toi que je t'ai laissée partir pour Montréal quand tu as marié Edmond, ma fille.

— Et vous vous êtes aussi retournée pour essuyer quelques larmes quand la voiture s'est éloignée. Je m'en souviens.

Delvina hocha la tête, puis elle déclara :

— Tu sais que Flavie peut revenir quand elle veut, Bernadette, tout comme toi tu l'as fait après la mort d'Edmond.

À l'intention de sa petite-fille, elle ajouta:

— Il y aura toujours une place pour toi ici, ma belle.

Flavie était en train d'enlacer sa mère pour la consoler.

— Vous n'avez rien à craindre toutes les deux, affirma-t-elle. Je sais que je peux revenir si je n'aime pas ça à Montréal. Dans ce cas, je me mettrai à la production de fromage pour aider Antoine!

* * *

Flavie ferma les yeux en écoutant ronronner le moteur de la Ford de monsieur Beaudoin. Antoine prenait son rôle de chauffeur très au sérieux. La jeune femme regarda défiler le paysage tout en jetant de temps en temps un coup d'œil du côté de son frère. Ce dernier fixait la route en tenant fermement le volant. Flavie inspira profondément et se détendit. Au moment du départ, sa mère lui avait répété pour la millième fois de prendre soin d'elle et de communiquer avec Victor s'il y avait quoi que ce soit. Flavie avait promis d'aller voir son parrain dès que possible. Delvina avait apaisé sa fille en lui disant que Flavie ne partait pas pour le bout du monde et qu'elle serait sous la protection des sœurs. Bernadette, à demi rassurée, avait regardé sa benjamine monter dans la voiture. Elle avait aussi recommandé à Antoine d'être prudent, car le voisin lui avait fait confiance en lui prêtant sa voiture. Antoine avait clos le sujet en embrassant sa mère et en la saluant. Il avait fait attention pour éviter d'accélérer trop brutalement et faire crisser les pneus comme il s'était plu à le faire les quelques fois où il avait eu le privilège de conduire l'automobile.

Flavie avait regardé les silhouettes de sa mère et de sa grand-mère disparaître à l'horizon. Antoine s'était exclamé qu'il avait cru ne jamais être en mesure de quitter les deux femmes.

— J'ai vraiment eu peur que maman s'accroche au pare-chocs pour nous empêcher de partir!

L'allusion d'Antoine avait amusé Flavie. Par sa remarque, son frère avait voulu détendre l'atmosphère, car il s'était aperçu que sa sœur se trouvait au bord des larmes. Flavie avait regardé l'heure sur sa nouvelle montre pendentif. Victor la lui avait offerte pour souligner son admission à l'école d'infirmières. D'ailleurs, elle aurait besoin de cet objet, car la montre figurait sur la liste des effets à apporter. Pour consoler la jeune femme, Antoine lui avait annoncé qu'il ferait un petit détour pour traverser le nouveau pont inauguré en 1930. Nommé à l'origine le pont du Havre, l'ouvrage avait été rebaptisé en 1934, à la suite d'une pétition des citoyens pour rendre hommage à Jacques Cartier, le découvreur du Canada.

Après avoir roulé pendant une bonne demi-heure sur le chemin longeant le fleuve, les Prévost arrivèrent devant le pont permettant d'accéder à l'île de Montréal. En voyant l'imposante structure qui surplombait le fleuve Saint-Laurent, Flavie ressentit des papillons dans l'estomac. Elle était venue à Montréal l'automne précédent pour passer l'examen d'entrée à l'école, mais avait utilisé le traversier qui reliait Longueuil à l'île. Sa mère l'avait accompagnée. Heureusement, car n'eût été de la présence de cette dernière, Flavie – beaucoup trop nerveuse – aurait peut-être été incapable de se rendre à l'hôpital toute seule. La jeune femme n'avait pas pris la peine de savourer son escapade dans la grande ville.

Lorsqu'Antoine s'engagea sur le pont, Flavie se laissa impressionner par l'enchevêtrement de poutres d'acier qui formait la structure. Son frère l'était tout autant, mais il ne le montra pas. Il lui apprit qu'il avait déjà franchi le pont quelques mois auparavant quand il était venu au marché pour vendre les produits de la ferme. Flavie osa à peine jeter un œil en contrebas. Le pont était très haut ; elle préférait ne pas penser qu'à cette hauteur, le fleuve devait être d'une telle profondeur que la petite voiture de monsieur Beaudoin aurait tôt fait de disparaître dans les flots, advenant le cas que la magnifique structure ne tienne pas le coup.

Un trajet de quelques minutes seulement séparait la sortie du pont de l'hôpital Notre-Dame. Quand l'automobile s'engagea sur la rue Sherbrooke Est, Flavie était déjà étourdie par l'effervescence de la ville. Le quartier semblait somme toute assez tranquille, mais la différence était tout de même frappante avec La Prairie. Même s'il était tôt, plusieurs personnes circulaient sur le trottoir; elles marchaient en pressant le pas pour se rendre à leur travail, faire des courses ou pour ne pas manquer le prochain tramway. De plus, les quelques autobus que la jeune femme vit étaient bondés. À La Prairie, il n'y avait qu'après la messe qu'elle voyait des gens en grand nombre Même si elle ne connaissait pas tout le monde, plusieurs visages lui étaient familiers. À Montréal, Flavie se retrouverait seule parmi tous ces inconnus.

Antoine sentit la nervosité de sa sœur lorsqu'il s'immobilisa devant l'hôpital. Flavie poussa un soupir en reconnaissant le bâtiment de briques grises. L'hôpital Notre-Dame, construit en 1924, se divisait en quatre pavillons pour accueillir, en plus de la formation des infirmières, plusieurs spécialités telles que: un service pour le traitement des maladies contagieuses, un service d'obstétrique et de gynécologie, des salles de chirurgie, un service d'oto-rhino-laryngologie, des laboratoires, une salle d'urgence et une chapelle. La porte principale était flanquée de chaque côté de deux colonnes corinthiennes. Devinant qu'elle devait se présenter à la réception de l'hôpital, Flavie gravit les quelques marches avant de pousser la lourde porte de fer forgé. Elle s'engouffra d'un pas incertain dans la grande bâtisse. Les mains vides, Antoine la suivit. Il avait préféré laisser la grosse malle dans l'automobile en attendant de savoir où il devait déposer les effets de sa sœur.

Émerveillée encore une fois par la grandeur du hall d'entrée, Flavie contempla les magnifiques boiseries tandis qu'Antoine allait s'informer au comptoir de renseignements situé un peu plus loin à gauche. Après avoir recueilli les précieuses informations, il expliqua à Flavie qu'ils devaient se rendre directement à la résidence des infirmières, située à l'arrière du bâtiment central. Flavie attendit dans le hall pendant qu'Antoine allait récupérer la malle.

Dans l'entrée de la résidence, une sœur invita Flavie et son frère à la suivre pour les conduire au dortoir où la jeune femme s'installerait. En emboîtant le pas derrière la religieuse, Flavie détailla son costume. Imaginé par Marguerite d'Youville des centaines d'années auparavant, celui-ci était encore porté par la communauté des Sœurs grises et fort différent des vêtements des autres religieuses : il consistait en une robe de laine, un voile et une guimpe blanche. La sœur, comme toutes celles que Flavie croisa en se rendant au dortoir, était vêtue d'une robe grise à gros plis recouverte d'un court manteau sans manches à capuchon noir. Une croix d'argent reposait sur sa poitrine.

En traversant le pavillon qui comptait six étages et hébergeait les étudiantes en soins infirmiers, en plus des différents services et dispensaires, la sœur fit visiter rapidement les lieux à Flavie et son frère.

— La résidence compte 250 chambres à coucher, dit-elle. Vous partagerez une chambre avec deux de vos consœurs. Vos repas seront servis à la salle à manger, ajouta-t-elle en désignant d'un geste sec une vaste salle au fond du couloir. Vous trouverez également quelques salons et une salle de récréation pour vous permettre de vous détendre un peu.

La salle de récréation enchanta Flavie. La pièce était pourvue de fauteuils confortables, d'un piano et d'un radio-phonographe. Des tapis et des tentures ajoutaient une touche d'élégance à la pièce. Flavie avait hâte de s'y retrouver. Les planchers recouverts de linoléum assourdissaient les pas « pour éviter de déranger les patients », expliqua la sœur. Plusieurs fenêtres laissaient pénétrer la lumière. La religieuse déclara à Flavie que les fenêtres, dans toutes les pièces de la résidence d'infirmières ainsi que dans les chambres de l'hôpital, avaient été disposées afin de favoriser une luminosité maximale. Flavie ne s'attendait pas à trouver un environnement aussi chaleureux en un tel lieu.

Des salles de classe, des laboratoires ainsi qu'une petite chapelle se trouvaient quelques étages en dessous, rendant l'accessibilité aisée aux différents endroits sans avoir à sortir du bâtiment. Près des chambres, un lavoir et des fers à repasser électriques étaient mis à la disposition des étudiantes. La sœur désigna la chambre qu'occuperait Flavie et lui montra l'armoire où elle pourrait ranger ses affaires. Après avoir souhaité la bienvenue à la nouvelle étudiante, la religieuse se retira discrètement.

Une jeune femme terminait de ranger ses effets dans l'armoire près de son lit. Elle salua Flavie et se présenta, puis elle s'éclipsa. Antoine s'assit sur la malle qu'il venait de déposer au pied du lit de sa sœur. Flavie trouva délicat de la part de Marie-Ange Gascon de les avoir laissés seuls quelques instants, son frère et elle, le temps de se dire au revoir.

— Voilà ! Nous y sommes ! Je vais devoir retourner à La Prairie et laisser ma petite sœur toute seule dans la grande ville. Je suis certain que tu t'habitueras rapidement à cet endroit.

— J'ai l'impression que tu viens de me déposer au couvent !

— C'est un peu ça !

Antoine se leva et saisit sa sœur par les épaules. Il l'attira vers lui pour lui donner l'accolade. Flavie resta quelques secondes le nez dans la chemise d'Antoine, s'imprégnant de l'odeur familière de son frère. Elle avait hâte à présent de relever de nouveaux défis, d'apprendre tous les rudiments du métier d'infirmière et de faire de nouvelles connaissances. Mais le voir partir lui tirait néanmoins les larmes des yeux. Antoine l'embrassa sur le front, puis Flavie le raccompagna vers la sortie.

* * *

Flavie fixa l'automobile conduite par Antoine jusqu'à ce que celle-ci disparaisse au loin. La jeune femme savoura les chauds rayons du soleil de la fin du mois d'août. Devant l'hôpital, elle pouvait voir le parc La Fontaine ; elle se promettait d'aller y faire une promenade dans les prochains jours pour profiter de la fin de l'été. Malgré les différents bruits de la ville – automobiles, autobus et passants –, elle entendait le chant des cigales. L'espace verdoyant du parc était attirant et elle aurait voulu pouvoir s'y prélasser quelques minutes, mais elle trouvait plus sage d'aller ranger ses affaires et de s'installer immédiatement. La sœur qui l'avait conduite à sa chambre lui avait indiqué l'heure à laquelle les repas étaient servis, et Flavie ne voulait pas être en retard pour son premier souper ici.

Plutôt que d'entrer par la grande porte, la jeune fille préféra contourner le bâtiment principal et bénéficier encore un peu de l'air frais de l'extérieur avant de retourner dans sa chambre. Elle croisa plusieurs jeunes femmes dans les corridors. Flavie pouvait facilement reconnaître celles qui en étaient à leur première année d'études car, comme elle, elles semblaient inquiètes et nerveuses de se trouver dans un environnement inconnu. Tout comme ces nouvelles arrivantes, elle se familiariserait avec l'endroit et, dans quelque temps, elle s'y sentirait parfaitement à son aise.

Flavie avait toujours eu un bon sens de l'orientation ; en quelques minutes, elle retrouva sa chambre. Sa malle reposait toujours à l'endroit où Antoine l'avait déposée ; Flavie entreprit d'en vider le contenu. La sœur qui lui avait fait visiter l'endroit lui avait précisé que, dès le lendemain, elle devrait revêtir l'uniforme pour la réunion prévue à la salle à manger. L'hospitalière en chef expliquerait alors aux nouvelles recrues le déroulement de la journée, de l'horaire des heures de classe aux divers travaux et tâches qu'elles auraient à exécuter.

Perdue dans ses pensées, Flavie ne remarqua pas qu'une jeune femme avait pris possession du lit voisin du sien. Elle aussi s'affairait à défaire ses bagages et à ranger ses choses dans l'armoire à côté de celle de Flavie. Au moment où cette dernière se retournait pour prendre ce qui restait dans le fond de son coffre, elle heurta la jeune femme – qui devait bien la dépasser d'une tête. L'inconnue laissa tomber les vêtements pliés qu'elle s'apprêtait à déposer dans l'armoire. Les jupons, bas et sous-vêtements s'éparpillèrent sur le sol. Flavie se confondit en excuses et entreprit de ramasser les vêtements épars. La jeune femme poursuivit ensuite le rangement de ses effets personnels.

Flavie l'observa à la dérobée pendant qu'elle plaçait ses affaires dans l'armoire. Ses cheveux bruns bouclés et coupés à la hauteur des oreilles encadraient son visage, et elle portait sur le bout du nez des lunettes à monture d'écaille. Flavie replaça une mèche rebelle qui sortait de son chignon. Elle n'était assurément pas à la mode, car presque toutes les jeunes femmes qu'elle avait croisées depuis son arrivée à Montréal arboraient des coupes de cheveux modernes dont les extravagantes boucles avaient très certainement été confectionnées à l'aide de bigoudis ou autres astuces. Flavie aimait ses cheveux qui retombaient sur ses épaules. Pendant quelques instants, elle se demanda si elle adopterait la mode de Montréal. Sa voisine avait terminé son rangement et l'observait elle aussi.

Flavie tendit la main :

— Je suis Flavie Prévost. Encore désolée pour les vêtements.

— Ce n'est rien. Je m'appelle Simone Lafond. Nous allons partager cette chambre, alors aussi bien faire connaissance tout de suite.

Flavie expliqua qu'elle venait de La Prairie. Que sa mère était restée là-bas avec sa grand-mère et son frère. Qu'elle était orpheline de père et qu'elle rêvait de devenir infirmière depuis qu'elle était petite. Qu'elle était à la fois contente et anxieuse de se trouver à Montréal. Simone écouta Flavie sans l'interrompre. Puis, se rendant compte qu'elle était beaucoup trop bavarde, Flavie s'excusa de son empressement, signe de sa grande nervosité.

Simone la rassura :

— On me reproche toujours le contraire, soit de ne pas m'ouvrir facilement. Je crois que nous allons bien nous entendre, Flavie !

Le hasard avait bien fait les choses. Simone semblait être une personne amicale, bien que réservée et peu loquace. Flavie prendrait plaisir à découvrir sa nouvelle camarade.

* * *

Après un repas frugal pris à la salle à manger, les jeunes femmes bénéficièrent de trois quarts d'heure de temps libre avant le couvre-feu. Brûlant d'envie de se dégourdir les jambes et d'explorer les environs, Flavie invita Simone à se joindre à elle pour une promenade au parc La Fontaine. Toutes deux croisèrent plusieurs de leurs camarades qui avaient également choisi de marcher un peu avant de rentrer. Certaines prenaient le temps de les saluer, tandis que d'autres se contentaient d'un hochement de tête. De nombreux passants profitaient aussi de cette chaude soirée de la fin du mois d'août. Le soleil se couchait de plus en plus tôt et dans quelques semaines, à cette heure, la noirceur et la fraîcheur de la nuit couvriraient la ville.

Flavie et Simone trouvèrent un banc près de l'étang. Elles s'y reposèrent pendant quelques instants en observant les canards. Discutant de tout et de rien, les deux jeunes femmes en profitèrent pour faire plus ample connaissance. Simone écouta Flavie lui parler de son frère, de sa mère et de sa grand-mère, ainsi que de la vie à La Prairie. Puis, se sentant en confiance, Simone parla un peu d'elle. Ainsi, Flavie apprit que sa compagne était originaire de Saint-Calixte et qu'elle avait été institutrice avant de s'inscrire à l'école d'infirmières. Sans trop entrer dans les détails, Simone confia qu'elle avait eu envie d'une nouvelle vie et que partir pour Montréal s'avérait être dans l'ordre des choses. Simone était orpheline ; c'était son oncle et sa tante qui avaient pris soin d'elle à la mort de ses parents. Enfant unique, elle avait rêvé pendant longtemps de partager ses jeux avec une sœur, mais elle avait dû se contenter de s'amuser avec les voisines. Flavie s'imaginait mal enfant unique, ayant tant de plaisir à se trouver en compagnie d'Antoine. Enfants, ils avaient partagé leurs jeux, leurs états d'âme et leurs espiègleries. Simone lui affirma qu'elle avait beaucoup de chance d'avoir grandi auprès d'un frère ; Flavie devait se sentir moins seule qu'elle ne l'avait été elle-même.

— Mon oncle et ma tante n'avaient pas beaucoup de temps à me consacrer. Heureusement, je n'ai jamais craint la solitude. J'ai souvent trouvé refuge dans les livres.

— J'ai toujours aimé lire, moi aussi. Nous voilà avec un point en commun ! Nous en trouverons sûrement d'autres d'ici peu. J'ai hâte d'aller au cinéma. Dans mon cas, ce sera une grande première !

— Dès que ce sera possible, nous irons. Je suis curieuse moi aussi de découvrir ce divertissement !

Simone consulta sa montre.

— Nous devrions rentrer. Il serait trop bête de manquer le couvre-feu. Nous avons une journée chargée demain.

— Allons-y !

Flavie et Simone rentrèrent au pavillon bras dessus, bras dessous.

* * *

Les lumières de la chambre étaient éteintes depuis un bon moment. Flavie fixait le plafond, incapable de trouver le sommeil. Elles devaient être plusieurs à ne pas dormir ; l'excitation et l'inquiétude des nouvelles étudiantes avaient été palpables durant le repas. Marie-Ange semblait être une des seules à dormir et Flavie l'entendait ronfler. Elle se tourna en direction de Simone. Pendant quelques secondes, elle essaya de voir si son amie dormait. Elle s'en informa en chuchotant :

— Simone ? Est-ce que tu dors ?

— Non.

— Zut ! Moi non plus, je n'arrive pas à trouver le sommeil. Au moins, Marie-Ange dort, elle !

— Pff! Nous allons devoir nous habituer à ses ronflements.

— Moi, ma mère me dit que je parle en dormant…

— Je ne suis pas près de dormir. dans ce cas! soupira Simone. Une chance que l'autre lit est inoccupé. Nous aurions pu tomber sur une compagne qui est somnambule pour compléter le tout!

Flavie essaya de ne pas éclater de rire. Pour plaisanter, elle se redressa dans son lit, les bras tendus devant elle.

Simone pouffa. Pendant quelques minutes, les rires couvrirent les ronflements de Marie-Ange. Finalement, Flavie se tourna sur le côté et remonta la couverture sur ses épaules. Après que les deux jeunes femmes se furent souhaité bonne nuit, Simone feignit un ronflement. Le rire de Flavie résonna dans la noirceur.

# 2

Flavie ouvrit un œil après une nuit ponctuée de périodes d'insomnie. Elle s'était réveillée à plusieurs reprises en se demandant où elle était. Puis, chaque fois, le voyage à Montréal et son installation dans la chambre de l'école d'infirmières lui étaient revenus à la mémoire. Aussi, Flavie était impatiente d'être le lendemain, ce qui l'avait tenue éveillée une bonne partie de la nuit. L'excitation face à la perspective de connaître ses nouvelles compagnes et ses professeurs avait succédé à l'inquiétude qui l'avait tourmentée la semaine précédant son départ.

La jeune femme parcourut du regard la chambre encore calme avant l'effervescence du matin. Marie-Ange avait déjà quitté la pièce et Simone était adossée contre la tête de son lit, les lunettes posées sur le bout du nez, perdue dans les pages d'un livre. Flavie reconnut le titre, ce qui lui confirma que Simone avait les mêmes goûts qu'elle en matière de lecture ; elle avait lu à plusieurs reprises *Jane Eyre* de Charlotte Brontë. Flavie s'assit dans son lit en regardant sa montre. Elle se dit que les sœurs ne tarderaient sûrement pas à venir réveiller les dormeuses.

Simone, entendant remuer à côté d'elle, posa son livre et lui dit bonjour.

— Je t'ai entendue te retourner toute la nuit. J'ai mal dormi aussi. Je me suis réveillée aux petites heures.

— Je vois que tu as trouvé de quoi t'occuper en attendant.

— Dès que j'ai deux minutes, je plonge dans un bouquin. De toute façon, je n'avais rien d'autre à faire. Et puis, j'adore savourer les quelques heures avant l'aube, quand tout le monde dort.

— J'aime bien profiter moi aussi de ce moment de la journée mais, ce matin, j'avoue que j'aurais fait la grasse matinée avec la nuit que j'ai connue. J'imagine que, ce soir, je réussirai à m'endormir plus tôt.

— Nous aurons très certainement une longue journée. On nous expliquera les règlements de l'école et son bon fonctionnement.

Flavie se leva et entreprit de se démêler les cheveux avec la brosse. Elle jeta un coup d'œil à Simone qui terminait de replacer les couvertures sur son lit. La coiffure de son amie n'avait pas bougé depuis la veille. Simone avait seulement replacé quelques mèches derrière ses oreilles. Flavie attacha son abondante chevelure et fouilla dans son armoire pour y récupérer sa robe. Un sentiment de satisfaction l'envahit tandis qu'elle revêtait l'uniforme qu'elle devrait porter, autant pour sa formation que pour le travail qu'elle effectuerait. Elle avait rêvé de ce moment durant tout l'été et elle savourait cet instant en lissant les plis de sa jupe.

Flavie enfilait ses bas de soie lorsqu'une sœur apparut, circulant dans le corridor avec une cloche à la main, pour réveiller les dernières dormeuses. La religieuse avisa les étudiantes qu'elles avaient un quart d'heure pour s'habiller et se rendre à la salle à manger où le déjeuner serait servi. Elle prit la peine de prévenir que les retardataires seraient privées de déjeuner, la journée étant trop chargée pour perdre une seule seconde. Plusieurs protestations se firent entendre. Mais un regard autoritaire de la sœur responsable du dortoir suffit à faire taire les plus récalcitrantes.

* * *

La directrice de l'école, sœur Marleau, avait prononcé un mot de bienvenue, puis avait souhaité bon appétit aux jeunes femmes avant de quitter la salle à manger. Elle les avait laissées aux bons soins de l'hospitalière en chef, sœur Larivière, qui leur expliquerait le déroulement de la journée. Malgré l'austérité de son costume, cette dernière avait fait une bonne impression sur les élèves. Flavie l'avait écoutée attentivement, en se disant que cette femme ainsi que ses consœurs offraient tout leur savoir aux étudiantes qui ne demandaient pas mieux que d'apprendre. Pour le moment, le métier d'infirmière leur était totalement inconnu mais, dans quelques mois seulement, elles pourraient déjà prendre soin des patients de l'hôpital.

Le bruit dans la salle à manger était assourdissant. L'excitation était à son comble et, plusieurs fois, le silence avait été réclamé par les sœurs, sans résultat. Flavie et Simone avaient pris place à une table dans un coin de la salle à manger, près d'une des nombreuses fenêtres de la pièce. Simone observait le va-et-vient des passants en terminant son café. Affamée, Flavie avait avalé en vitesse son bol de gruau. Elle venait de tendre sa vaisselle sale à la fille de service chargée de débarrasser les tables.

Il ne restait presque rien sur les tables, sauf une corbeille de pain et un pot de confiture entamé. Une jolie blonde entra en trombe par une porte près de la table de Flavie et Simone. De toute évidence, elle faisait partie des retardataires. La jeune femme chercha du regard un endroit où s'asseoir et, surtout, une table qui offrait encore quelque chose à manger. Flavie lui fit signe ; d'un pas certain, en claquant des talons sur le parquet ciré, l'inconnue se dirigea vers elle. Prenant place en face de Simone, elle saisit une tranche de pain et la tartina du reste de confiture qui se trouvait dans un pot en grès. Elle se dépêcha d'avaler le morceau de pain.

Son arrivée à la table avait tiré Simone de sa contemplation du monde extérieur. La nouvelle venue avait une prestance qui suscita un regard admiratif des deux amies. Ses ongles manucurés, ses cheveux bien coiffés ne laissaient pas de doute sur ses origines. Elle avait pris la peine de s'appliquer un peu de fard à joues et une touche de rouge sur les lèvres. Même sans maquillage, elle devait être flamboyante. Avec une pointe de dépit, Flavie songea à sa propre apparence, à ses yeux cernés en raison de sa courte nuit et à son chignon fait à la va-vite par manque de temps. L'inconnue termina sa tartine, puis elle regarda Flavie et Simone qui avaient observé avec attention chacun de ses gestes.

— Je ne comprends pas pourquoi les sœurs ne nous ont pas réveillées plus tôt ! J'ai à peine eu le temps de me préparer.

Elle tendit la main à Flavie et à Simone et entreprit les présentations. Évelina Richer était arrivée un peu avant le couvre-feu de la veille et elle avait à peine eu le temps de défaire ses bagages qu'il fallait déjà se coucher. Flavie se retint de lui dire qu'elle aurait dû arriver beaucoup plus tôt. Comme si elle avait lu dans ses pensées, Évelina expliqua :

— Je sais bien que j'aurais dû arriver plus tôt, mais je devais passer chez la coiffeuse et il me manquait plusieurs effets personnels. Et puis, je ne pouvais pas me présenter décoiffée tout de même ! Une infirmière se doit d'être bien mise !

Simone marmonna à l'intention d'Évelina :

— Tu devras apprendre à te dépêcher. C'est ce que nous avons fait, Flavie et moi.

— Allons donc ! Je me lèverai plus tôt, tout simplement !

Fascinée par la maîtrise de soi d'Évelina et sa façon de se tenir, Flavie lui lança :

— Peut-être que nous devrions suivre ton exemple…

— Je vous trouve très bien, mais pourquoi pas ? Nous serons les trois plus belles infirmières de l'hôpital !

Simone sourit pour la première fois ce matin-là. Évelina Richer avait une fraîcheur et une façon de parler captivantes. La jeune femme s'essuya délicatement la bouche avec sa serviette de table en prenant soin de ne pas enlever son rouge à lèvres. Puis, elle sortit un petit miroir de la poche de son tablier et admira son reflet pendant quelques secondes.

Flavie lui fit gentiment observer :

— On dirait presque que tu t'en vas à un rendez-vous galant !

— Eh oui ! Ce matin, j'ai rendez-vous avec mon avenir, mesdemoiselles !

Flavie s'esclaffa, suivie de peu par Simone qui n'en revenait pas de la désinvolture d'Évelina. Décidément, leur nouvelle amie était surprenante.

* * *

Après le déjeuner, les jeunes femmes furent conduites par petits groupes de 20 dans une salle de classe. Flavie vit Marie-Ange assise derrière ; toutes deux se saluèrent d'un hochement de tête. On leur remit plusieurs livres de théorie dont la plupart étaient en anglais. Flavie se demanda si elle arriverait à comprendre ces explications. Tout en feuilletant les manuels, Simone lui jetait des regards en biais et lui lançait des clins d'œil. Évelina, pour sa part, s'adressa directement à la sœur qui avait procédé à la distribution pour savoir si une version française existait pour ces livres. Devant la question d'Évelina, certaines approuvèrent en murmurant. À la suite de la réponse négative de la religieuse, Évelina se rassit. Elle se mit à feuilleter les livres et à lire à haute voix quelques pages dans un mauvais anglais, ce qui fit ricaner Flavie et Simone assises à ses côtés.

Une sœur grande et mince entra, suivie d'une autre plus petite et d'une infirmière rondelette portant une pile de feuilles à distribuer. La sœur responsable referma la porte et demanda aux jeunes femmes qui étaient encore debout et discutaient de bien vouloir prendre place en silence.

— Je suis sœur Désilets et c'est moi qui suis responsable de votre groupe. Je vous présente sœur Duval et garde Baillargeon, qui m'assisteront.

Les deux autres femmes qui étaient restées en retrait derrière la responsable s'avancèrent en saluant de la tête la classe attentive aux propos de sœur Désilets.

— Je vois que vous avez déjà reçu vos manuels. Évidemment, comme vous avez pu le remarquer, ils sont presque tous en anglais ; il n'existe pas de version française de ces ouvrages. En écoutant attentivement durant les cours, vous ne devriez pas avoir à les consulter outre mesure. Ils ne feront qu'appuyer les différentes notions vues en classe.

Évelina poussa un soupir exagéré en s'essuyant le front du revers de la main, ce qui tira une moue amusée chez Flavie et Simone. Sœur Désilets apostropha l'impertinente :

— Vous semblez vraiment soulagée, mademoiselle. Mais pour le bon fonctionnement de la classe, je vous prierais de garder vos émotions pour vous.

La mise au point de sœur Désilets n'obtint pas l'effet escompté : Évelina continua d'afficher un air légèrement insolent en regardant la religieuse. Les deux étudiantes assises derrière la jeune femme murmurèrent quelque chose sans qu'elle puisse saisir de quoi il s'agissait. Évelina se tourna dans leur direction. En chuchotant, elle dit à la fille aux cheveux noirs qu'elle n'avait pas compris et lui demanda de répéter. Sur le coup, l'interpellée sembla hésiter puis, d'un ton ironique, elle souffla :

— De toute façon, on n'en a rien à faire de tes émotions !

— Alors, tu n'as qu'à te mêler de tes affaires !

Sœur Désilets, qui n'avait rien perdu de la conversation entre les deux élèves, les interrompit avant que leur petit jeu ne dégénère. Elle haussa le ton :

— Mesdemoiselles ! Vous dérangez la classe au complet. Nous ne sommes plus à la petite école, dois-je vous le rappeler ?

Évelina baissa les yeux en s'excusant. Derrière elle, la jeune femme aux cheveux noirs conserva son air suffisant. Flavie jeta un coup d'œil désapprobateur à cette dernière et elle regarda ensuite sa nouvelle amie pour l'encourager.

* * *

Sœur Désilets réussit à leur faire garder le silence durant tout le temps que durèrent les explications sur le fonctionnement de la classe. Trois leçons seraient dispensées par sœur Larivière et sœur Désilets et une par les médecins, selon leur discipline respective. La religieuse procéda à l'énumération des cours de première année à l'hôpital : cours d'anatomie, de physiologie, de bactériologie, cours sur les maladies contagieuses et sur la matière médicale. Quand elle termina son énoncé en disant que les étudiantes auraient aussi droit à un cours sur les fondements du christianisme et ses dogmes, Flavie vit Évelina sourciller. Elles auraient quatre mois de probation à faire avant d'être admises auprès des malades pour prodiguer les différents soins appris en classe. Après les quatre premiers mois, les étudiantes toucheraient une indemnité mensuelle de cinq dollars pour les tâches qui seraient accomplies dans l'hôpital. La première année serait difficile : plusieurs élèves ne supporteraient pas toutes les tâches à accomplir et les longues heures d'étude et de pratique. Quelques étudiantes se rendraient vite compte qu'elles n'étaient pas à leur place ; dans d'autres cas, des filles quitteraient avant les examens de fin d'année.

— Toutes les qualités propres au genre féminin ne suffisent pas pour devenir infirmière. Votre patience, votre discipline et votre compassion seront mises à rude épreuve, mesdemoiselles. Car, devenir infirmière, aussi prestigieuse que la profession puisse paraître, demeure une affaire de vocation et d'amour du métier. Vous avez été admises dans la toute première école francophone et laïque de soins infirmiers et vous devez faire honneur à cet établissement. Mon mandat sera donc de vous instruire et de faire de vous les meilleures infirmières catholiques de la province, bien que je continue à croire que notre congrégation suffisait amplement à la tâche. Mais nous sommes dans une société moderne, et une carrière en soins infirmiers est maintenant accessible à toutes ! Avant de céder la parole à garde Baillargeon, je veux ajouter qu'il est important d'éviter toute conversation inutile avec messieurs les internes ou les étudiants que vous croiserez dans les différentes sphères de votre métier. Il ne faut pas l'oublier car vous devez protéger la vertu de l'infirmière catholique, mesdemoiselles. Vous êtes ici en probation pour une durée de quatre mois. Après ces quatre mois, celles qui resteront recevront leur coiffe et pourront dire qu'elles sont réellement prêtes à devenir infirmières.

Évelina jeta un regard en direction de Flavie et lui fit un clin d'œil. La garde Baillargeon expliqua ensuite en quoi consistait la tâche d'infirmière à l'hôpital. La journée de travail débutait à sept heures tous les matins pour se terminer douze heures plus tard.

— Vous êtes ici pour apprendre le métier d'infirmière en théorie, mais la pratique fait partie intégrante de la formation. Les patients ont besoin de vous pour faire leur toilette, pour recevoir leurs repas et nécessitent les soins que vous leur prodiguerez. La profession est exigeante, mais ô combien gratifiante !

En lançant cette dernière phrase, la garde Baillargeon joignit ses mains avec ferveur. Flavie comprit qu'elle adorait son métier ; cela transparaissait dans sa façon d'expliquer les choses. La jeune femme se doutait bien qu'il y aurait des moments plus difficiles à traverser – comme les longues heures d'étude avant les examens et les lourdes tâches rattachées à leur profession –, mais elle espérait sincèrement qu'elle se sentirait rapidement à sa place et éprouverait cette même passion. En jetant un coup d'œil en direction de Simone, Flavie vit que cette dernière aussi était captivée par les paroles de la garde Baillargeon et semblait partager le même rêve.

* * *

Après avoir passé le reste de la matinée à écouter les différentes informations concernant le bon fonctionnement de l'école, les étudiantes eurent droit à une pause pour le dîner. Flavie, Simone et Évelina se trouvèrent une table en retrait pour manger leur repas. Simone s'adressa à Évelina, qui repoussait du dos de la fourchette ses pommes de terre bouillies :

— Cette fille derrière toi…

— Tu parles de Georgina Meunier ? coupa Évelina. Elle se croit tout permis parce que son père possède une mercerie et mène des affaires prospères.

— Tu la connais ? demanda Flavie.

— Pas personnellement, et je n'en ai pas envie non plus. Je déteste les personnes qui aiment se moquer des autres.

— Elle t'a seulement dit qu'elle ne voulait pas connaître tes états d'âme, déclara Simone en rompant un morceau de son pain.

— J'ai le droit de faire un peu d'humour en soupirant, non ?

Devant le silence de ses amies, Évelina avoua :

— J'ai trouvé l'avant-midi très long et ennuyeux avec toutes ces explications. Quand allons-nous pouvoir enfin commencer ?

— Moi, j'ai bien aimé la présentation de la garde Baillargeon.

— Voyons, Flavie ! Qu'elle ait pu t'impressionner, j'en conviens, car elle décrivait son métier avec passion. Mais n'as-tu pas entendu ce qu'elle a mentionné au début ? Durant nos premiers mois, les sœurs nous feront travailler comme des forçats. Nous ne soignerons pas les patients, mais nous occuperons de leur toilette, de ranger leur chambre ou de leur apporter leurs repas. Nous représentons une main-d'œuvre bon marché, et le personnel de l'hôpital en profitera. Les plus dévouées et les plus tenaces résisteront à ces corvées, mais les autres partiront sûrement rapidement devant l'ampleur de la tâche. C'est une façon détournée de savoir qui est vraiment faite pour devenir infirmière.

Flavie n'était pas d'accord avec cette façon de voir les choses. Elle déclara :

— De toute façon, nous n'avons pas le choix. Nous devons commencer au bas de l'échelle. Comme sœur Désilets l'a expliqué, c'est ce qu'on appelle « avoir la vocation ».

— La vocation ! Sœur Désilets est de la vieille école. Elle veut faire de nous les « meilleures infirmières catholiques de la province », se moqua Évelina en imitant la religieuse. Elle ne comprend pas vraiment pourquoi les sciences infirmières sont ouvertes maintenant aux profanes que nous sommes ! Si tout le monde avait la même mentalité, il est évident que la pratique des soins infirmiers serait demeurée réservée aux bonnes sœurs. Malgré son apparente ouverture, elle préférerait que nous portions nous aussi le voile. Elle veut faire de nous de bonnes et pratiquantes catholiques.

— Je dois avouer que je suis un peu d'accord avec ce que tu dis, Évelina, indiqua Simone. Sœur Désilets a clairement laissé entendre qu'elle ne croyait pas tellement à la présence des laïques dans le domaine des soins infirmiers.

Évelina déposa sa serviette de table. Puis, en regardant Flavie et Simone, elle lança le plus sérieusement du monde :

— Sœur Désilets devrait s'appeler sœur Désuète ! Oui, vraiment, je trouve que ce surnom lui va à ravir !

Flavie pouffa. Elle aurait désormais beaucoup de difficulté à nommer sœur Désilets autrement que par le sobriquet donné par Évelina. Celui-ci était tout désigné pour cette femme conservatrice à qui la perspective du progrès semblait si désolante. Flavie et ses compagnes devraient s'efforcer de ne pas l'appeler « sœur Désuète » en sa présence !

* * *

Au retour du dîner, les jeunes femmes durent remplir plusieurs formulaires. Tout en accomplissant ces formalités, Flavie en profita pour observer ses deux nouvelles amies. Chacune de caractère fort différent, elles se complétaient bien toutefois. Flavie avait l'intuition qu'une belle amitié était en train de se former entre les trois jeunes femmes. Derrière ses lunettes à monture d'écaille, Simone se montrait réservée et timide. Mais en discutant avec elle, Flavie avait décelé une grande capacité d'écoute et une forte empathie. Simone ne parlait pas beaucoup, contrairement à Évelina et à elle-même, mais lorsqu'elle prenait la parole, elle le faisait de façon posée et sensée. Sa grand-mère Delvina l'aurait certainement qualifiée de «vieille âme» si elle avait eu la chance de la connaître.

Contrairement à Simone, Évelina était une extravertie. Son exubérance et son enthousiasme respiraient la joie de vivre, et son sens de l'humour plaisait beaucoup à Flavie. Évelina semblait prendre la vie tellement à la légère. Flavie, elle, ne cessait de se tourmenter à propos de tout. Évelina aurait pu paraître superficielle à cause de sa frivolité – à savoir si sa mise en plis tiendrait le coup ou si son rouge à lèvres était bien appliqué, par exemple. Mais Flavie avait deviné que, derrière toutes ces extravagances, sa nouvelle amie était une personne au cœur débordant de sollicitude. Celle-ci avait protesté en disant qu'elle ne se plierait pas à tous les travaux exigés pour devenir infirmière, mais Flavie savait qu'Évelina obéirait malgré tout et qu'elle trouverait certainement une façon de rire des corvées de «torchonnage» – comme elle avait dit en parlant des soins d'hygiène qu'il faudrait prodiguer aux patients. Pour elle, tout était prétexte à s'amuser.

Quand toutes les aspirantes eurent terminé de remplir leurs formulaires, sœur Désuète les laissa aux bons soins de son assistante, sœur Duval, et de garde Baillargeon.

— Après la visite de l'hôpital, vous pourrez prendre congé et vous reposer, car dès demain matin, vous commencerez vos différentes tâches. Je vous souhaite donc une bonne fin d'après-midi, mesdemoiselles. Revenez-nous fraîches et disposes demain matin pour votre première journée en tant qu'élève infirmière.

Flavie attendait ce moment depuis le début de la journée. Lors de son arrivée la veille, elle avait eu un bref aperçu de l'établissement de soins, mais elle n'avait pas osé s'aventurer dans les corridors de l'hôpital. À présent, elle aurait accès à toutes ces pièces mystérieuses où les médecins soignaient les gens. Des papillons d'excitation au creux du ventre, elle suivit ses compagnes précédées de sœur Duval et de garde Baillargeon.

* * *

Les élèves parcoururent tous les corridors de l'hôpital et visitèrent tous les services en tentant de retenir les indications pour s'y retrouver facilement quand elles auraient à y retourner. À plusieurs reprises, elles croisèrent des médecins. Ces hommes de profession impressionnaient Flavie. Ils circulaient parfois en petits groupes, tout comme ses compagnes et elle. Dans ce cas, il s'agissait d'internes qui faisaient leur tournée de patients. Si la plupart des médecins ne daignaient pas jeter un coup d'œil au petit groupe d'infirmières, il en était autrement pour les internes qui se retournaient souvent pour lorgner les nouvelles venues. Évelina s'amusait à utiliser le même stratagème. Flavie aurait bien aimé avoir l'assurance de son amie, mais elle était beaucoup trop timide pour l'imiter. Simone, quant à elle, écoutait les consignes et ne se laissait pas distraire par le passage des « blouses blanches ».

Bon nombre de patients, visiteurs et membres du personnel circulaient à toute heure du jour dans l'hôpital. La propreté des lieux était impeccable. Des corridors avaient été repeints depuis peu ; une odeur de peinture fraîche flottait dans l'air. La visite de la buanderie et des cuisines étonna Flavie. Quand elle vit tous les draps blancs qui devaient chaque jour être nettoyés, séchés et pliés par les quelques sœurs qui s'adonnaient à cette tâche, elle pensa à sa mère qui détestait faire la lessive et qui serait tombée à la renverse en voyant la quantité de linge à traiter. Les immenses casseroles dans les cuisines qui servaient à préparer les repas du personnel et des patients auraient plu à sa grand-mère qui adorait cuisiner.

La garde Baillargeon leur fit visiter l'imposante pharmacie qui renfermait tous les médicaments destinés aux patients. La quantité de flacons et de contenants de toutes sortes était considérable. Les remèdes étaient classés par ordre alphabétique, et la plupart des flacons se trouvaient dans des étagères vitrées et verrouillées. Deux sœurs et quelques infirmières préparaient les prescriptions. L'odeur des médicaments rappela à Flavie les rares fois où elle s'était rendue au cabinet du médecin de La Prairie. La jeune femme aimait respirer les odeurs de son nouvel environnement, qui étaient fort différentes de celles qui avaient bercé son enfance. Le parfum du foin coupé, la senteur des animaux et l'arôme d'un gâteau cuisiné par sa grand-mère avaient cédé la place à l'odeur aseptisée de l'hôpital. «Je vais y prendre goût rapidement, c'est sûr!» se convainquit Flavie.

Le groupe visita presque tous les coins et recoins de l'hôpital. Les deux premiers étages comptaient sept salles publiques pour les patients indigents qui bénéficiaient de soins payés par l'État. Le deuxième étage étant strictement réservé aux femmes, la maternité et la pouponnière s'y trouvaient. Les chambres semi-privées occupaient le troisième étage, et celles-ci disposaient de lits mécaniques actionnés par une manivelle pour le confort du patient. Dans les trois derniers étages, les patients plus fortunés disposaient de chambres privées, meublées un peu plus luxueusement que celles des étages en dessous.

Les salles d'opération du sixième étage impressionnèrent fortement Flavie. Les pièces étaient pourvues de grandes fenêtres afin de laisser entrer la lumière naturelle et pour maximiser l'éclairage durant une chirurgie. Les instruments chirurgicaux étaient nettoyés et stérilisés dans une des pièces situées près du bloc opératoire. Un peu plus tard, lors de sa formation, Flavie assisterait le chirurgien en lui remettant les différents instruments qu'il réclamerait.

Après la visite des différents services, le groupe s'immobilisa devant une des chambres communes accueillant des patients. Afin de ne pas déranger ces derniers, la garde Baillargeon préféra donner ses explications à l'extérieur de la pièce. Un médecin vêtu de son sarrau, tenant un carnet de notes, passa la porte et salua les infirmières.

Évelina donna un coup de coude à Flavie et lui chuchota :

— Wow ! Je pense qu'on se plaira dans cet hôpital si tous les médecins sont aussi séduisants !

* * *

Évelina transféra ses effets personnels dans la chambre de Flavie et Simone, Marie-Ange ayant préféré s'installer dans la chambre voisine en compagnie de deux étudiantes avec qui elle avait passé la journée. Simone et Flavie se regardèrent en souriant, en pensant aux deux pauvres filles qui subiraient les ronflements de Marie-Ange. Après avoir défait ses bagages, Évelina mit sa touche personnelle en déposant deux coussins décoratifs sur son lit.

— Aussi bien décorer un peu cette chambre austère, ne trouvez-vous pas ?

Les trois jeunes femmes se rendirent dans la salle de récréation pour passer le temps avant le couvre-feu. La journée avait été chargée et elles voulaient profiter de ce moment pour se détendre. Dès le lendemain, elles devaient se présenter dans la même salle de classe où elles s'étaient rendues au début de la journée. Sœur Désuète leur indiquerait les tâches auxquelles elles seraient affectées avant d'assister à leurs différents cours.

Tout en frottant ses ongles avec un morceau de coton, Évelina marmonnait son ressentiment.

— Le rouge de mes ongles est trop voyant, paraît-il ! Une autre aberration de sœur Désuète ! Je vais enlever mon vernis comme elle me l'a demandé, mais je déteste devoir me conformer à ce genre d'absurdités. Il me semble qu'une infirmière fraîche et dispose – et surtout bien manucurée –, c'est bon pour le moral des patients !

— Évelina, ces mesures sont prises pour des raisons d'hygiène, tu le sais bien, lui rappela Simone avec un peu d'impatience dans la voix.

— Je sais et je me conformerai, garde Lafond. Je laisserai passer quelques jours avant de réappliquer du vernis. Sœur Désuète doit avoir autre chose à faire que de surveiller ma manucure.

Évelina tira joyeusement la langue à son amie. En entendant son nom précédé du mot « garde », les yeux de Simone avaient brillé. Cette dernière plaisanta :

— Peut-être aurais-tu dû t'orienter vers le secrétariat, Évelina ?

— Jamais, au grand jamais ! Plutôt mourir que de me tenir pendant huit heures consécutives derrière une machine à écrire. Quoique… les patrons doivent être plutôt charmants !

Flavie rit de la désinvolture de son amie. De toute évidence, Évelina cherchait la perle rare et elle faisait partie de celles qui la trouveraient, sans aucun doute. Évelina changea de sujet en expliquant à ses compagnes à quel point elle avait hâte d'avoir un congé pour leur faire découvrir sa ville. Plusieurs fois au cours de la journée – Flavie en avait rapidement perdu le compte – Évelina s'était vantée de ne jamais avoir quitté la ville.

— Oh ! Je suis une vraie de vraie citadine, moi, mesdemoiselles ! s'écria-t-elle. Je connais les meilleurs cabarets et j'ai très hâte de vous y conduire.

— Et moi, je pourrais t'emmener à la campagne un jour, Évelina, lui rétorqua avec candeur Flavie. Je t'ai parlé de mon frère qui est plutôt beau garçon ?

— Sans vouloir t'offusquer, je m'imagine mal en femme de fermier. Je ne crois pas que les vaches de ton frère apprécieraient ma manucure à sa juste valeur !

Les trois amies s'esclaffèrent, ce qui attira l'attention de Georgina qui avait pris place quelques fauteuils plus loin. Elle observa le trio à la dérobée pendant que son amie Alma lui racontait son été au bord du fleuve. Évelina Richer lui avait déplu au moment même où elle s'était assise devant elle dans la salle de classe. Elle détestait l'attitude joviale de cette fille toujours prête à raconter une plaisanterie pour attirer l'attention. Georgina profita de sa surveillance pour se faire une meilleure idée des deux acolytes d'Évelina Richer. Elle en vint à la conclusion que Simone Lafond était une personne effacée faisant partie de ces gens qui passaient inaperçus par leur platitude. Flavie Prévost l'agaçait presque autant qu'Évelina ; elle ne pouvait supporter sa naïveté et le regard de petite fille que la jeune femme posait sur tout ce qui l'entourait. Georgina était persuadée que Flavie prendrait la fuite dès qu'elle verrait une goutte de sang. Soudain, Alma toussa légèrement pour attirer l'attention de sa compagne, visiblement monopolisée par le trio de jeunes femmes qui s'amusaient un peu plus loin.

Flavie remarqua le regard rempli d'animosité que Georgina venait de leur lancer. « Mais qu'est-ce qu'elle nous veut au juste ? Personne ne lui a appris qu'il est impoli de dévisager les gens ? » Puis, s'adressant à Simone et à Évelina, elle partagea son inconfort :

— Je crois que notre amie Georgina n'apprécie pas de voir à quel point nous avons du plaisir, toutes les trois.

Le regard lucide d'Évelina s'attarda sur Georgina quelques instants, puis la jeune femme répondit :

— Je pense simplement que Georgina déteste ne pas être le centre d'attraction.

Flavie, Simone et Évelina continuèrent leur conversation jusqu'à ce qu'elles regagnent leur chambre. Une belle amitié se tissait entre les trois jeunes femmes qui se ressemblaient par leur joie de vivre et leur même désir d'apprendre le métier d'infirmière.

# 3

Évelina s'était réveillée bien avant que les sœurs sonnent la cloche. Flavie et Simone dormaient encore. Il était hors de question qu'elle entreprenne sa journée sans se coiffer ni se pomponner. Quand les deux amies constatèrent à leur réveil qu'Évelina était fin prête, elles ne purent s'empêcher de se moquer gentiment d'elle.

— Oh là là ! déclara Flavie. Je pensais que tu plaisantais hier quand tu as dit que tu te lèverais plus tôt pour avoir le temps de te préparer.

— C'est notre premier jour, mesdemoiselles, alors il faut faire bonne impression.

— Vous allez voir que ce ne sera pas trop long pour moi, marmonna Simone en mettant ses lunettes.

— Je vous laisse vous préparer et je vous attends à la salle à manger. J'ai une faim de loup, ce matin !

Simone avait déjà mis sa robe et elle s'affairait à faire son lit. Flavie suivit des yeux Évelina qui franchit la porte de la chambre et disparut dans le corridor. « Quel aplomb, tout de même ! » pensa-t-elle en songeant à l'assurance de sa consœur, alors qu'elle-même luttait pour dissimuler sa nervosité. Flavie se dépêcha de s'habiller et noua ses cheveux à la hâte pour que son amie n'ait pas à l'attendre pour aller déjeuner. « À défaut d'un miroir, je vais devoir me mirer dans la fenêtre », se dit-elle avant de lisser les plis de la jupe cintrée à la taille et d'attacher les boutons qui retenaient les manches de sa robe à la hauteur des poignets.

— Évelina ne voulait pas se passer de petit-déjeuner ce matin, déclara Simone en aplatissant de la main une mèche rebelle.

— Ni se contenter d'un bout de pain comme hier !

— Ouais ! Mais j'ai également l'impression que le fait d'apprendre quelles seront ses tâches la rend nerveuse et qu'elle essaye de le cacher.

« Ça m'étonne de voir que Simone semble capable de lire dans nos pensées », songea Flavie. « Évelina est orgueilleuse et n'avouera jamais comment elle se sent pour éviter qu'on la croie vulnérable. Peut-être que si je m'arrêtais de parler un peu moi aussi et que j'observais en silence comme Simone le fait, j'aurais cette faculté de comprendre aussi rapidement la personnalité des gens », conclut Flavie avec perspicacité.

— Tu as sans doute raison, Simone. Tu m'impressionnes !

— Je peux te dire que toi aussi tu as un peu peur de ce qui t'attend, Flavie.

— Bof ! C'est facile, je l'ai clairement exprimé hier !

— Je sais et je suis terrorisée moi aussi ! Nous le sommes toutes, si je me fie à ce que je vois dans ce dortoir ce matin.

Les étudiantes se dépêchaient de s'habiller et se bousculaient devant les miroirs des salles de bains adjacentes aux chambres. La nervosité de chacune était palpable. Même Georgina se tordait nerveusement les mains en attendant d'avoir accès au miroir. Flavie lui avait souri en signe d'encouragement pour lui signifier qu'elle n'était pas la seule à être aussi nerveuse, mais Georgina s'était contentée de lui jeter un regard hautain. Témoin de l'échange silencieux entre les deux jeunes femmes, Simone avait haussé les épaules, puis entraîné son amie vers le corridor.

* * *

Les tâches furent assignées ; Flavie se retrouva jumelée avec Charlotte Lévesque. Les deux jeunes femmes devaient s'occuper des 16 patientes d'une salle commune sous la supervision de Suzelle Pelletier, une étudiante de troisième année. Flavie avait rencontré Charlotte la veille, mais toutes deux n'avaient pas encore eu le temps de faire plus ample connaissance. Du même âge que Flavie, Charlotte était novice chez les Sœurs grises et elle commençait elle aussi sa première année en tant qu'étudiante en soins infirmiers. Orpheline, elle avait été recueillie par les Sœurs grises ; l'hospitalière en chef, sœur Larivière, l'avait prise sous son aile. Malgré son origine inconnue, elle avait été choisie pour devenir sœur de chœur et apprendre le métier d'infirmière. Contrairement aux sœurs converses qui s'occupaient des menus travaux du couvent, Charlotte avait la chance d'étudier à l'hôpital Notre-Dame, et elle pourrait consacrer le reste de sa vie religieuse à prendre soin des malades.

Les patientes dormaient encore quand les deux aspirantes franchirent les portes de la salle. Suzelle leur expliqua froidement en quoi consisterait leur tâche ce matin-là. Avant de se rendre dans la cuisine auxiliaire pour préparer et servir les plateaux des patientes, Flavie et Charlotte devaient nettoyer la pièce. Pendant ce temps, Suzelle vérifierait les signes vitaux : pouls, tension artérielle et température, avant de noter le tout dans le dossier de chaque malade. L'étudiante de troisième année dissimulait mal le plaisir évident qu'elle prenait à diriger les débutantes, qui n'avaient encore aucune idée de la façon de procéder. Un tirage au sort détermina que Charlotte passerait le balai tandis que Flavie s'occuperait des prothèses dentaires qui avaient trempé dans des verres d'eau pendant la nuit.

« Beurk ! C'est dégoûtant, mais aussi bien me débarrasser rapidement de cette tâche afin de passer à autre chose », s'encouragea-t-elle. Sans trop réfléchir, Flavie saisit un petit bac à eau et, après avoir fait la tournée des tables de chevet, elle y plaça tous les dentiers qu'elle avait ramassés. Regardant son bac à eau, elle réalisa l'erreur abominable qu'elle venait de commettre. « Oh non ! Qu'est-ce que je viens de faire là ? » Comment retrouver le propriétaire de chacun des dentiers ? Blanche comme un drap, la jeune femme alla trouver Suzelle et lui avoua sa bévue. Flavie aurait voulu rire de la situation plus que cocasse, mais à ce moment-là, elle était beaucoup trop mal à l'aise. Suzelle poussa un soupir et regarda le plafond en secouant la tête. Elle sortit pour demander conseil à la garde Baillargeon qui se trouvait dans la salle d'à côté.

Flavie retourna dans la salle de bains, les jambes flageolantes. À sa première tâche, elle avait commis une bourde monumentale ; elle craignait de se faire renvoyer avant même d'avoir assisté à un premier cours. Elle retenait ses larmes. « Espèce de tête folle ! Qu'est-ce que j'ai fait là ? Antoine a raison quand il dit que je suis une lunatique. Il rirait de moi comme un fou s'il me voyait ! Je me ferai renvoyer, c'est sûr ! Comment je vais faire pour réparer ma gaffe ? » La nervosité lui avait souvent joué des tours, mais Flavie s'en était toujours bien tirée. Peut-être que cette fois-ci sa distraction aurait des conséquences plus graves ? Elle n'avait pas réfléchi avant d'agir et désormais elle devait trouver une solution.

Suzelle avait trouvé la garde Baillargeon en compagnie de Georgina et d'Alma. Manquant complètement de discrétion, elle expliqua à la garde Baillargeon qu'une « nouvelle » venait de commettre une erreur et qu'elle avait grandement besoin de son aide. Georgina tendit l'oreille pour entendre ce dont il était question. Un sourire de satisfaction illumina son visage pendant quelques secondes lorsqu'elle entendit le nom de la fautive.

* * *

Flavie avait terminé de tout nettoyer et attendait patiemment, la tête baissée, le verdict de la garde Baillargeon. Suzelle se tenait à ses côtés, les bras croisés et la bouche pincée pour retenir son envie de rire.

— Cette bévue n'a causé la mort de personne, dit la garde. Ne vous en faites pas trop, Flavie ! Certaines erreurs ont des répercussions beaucoup plus graves.

Charlotte, qui voulait détendre l'atmosphère, lui murmura :

— C'est un peu comme l'histoire de Cendrillon. Il nous faudra leur faire essayer les dentiers !

Très préoccupée par sa faute, Flavie se contenta de soupirer. La garde Baillargeon envoya Charlotte à la cuisine auxiliaire pour préparer les plateaux du déjeuner et elle pria Suzelle de s'acquitter de ses tâches. Elle resta seule avec Flavie. Quelques patientes étaient à présent réveillées. La garde Baillargeon leur présenta Flavie en leur racontant brièvement ce qui s'était passé pendant leur sommeil. La plupart s'amusèrent de l'anecdote et se prêtèrent au jeu de l'essayage. Flavie assistait l'infirmière en silence. Il ne faisait aucun doute que sœur Désuète serait mise au courant, et la jeune fille avait peur de sa réaction. Fort heureusement, l'erreur qu'elle avait faite était minime, mais elle craignait de récidiver sous la pression et de commettre une faute plus grave.

Charlotte distribua les plateaux seule pour permettre à Flavie de réparer son erreur. La répartition des dentiers se termina et toutes les patientes réussirent à manger leur petit-déjeuner. Flavie ramassa les plateaux, penaude et surtout très intimidée par le regard des patientes. Celles-ci la taquinaient en lui disant que, le soir, elles dormiraient avec leur râtelier pour éviter qu'elle ne les mélange encore une fois. Une dame la remercia en lui disant qu'il y avait très longtemps qu'elle ne s'était autant amusée. Flavie espérait pour sa part que l'incident serait relégué aux oubliettes assez rapidement.

* * *

Les infirmières de deuxième et troisième années avaient pris la relève pour prodiguer les soins aux patients, et les nouvelles arrivantes s'étaient retrouvées dans la salle de classe après la distribution des déjeuners. Charlotte avait promis à Flavie de rester discrète en ce qui concernait son erreur. Elle devinait à quel point cette situation avait contrarié la jeune femme et elle s'était dit que si Flavie voulait raconter son aventure elle le ferait d'elle-même. Flavie retrouva Évelina et Simone avec soulagement. Elle se promit de leur raconter sa bévue quand elles seraient seules un peu plus tard.

Flavie n'eut pas besoin de le faire, car Georgina s'en chargea. Un peu avant le début du cours donné par le docteur Bourque, cette dernière s'installa dans la rangée derrière Flavie. Tout en parlant exagérément fort, Georgina prit un ton faussement désolé :

— Peux-tu croire, Alma, que quelqu'un a commis l'erreur de prendre tous les dentiers d'une même salle et de les laver tous ensemble pour économiser du temps ? Ces pauvres patientes ! En plus d'être malades, elles ont subi l'humiliation de devoir essayer toutes les prothèses pour trouver la bonne !

Flavie ferma les yeux et, pendant quelques secondes, elle eut l'impression que son cœur cessait de battre. Elle aurait voulu s'enfuir en courant, mais elle ne le fit pas, paralysée par la honte. Plusieurs des jeunes femmes qui se trouvaient dans la salle interrogèrent Georgina pour savoir qui avait bien pu commettre une gaffe aussi stupide que celle-là, mais en vain. Elles se dévisagèrent donc les unes les autres pour essayer de trouver la coupable.

Simone avait vu son amie pâlir devant les propos de Georgina et avait tout deviné. Au moment où Simone s'apprêtait à ordonner à Georgina de se taire, sœur Désuète entra, suivie de garde Baillargeon et de sœur Duval. De toute évidence, sœur Désuète aussi était au courant de la mésaventure de Flavie. N'ayant pas été témoin des propos de Georgina, la religieuse se contenta d'apaiser la confusion qui régnait dans la salle de classe.

— Mesdemoiselles, un peu de silence, je vous prie ! À voir la pagaille qui règne ici, j'imagine que vous devez être au courant de l'erreur survenue ce matin qui, je l'espère, ne se reproduira plus. Je rencontrerai la fautive après votre cours avec le docteur Bourque, mais je vous prierais dès maintenant de considérer le sujet comme clos. Tout ce que je veux vous dire à la suite de cet incident, c'est qu'il est primordial que vous analysiez chacun des gestes que vous posez concernant les patients dont vous avez la charge. Cette fâcheuse aventure n'a pas eu de graves conséquences, mais s'il avait été question d'un médicament mal administré ? D'une note écrite malencontreusement dans le dossier du mauvais patient ? Cette histoire doit vous faire prendre conscience qu'il est essentiel que vous soyez attentives en tout temps.

La religieuse céda sa place à un petit homme chauve vêtu d'un sarrau blanc. Le docteur Bourque s'installa derrière le bureau sans saluer les élèves et ouvrit le carnet de notes qu'il tenait à la main. Sœur Désuète sortit en compagnie de la garde Baillargeon et de sœur Duval, laissant les étudiantes aux bons soins du médecin.

* * *

Le docteur Alphonse Bourque était un des doyens de l'hôpital Notre-Dame. Il pratiquait déjà bien avant que le nouvel hôpital emménage dans ses locaux dans la rue Sherbrooke en 1924. Il enseignait les cours de bactériologie et de pathologie chirurgicale et il s'attendait à ce que les infirmières qu'il formait soient les meilleures de l'école. « Il n'y a pas de place pour la médiocrité sous le toit de l'hôpital », se plaisait-il à répéter. L'hôpital Notre-Dame jouissait d'une bonne réputation, et les patients venaient de partout pour y recevoir les meilleurs soins. Il incombait donc au personnel de l'hôpital de continuer d'offrir le meilleur service. Une infirmière se devait d'assister le médecin tout en demeurant soumise et en respectant son supérieur ; l'efficacité était fondamentale dans cette collaboration. Les étudiantes en soins infirmiers avaient la chance de se voir transmettre le savoir qui, pendant longtemps, avait été réservé aux religieuses ; désormais, elles devaient prouver qu'elles possédaient les mêmes capacités. Jadis, les soins étaient dispensés dans un but charitable, mais dorénavant, il en allait autrement. Le docteur Bourque avait fait comprendre aux aspirantes que le métier d'infirmière était dorénavant une véritable profession, qui requérait une rigoureuse formation.

Les étudiantes écoutaient avec attention ; personne ne souhaitait se faire prendre en défaut par le médecin. Malgré sa petite taille, celui-ci semblait doté d'un fort caractère. Le regard sévère, il avait annoncé aux étudiantes qu'il ne tolérerait pas la moindre incartade de leur part. Sous ses sourcils broussailleux, il parcourait la salle d'un regard inquisiteur pour s'assurer que toutes les étudiantes suivaient attentivement ses propos. Son enseignement était prisé de toutes les élèves en soins infirmiers ; Flavie avait surpris une conversation entre deux anciennes qui vantaient les qualités de ce médecin exigeant.

La jeune fille prenait des notes en s'efforçant d'oublier ce qui s'était passé un peu plus tôt dans la journée. Le docteur Bourque insistait sur les principes de base de l'asepsie, un nouveau mot dans le vocabulaire des étudiantes de l'école d'infirmières. Flavie avait vite compris l'importance de l'asepsie : il fallait à tout prix empêcher la contamination des plaies et de l'environnement, et les instruments devaient être totalement exempts de bactéries. Dans quelque temps, les étudiantes pourraient assister à une chirurgie. Flavie était impatiente de vivre cette expérience, de voir concrètement le travail de l'infirmière dans une salle d'opération. Elle avait tant à apprendre, et sa curiosité la rendait impatiente. Elle avait toujours été avide de connaissances et empressée de mettre celles-ci en pratique. Flavie essaya de contenir son enthousiasme et se concentra sur les propos du docteur Bourque.

* * *

Après le cours du docteur Bourque, sœur Désuète convoqua Flavie dans son bureau. La jeune femme resta quelques secondes à fixer la lourde porte en bois. Puis, prenant une inspiration, elle frappa discrètement. La voix sèche de sœur Désuète l'invita à entrer. Quand Flavie pénétra dans la pièce, la religieuse pointa simplement une chaise devant son bureau.

Dès que l'étudiante se fut assise, sœur Désuète attaqua :

— La garde Baillargeon m'a mise au courant de votre erreur. Comme je l'ai dit tout à l'heure en classe, cette maladresse n'a pas eu de répercussions graves, mais je vous prierais à l'avenir d'être plus attentive. Vous ne voudriez pas avoir la mort d'un patient sur la conscience, j'imagine ?

— Bien sûr que non, ma sœur ! Si vous saviez combien je regrette ce qui s'est passé…

— Une bonne infirmière se doit de garder son calme en toute situation. Dorénavant, je vous aurai à l'œil, mademoiselle Prévost. Vous avez eu beaucoup de chance que les patientes aient pris cette histoire en riant. Dans un hôpital, il n'y a aucune place pour la distraction. Tâchez de tirer profit de cette fâcheuse expérience !

Durant la semonce de sœur Désuète, Flavie garda la tête baissée. Elle donnait entièrement raison à la religieuse : elle ne devait plus être aussi distraite. Enfant, elle avait toujours été un peu étourdie, mais elle ne pouvait se permettre de l'être avec des patients sous sa responsabilité. Flavie ne savait pas quoi répondre à sœur Désuète. Elle lui promit d'être plus attentive à l'avenir et de travailler très fort pour compenser son erreur. La jeune femme espérait avoir fait bonne impression aux yeux de la religieuse, mais celle-ci demeura impassible. Elle se contenta de refermer le cahier sur son bureau pour clore la discussion. Puis, les lèvres pincées, elle signifia à Flavie son congé.

La jeune femme sortit en silence et referma délicatement la porte derrière elle. Encore ébranlée mais soulagée de sa rencontre avec sœur Désuète, elle se dirigea vers le petit salon où Évelina et Simone devaient l'attendre. Ses deux amies s'y trouvaient effectivement, et leur présence la réconforta. Georgina discutait avec Alma dans un coin de la pièce. Elle leva les yeux lorsque Flavie franchit le seuil de la pièce. Elle souligna à voix haute, pour capter l'attention de toutes :

— On devrait expulser toutes celles qui ne sont pas à leur place, afin d'éviter que d'autres erreurs se produisent. D'ailleurs, peut-être sœur Désilets a-t-elle demandé à Flavie de préparer ses affaires et qu'elle est venue nous saluer avant de nous quitter pour de bon ?

Évelina se leva, mais Simone posa une main sur son bras pour lui signifier de se taire. Elle invita ensuite Flavie à prendre place près d'elle.

— Ça ne sert à rien d'embarquer dans son petit jeu, Évelina, c'est tout ce qu'elle souhaite, la calma Simone avant de lui dire de se rasseoir.

— Je ne tolère pas ce genre de personnes, Simone. Flavie a fait une erreur et, entre nous, c'est bien peu de choses. Mais Georgina en fait tout un plat et s'amuse à ridiculiser Flavie.

— Laissons-la faire, tout simplement. Un jour, c'est peut-être elle qui commettra une erreur. Sois certaine, Évelina, que je serai alors la première à la lui mettre sous le nez.

Le regard reconnaissant, Flavie adressa un tendre sourire à ses deux amies. Évelina et Simone lui témoignaient tout leur soutien et elle appréciait de savoir qu'elles étaient prêtes à tout pour la protéger.

* * *

Le lendemain de l'incident, Flavie entra la tête haute dans la salle commune où elle avait commis son erreur. Mais avant même que Suzelle ait le temps d'assigner leurs tâches aux étudiantes, Flavie se chargea de nettoyer les prothèses dentaires. Charlotte considéra cette action comme une façon de conjurer le mauvais sort et de mettre un terme à l'histoire. Les patientes qui avaient subi l'incident la veille observèrent Flavie pendant qu'elle faisait son travail. Lorsque cette dernière eut terminé, elle affirma bien haut pour que tout le monde l'entende :

— Voilà ! Je viens de prouver que je suis capable de faire cette tâche. Aujourd'hui, vous pourrez manger votre petit-déjeuner chaud !

La remarque plut à Charlotte. La distribution des plateaux se fit dans la bonne humeur. La femme qui avait dit la veille s'être amusée de l'incident agrippa le bras de Flavie quand celle-ci passa à proximité.

— Je suis bien heureuse, mademoiselle, que vous soyez encore assignée à notre chambre. Votre présence nous apporte un peu de réconfort. J'espère que vous ne vous êtes pas fait gronder sévèrement, hier.

— Non, madame. Et ça me fait plaisir de savoir que vous voulez toujours que je m'occupe de vous.

— Bien entendu, mademoiselle. Je devrais obtenir mon congé de l'hôpital sous peu, mais je garderai en mémoire vos bons soins et, surtout, la façon dont vous vous êtes occupée de ma dentition !

Flavie sourit à la femme et reprit sa distribution de plateaux. Cet incident lui avait fait prendre conscience que les seules personnes que voyaient la plupart des patients dans une journée étaient les infirmières et les médecins qui allaient et venaient dans l'hôpital. « Pauvres eux autres, le temps doit parfois leur paraître long ! » Il semblait ainsi primordial pour Flavie, peu importe comment elle se sentait, de conserver sa bonne humeur quand elle rendait visite aux malades. Une parole bienveillante ou une plaisanterie pouvaient faire toute la différence pour le moral du patient. L'incident des prothèses dentaires avait généré cette prise de conscience chez la jeune femme. Cela contribuerait peut-être à faire d'elle une meilleure infirmière.

* * *

Le docteur Marcel Jobin avait plusieurs minutes de retard. Les étudiantes attendaient patiemment le début du cours d'anatomie. Charlotte avait pris place entre Flavie et Évelina. Simone relisait ses notes du matin en attendant l'apparition du médecin. La porte s'ouvrit à la volée et un homme d'une quarantaine d'années apparut ; le sarrau déboutonné du professeur laissait entrevoir une chemise blanche impeccable et une cravate. Il déposa la pile de feuilles qu'il transportait et prit soin de boutonner sa blouse de travail. Évelina le suivait des yeux. Elle n'aurait su dire si c'était la prestance ou le physique athlétique de l'homme qui avaient attiré son attention, mais elle retint son souffle pendant quelques instants.

Le docteur Jobin posa son regard bleu sur la salle et se présenta, s'excusant de son retard. Il alla ensuite chercher dans un des coins de la pièce une sorte de patère à laquelle était suspendu un squelette. Plusieurs étudiantes gloussèrent lorsque le docteur présenta celui-ci comme étant « Siméon », le squelette de l'école qui souhaitait leur faire découvrir ses secrets. Contrairement à son confrère austère qui avait donné le cours de bactériologie la veille, le docteur Jobin était sans contredit un homme charmant doté d'un excellent sens de l'humour. Pour détendre l'atmosphère, lorsqu'il avait présenté « Siméon », il lui avait pris un bras et l'avait fait saluer les étudiantes. Le nez toujours plongé dans son cahier de notes, Simone leva les yeux en entendant ses voisines s'esclaffer. Elle fut déçue d'avoir manqué quelque chose de drôle.

— Le corps humain n'aura plus de secrets pour vous, mesdemoiselles. Mon ami ici présent vous montrera toutes les facettes de sa personnalité. Si vous écoutez attentivement tout ce que je dis, vous ne devriez pas, en principe, avoir besoin de votre livre de référence. Si vous avez des questions, je suis toujours disponible pour vous recevoir entre mes visites de patients, les cours que je prodigue à quelques internes ainsi qu'à vos consœurs des autres niveaux et vous, entre mes réunions administratives, mes soirées mondaines et ma vie de famille... Je suis partout et nulle part dans cet hôpital !

Flavie releva la pointe d'humour dans les propos du docteur Jobin. Sa charge de travail devait être considérable, mais il s'en amusait plutôt que d'en être mécontent. Il distribua une pile de feuilles à chacune des étudiantes. Il s'arrêta quelques secondes devant Évelina, que Flavie surprit à rougir devant le regard du médecin. Même Georgina, malgré son air coincé, semblait subjuguée par le charme du docteur Jobin.

* * *

Flavie avait donné rendez-vous à Évelina et Simone pour profiter des dernières lueurs du jour près de l'étang du parc La Fontaine, après avoir terminé leur dernière tournée auprès des patients. Charlotte, qui profitait de quelques minutes de liberté avant de devoir retourner à l'étage où était logée la communauté religieuse, s'était jointe à elles. Le fait d'être novice et de vouer sa vie au service de Dieu représentant un véritable mystère pour Évelina, cette dernière interrogea Charlotte sur sa décision d'entrer en religion.

— Je n'y ai jamais vraiment réfléchi. J'ai toujours vécu dans un couvent. J'y suis arrivée alors que j'étais bébé et les sœurs sont la seule famille que j'aie connue. J'aurai la chance de devenir infirmière et de me consacrer au service des malades.

— Mais tu pourrais très bien être infirmière sans devenir religieuse, lui dit Évelina.

— C'est certain, mais j'ai décidé de consacrer ma vie à Dieu.

— Tu ne doutes jamais de ta vocation ?

Charlotte resta silencieuse quelques minutes. Il lui était arrivé quelquefois de douter de son choix. Elle se sentait redevable aux sœurs pour les années passées à l'orphelinat. Sœur Larivière, qui s'était occupée d'elle, lui avait souvent dit qu'il était normal de douter avant de prononcer définitivement ses vœux, que ce doute renforcerait sa foi. Charlotte n'avait pas envie de s'appesantir sur les questions posées par Évelina. Sa décision était prise ; elle ne voulait pas revenir en arrière. Évelina lui avait même demandé si elle avait le droit de quitter la communauté religieuse.

Sa vie était toute tracée depuis son arrivée à l'orphelinat : elle avait grandi entourée des sœurs et son destin était lié au couvent. Charlotte ne pouvait imaginer une autre vie que celle qui la comblait depuis près d'une vingtaine d'années. Porter le voile lui donnait un sentiment de sécurité face au monde extérieur qui lui faisait peur. Elle ne souhaitait pas se marier ni fonder une famille; la vie en communauté lui apportait le bonheur qu'elle recherchait. Les questions d'Évelina venaient d'éveiller en elle un doute minuscule mais suffisant pour ébranler ses convictions profondes. Effectivement, elle aurait pu vouer sa vie aux malades sans pour autant devenir religieuse. C'est ce que Flavie, Simone et Évelina avaient choisi de faire.

Devant le regard interrogateur d'Évelina, Charlotte, troublée, ne savait quoi répondre. Elle décida que pour le moment sa seule porte de sortie était de partir. Elle jeta un coup d'œil à sa montre et s'excusa auprès du groupe d'amies. Elle devait rentrer pour la dernière prière du soir. Évelina se rendit compte de l'embarras qu'elle avait causé à Charlotte.

Flavie rompit le silence après le départ de la novice.

— Je pense que Charlotte n'a pas aimé tes questions, Évelina.

— Je n'arrive pas à comprendre que quelqu'un souhaite entrer en religion et se priver de tout ce que la vie peut apporter.

— Charlotte a été élevée dans un couvent, déclara Simone. Le reste, pour elle, c'est de l'inconnu et elle a décidé de vouer sa vie au service des malades, ajouta la jeune femme qui avait constaté elle aussi le malaise provoqué par les questions d'Évelina.

— Je comprends tout ça, Simone, mais elle devrait savoir que d'autres choix s'offrent à elle.

Flavie écoutait en silence Simone et Évelina essayer de faire la part des choses. La discussion avec Charlotte avait suscité un questionnement chez Flavie. Elle n'avait jamais pris le temps de réfléchir à ce qui l'avait motivée dans sa décision de vouloir être infirmière. Depuis qu'elle était petite elle y pensait, mais qu'est-ce qui avait influencé son choix? Étaient-ce ses lectures sur Florence Nightingale ou la valorisation que la pratique du métier apportait? «Je me souviens aussi de la fois où Antoine s'était entaillé la main et que je m'étais occupée de lui en lui faisant un bandage avant de le conduire chez le médecin. Le docteur Roberge m'avait félicitée de mon sang-froid et il m'avait demandé de l'assister quand il avait fait les points de suture.» En se remémorant cet événement, Flavie se souvint de s'être sentie utile d'avoir aidé et soulagé son frère, et surtout de la fierté qu'elle avait éprouvée devant les compliments du médecin.

Flavie s'adressa à Simone et à Évelina :

— Pour quelles raisons avez-vous choisi de devenir infirmière ?

La question flotta dans l'air quelques secondes, pendant qu'Évelina et Simone réfléchissaient. Évelina se lança la première.

— Une des raisons pour lesquelles je me suis inscrite comme élève infirmière est parce que j'en avais assez d'être chez ma mère. J'avais besoin de mettre de la distance entre elle et moi. Je suis enfant unique, et ma mère est une femme contrôlante et exigeante. Et puis, la principale raison – comme plusieurs jeunes femmes qui choisissent le métier – est de me trouver un mari. Y a-t-il meilleure façon d'y parvenir que de travailler dans un hôpital ?

Cette réponse n'étonna pas Flavie. Depuis le début des cours, chaque fois que les étudiantes croisaient un groupe d'internes, Évelina montrait son plus beau sourire. La jeune femme aimait charmer et ils étaient plusieurs à ne pouvoir lui résister. Flavie n'aurait pas été étonnée d'apprendre que son amie ait déjà récolté quelques rendez-vous galants. Elle ne posa pas de questions concernant la mère d'Évelina. Il y avait apparence de conflit et, pour le moment, Flavie n'avait pas vraiment envie de s'avancer sur ce sujet épineux.

Puis, ce fut au tour de Simone :

— Pour ma part, je ne veux pas d'un mari. J'ai même fui un mariage que je ne souhaitais pas. J'enseignais depuis plusieurs années et j'avais envie d'une autre vie. M'occuper des enfants des autres, très peu pour moi. Je voulais partir de Saint-Calixte et, surtout, je désirais autre chose qu'être une épouse et une mère de famille – ce que mon prétendant n'a pas compris, bien entendu !

Pour sa part, Flavie trouvait que son propre motif était un peu simpliste. Elle décida quand même de se confier à ses amies.

— J'ai toujours aimé aider les gens et je pense que je serai apte à le faire avec mon diplôme d'infirmière. Depuis que je suis petite, je souhaite devenir infirmière.

— Ta réponse ne me surprend pas, Flavie, affirma Simone. Tu es une personne généreuse, et tes patients auront beaucoup de chance de recevoir tes soins. Tu seras sûrement une meilleure infirmière que nous deux. C'est de ce dévouement dont parlait sœur Désuète dans son discours. Évelina et moi avons fui une vie qui nous répugnait. Toi, tu veux réellement aider les gens.

— Je ne pense pas nécessairement que je ferai une meilleure infirmière que vous. Nos candidatures ont été retenues parmi plusieurs. Nous avons toutes les trois le potentiel pour devenir infirmières. Nous avons été choisies parmi « la crème de la crème », comme l'a dit sœur Désuète.

— Mais toi, Flavie, tu veux devenir infirmière dans le seul but d'aider les gens, objecta Évelina. Pas pour fuir une mère contrôlante comme la mienne !

— Ni pour fuir un fermier qui veut faire de toi sa femme et repeupler Saint-Calixte ! Franchement ! Me voyez-vous avec une ribambelle d'enfants ?

Flavie s'amusa des dernières paroles de Simone. Elle qui, habituellement, montrait une certaine réserve, avait dit haut et fort qu'elle ne souhaitait pas se marier. Elle l'avait reconnu avec une pointe d'humour, s'exprimant ainsi à la manière d'Évelina. Flavie imaginait mal Simone avec une famille nombreuse à ses côtés, mais elle n'avait pas de difficulté à voir Évelina une bague au doigt, mariée à un médecin. Plus elle apprenait à connaître ses amies, plus elle aimait la personnalité différente de chacune. Flavie eut la conviction profonde que peu importe les motivations les ayant conduites à choisir le métier d'infirmière, ses deux compagnes et elle se soutiendraient mutuellement durant leurs années d'études. Cette pensée la réconforta.

# 4

Les arbres du parc La Fontaine s'étaient parés des couleurs orangées de la fin de l'été. Flavie s'occupait toujours des patients avant d'assister aux différents cours. Les deux «nouvelles», comme se plaisait à les appeler Suzelle, connaissaient dorénavant leur routine du matin par cœur. Charlotte et Flavie s'étaient partagé les patients de la salle. Tous les matins, les midis et les soirs, elles répétaient les mêmes tâches: le nettoyage de la pièce et la distribution des plateaux à chacun des repas.

Quand les tâches des étudiantes de première année étaient terminées, les gardes diplômées prenaient la relève pour la visite des médecins et des internes. Les étudiantes regagnaient les salles de cours et passaient quelques heures à apprendre la théorie, avant de pouvoir la mettre en pratique. Puis, l'heure du midi leur permettait de prendre une petite pause avant de retourner dans les salles pour faire la distribution des plateaux pour le dîner.

Flavie et ses compagnes s'acquittaient de leurs tâches en sachant que les élèves de première année n'étaient pas encore considérées comme de véritables infirmières. Elles se faisaient attribuer toutes les tâches ingrates par les élèves de deuxième et troisième années. Les étudiantes de première année ne devaient pas protester ni émettre le moindre commentaire. Elles se trouvaient un échelon plus haut que les domestiques dans le bas de l'échelle hiérarchique de l'hôpital. Quand ses amies et elle se retrouvaient le soir pour discuter et décompresser de leur dure journée de travail, Flavie essayait de ne pas se plaindre des corvées. Simone restait impassible malgré tout ce qu'elle devait accomplir, elle aussi. La seule qui protestait ouvertement était Évelina qui n'en revenait pas de toutes les corvées « dégradantes » – comme elle prenait plaisir à les qualifier – qui lui étaient assignées.

Évelina se laissa tomber dans un fauteuil près de Flavie en poussant un soupir exagéré et en se couvrant le visage d'une main.

— Ouf! Terminée la journée ! J'ai dû refaire deux fois le lit d'une patiente incontinente. J'ai dû tout changer : les draps, les couvertures et les oreillers. Je me sens comme une domestique ! Je veux apprendre un métier, pas à « torcher » les gens !

— « Torcher les gens » ! s'exclama Simone. Tu es drôle, toi ! Mais attends, le pire s'en vient !

Évelina lui jeta un regard interrogateur. Devant le silence intentionnel et rempli de suspense de Simone, Flavie crut bon d'expliquer :

— Dans quelques semaines, nous devrons nous occuper de faire la toilette des patients en plus de changer les lits !

— Argh ! J'avais oublié ça, moi ! Je ne peux pas croire que pour devenir infirmière je devrai m'abaisser à faire ça !

— Mais devenir infirmière, ce n'est pas la principale raison pour laquelle tu es ici, si je me souviens bien, la taquina Simone. Ce n'est pas plutôt pour te trouver un mari médecin ?

— Mon Dieu ! Comment le pourrais-je? Quand les médecins et les internes visitent les patients, nous sommes en cours ! Et puis des congés, vous en avez eus, vous ?

C'était justement le sujet de l'heure dans les discussions des étudiantes de première année. La rumeur circulait que dans quelques jours, certaines pourraient obtenir leur première demi-journée de congé – plus de deux mois après leur arrivée. Elles avaient droit à deux heures de repos le dimanche, mais elles n'avaient pas encore eu un véritable congé. Les étudiantes étaient fatiguées ; elles avaient l'esprit surchargé par toutes les choses qu'elles devaient apprendre en si peu de temps avant de se retrouver au chevet des patients. Flavie et plusieurs autres soupçonnaient que le fait de les priver de congés et de les faire travailler était une tactique visant à éliminer les moins persévérantes. Plusieurs élèves étaient mécontentes, mais le mot d'ordre était de ne rien dire. Celles qui protestaient se faisaient juger sévèrement par leurs pairs et, surtout, elles traînaient la réputation de n'être pas assez fortes pour pratiquer ce métier exigeant. Un congé ferait du bien à toutes et diminuerait la tension qui régnait dans la salle de classe. «J'imagine comment ça sera la veille d'un examen!» pensa Flavie devant la nervosité et l'impatience qui étaient palpables dans les salles de repos.

* * *

Flavie avait reçu deux lettres de sa mère depuis son arrivée, mais elle n'avait pas répondu. Connaissant Bernadette, la jeune femme savait qu'elle devrait justifier son silence. Elle remettait toujours à plus tard de prendre la décision d'appeler ou d'écrire à sa famille. Elle avait téléphoné chez elle quelques jours après son arrivée pour dire qu'elle était bien installée et qu'elle avait commencé ses cours. Mais depuis près de deux mois, elle n'avait pas communiqué avec les siens. Depuis quelques jours, sa famille lui manquait. Elle était bien entourée avec Simone et Évelina, mais elle s'ennuyait des conversations avec sa grand-mère et sa mère.

«C'est ce soir que ça se passe. J'ai été négligente d'attendre aussi longtemps avant de donner des nouvelles à ma famille.» Saisissant son courage à deux mains, elle profita de quelques minutes de liberté avant d'aller se coucher pour téléphoner chez elle. C'est Bernadette qui répondit d'une voix forte comme si son interlocuteur se trouvait à l'autre bout du monde. Flavie dut éloigner le combiné de son oreille quand Bernadette reconnut sa fille à l'autre bout de la ligne.

— Mon Dieu, Flavie! Enfin de tes nouvelles! Comment vas-tu, ma chérie?

— Je vais bien, maman. Pardonnez-moi de ne pas avoir téléphoné plus tôt.

— Je commençais à être inquiète! Tu dois avoir un horaire chargé…

Flavie sentit le reproche dans la voix de sa mère. «C'est surtout qu'en dehors de mes cours, rien de palpitant ne se passe dans ma vie!» se dit-elle. La jeune fille expliqua qu'en effet, les journées étaient bien remplies et que le soir, elle s'écroulait de fatigue dans son lit. Elle raconta que, dans quelques semaines, elle pourrait commencer à prodiguer certains soins aux patients et que cette perspective l'inquiétait un peu. Bernadette la rassura: tout irait bien, ses patients seraient les mieux soignés de l'hôpital. Flavie sourit. Sa mère essayait toujours de la réconforter du mieux qu'elle le pouvait. Les paroles maternelles lui prouvèrent que Bernadette avait toujours une grande confiance en ses capacités.

— J'ai parlé à Victor la semaine dernière. Il m'a appris que tu n'étais pas encore allée lui rendre visite.

Flavie ferma les yeux et hocha la tête. «Bon! Je savais qu'elle me reprocherait de ne pas être allée chez Victor.» Voulant couper court aux récriminations, elle déclara simplement qu'elle n'avait pas encore eu droit à un congé depuis son arrivée mais que, dès que ce serait possible, elle irait voir son parrain. Soulagée, Bernadette reprit la conversation. Elle raconta qu'Antoine avait acheté de nouvelles vaches et que sa grand-mère se portait bien. Flavie était heureuse d'avoir des nouvelles de la maisonnée; en écoutant sa mère, elle avait un peu l'impression d'être avec les siens à La Prairie. Sa nouvelle vie d'étudiante lui plaisait bien, malgré la routine qui s'installait peu à peu, mais de temps à autre elle s'ennuyait de sa famille. En raccrochant, elle promit de nouveau à sa mère de rendre visite à Victor et surtout de donner un peu plus souvent de ses nouvelles.

— Victor sera heureux de te recevoir. Donne-nous des nouvelles très bientôt. Je n'ose pas t'appeler, Flavie, de peur de te déranger, mais tu sais que tu peux nous joindre à tout moment ! À bientôt, ma grande !

Flavie raccrocha, réconfortée d'avoir enfin passé le coup de téléphone qu'elle remettait sans cesse à plus tard. Il avait suffi de quelques minutes pour qu'elle se sente mieux. Ce soir-là, en se couchant, pendant quelques secondes, elle s'imagina dans sa chambre à La Prairie.

* * *

Flavie assistait à tous les cours en s'efforçant de se concentrer sur les différentes méthodes enseignées. Comme les étudiantes n'avaient pas encore accès aux patients pour leur prodiguer des soins, en attendant la fin de leur période d'essai, elles s'entraînaient sur des mannequins de démonstration. Dès qu'elles parvenaient à maîtriser l'une des techniques enseignées, elles s'exerçaient sur leurs consœurs. En quelques mois, Flavie et ses compagnes avaient appris les différentes façons de manipuler les patients alités, et à prendre les signes vitaux, à poser et à changer les pansements.

C'est sœur Désuète qui enseignait comment faire les pansements. Profitant d'un moment où la religieuse avait laissé les étudiantes seules pour qu'elles puissent s'exercer, Évelina décida de s'amuser un peu. Elle s'éloigna du groupe et revint couverte de gazes. Elle marcha dans la salle, les bras devant elle et en traînant une jambe. Le groupe ne put s'empêcher de rire devant sa mise en scène digne des plus grands films d'Hollywood. Même Alma s'était laissé prendre au jeu. Seule Georgina observait la scène avec un regard désapprobateur. Marie-Ange Gascon lança un rouleau de gaze en direction d'Évelina. La situation dégénéra jusqu'au retour impromptu de sœur Désuète.

La religieuse pointa un index accusateur vers Évelina.

— Mademoiselle Richer ! Je vous prierais de nettoyer la salle et de me suivre immédiatement dans mon bureau. Et les autres, vous devriez avoir honte de vous être laissées prendre à son jeu. Le cours est terminé. Je vous ordonne de vous rendre dans vos salles respectives pour vous occuper des patients qui vous ont été confiés. Quant à vous, mademoiselle Richer, vous savez où me trouver !

Sœur Désuète sortit en claquant des talons. Les étudiantes la suivirent. Simone jeta un regard rempli de compassion à Évelina avant de sortir derrière ses compagnes. Seule Flavie resta avec son amie pour l'aider à ranger la salle de classe. Évelina était furieuse de s'être fait réprimander comme une enfant.

— Franchement ! Tout ce que je voulais, c'est m'amuser un peu. On sait comment faire les pansements, ça fait des jours qu'on s'exerce !

— Tu m'as bien fait rire, en tout cas !

Flavie se dépêcha de tout remettre en ordre. La distribution des plateaux dans la salle l'attendait. Évelina la suivit avec une moue de déception et se dirigea vers le bureau de sœur Désuète.

* * *

Évelina se joignit à ses amies qui commençaient à manger. Flavie lui demanda comment s'était passée sa rencontre avec sœur Désuète.

— Bof ! J'ai reçu un avertissement seulement. Sœur Désuète m'a simplement dit que je ne me comporte pas en « demoiselle raisonnable ». Pff ! C'est mal me connaître que de penser que j'ai déjà été raisonnable !

Évelina ricana avant d'avaler une cuillérée de ragoût. Flavie la regarda pendant un instant. « Je ne sais pas comment elle fait pour réagir comme ça. Les reproches lui glissent dessus comme l'eau sur les plumes d'un canard. Jamais je ne pourrais me montrer aussi sans-gêne qu'elle. » Depuis quelques jours, Flavie pensait souvent aux prochaines semaines. Elle se sentait vraiment nerveuse à l'idée de prendre en charge des patients. La théorie avait été assimilée et les exercices pratiques s'étaient bien déroulés, mais l'étape suivante lui faisait peur. Elle essayait de se rassurer en se disant qu'elle avait toujours eu ce défaut d'appréhender le futur. La plupart du temps, il n'arrivait pas ce à quoi elle s'attendait et même, dans la majorité des cas, elle avait d'agréables surprises.

Flavie avait décidé de se confier à Simone. Son amie partageait le même avis qu'elle : elle s'inquiétait trop à propos des semaines à venir. Tout ce que Flavie avait à faire, selon Simone, était de se concentrer sur les soins à apporter aux patients et ne pas imaginer ce qui pourrait survenir.

— Tu dois vivre le moment présent, Flavie. Te concentrer sur chacun de tes gestes en évitant de penser que le pire pourrait se produire.

— J'aimerais être aussi calme que toi, Simone. Juste le fait de penser que je me retrouverai seule avec un patient qui compte sur moi me fait vraiment peur.

Simone comprenait la nervosité de Flavie puisque elle-même en éprouvait également un peu, mais elle voulut rassurer son amie qui avait grandement besoin d'encouragement. Lui posant la main sur l'épaule, elle lui dit :

— Quand tu t'exerces sur un mannequin de démonstration ou sur l'une de nous, ça se passe bien. Pourquoi en serait-il autrement en présence d'un patient ?

— Tu as sans doute raison.

— Évidemment ! s'exclama Simone en lui faisant un clin d'œil.

— Merci Simone, ça m'encourage un peu. Je vais essayer de me souvenir de tes paroles quand je serai rendue là.

— En attendant, as-tu des projets pour ton congé ?

— Je rendrai probablement visite à mon parrain ; ma mère s'attend à ce que j'y aille. Si nous avons congé ensemble, peut-être que tu pourrais te joindre à moi.

— Oui ! Ce serait une bonne idée, je ne connais personne à Montréal. J'avais pensé que nous pourrions aller voir un film. Je me l'étais promis à mon arrivée.

— Nous pourrions y aller après.

— Peut-être qu'Évelina a une meilleure idée ?

En entendant son prénom, Évelina, qui venait d'entrer dans la pièce, se dirigea vers ses amies.

— Vous parlez de moi, mesdemoiselles ?

En apprenant que Simone et Flavie voulaient aller au cinéma, Évelina dit qu'elle les accompagnerait peut-être si elle obtenait son congé en même temps.

— Je vous emmenerai voir une belle « vue parlante ». Pas question de se contenter d'un film muet. Nous aurons droit à du vrai cinéma pour notre première sortie en ville !

— Ben voyons ! Ce n'est pas parce qu'on vient de la campagne, Simone et moi, que nous n'avons jamais vu de films de notre vie.

— Sûrement… mais jamais dans la « grande ville » !

En pensant à la perspective de passer une belle journée de congé avec ses amies, Flavie trouva rapidement le sommeil ce soir-là. « Victor devra se contenter de me voir une petite demi-heure ! »

* * *

Flavie avait terminé ses corvées et disposait de quelques minutes avant le cours d'anatomie dispensé par « le beau docteur Jobin », comme Évelina l'appelait. Elle avait laissé Simone flâner à la bibliothèque et cherchait Évelina pour lui annoncer que Simone et elle avaient congé en même temps. Flavie trouva Évelina dans un corridor près des salles de cours, en train de discuter avec deux « blouses blanches ». Évelina, adossée contre le mur, riait à gorge déployée d'une plaisanterie d'un des internes. Flavie remarqua de quelle façon son amie repoussait une mèche derrière son oreille ; ce geste désinvolte lui fit comprendre qu'Évelina était en mode séduction. Comme elle s'approchait du petit groupe pour interpeller son amie, elle vit sœur Désuète surgir au bout du couloir. Elle n'eut pas le temps d'avertir Évelina, et sœur Désuète apostropha cette dernière.

— Mademoiselle Richer !

Devant l'arrivée de la religieuse, les deux internes retournèrent à leurs occupations.

— Je vous avais avertie que nous ne supportions aucune discussion futile avec messieurs les internes dans les corridors de l'hôpital. Comme vous semblez prendre plaisir à transgresser le règlement, en conséquence vous serez privée de congé. Peut-être comprendrez-vous enfin que nous ne tolérons aucune incartade dans notre école...

Les lèvres pincées, sœur Désuète n'attendit pas qu'Évelina proteste. Elle passa devant Flavie qui n'avait rien perdu de la scène. Évelina haussa les épaules et déclara d'un ton ironique à son amie :

— Un peu plus, et j'aurais aussi été privée de dessert ! Vous devrez vous contenter de visiter la ville sans moi, Simone et toi.

* * *

À défaut de pouvoir accompagner Flavie et Simone, Évelina avait expliqué à ses amies « néophytes de la ville » comment se rendre chez Victor : tout d'abord en prenant le tramway numéro 5 dans la rue Ontario, puis le tramway numéro 43 sur l'avenue du Parc. Elles devraient ensuite parcourir quelques rues pour parvenir à la résidence du parrain de Flavie. Après, elles pourraient reprendre le tramway pour se rendre au théâtre St-Denis et assister à la représentation cinématographique. Flavie avait essayé de tout mémoriser; Simone, plus pragmatique, avait noté les renseignements dans un carnet. En regardant ses amies partir, Évelina avait poussé un soupir de dépit.

— Ce que je donnerais pour vous accompagner… Mais sœur Désuète m'a mise en punition!

— On se reprendra, lui promit Flavie.

— J'espère bien! J'ai un peu peur de vous laisser errer seules dans la ville, mes «poulettes»!

— Voyons donc, Évelina! Simone a pris en note toutes les indications que tu nous as données. Il n'y a aucun danger qu'on se perde! De toute façon, mon parrain nous fera très certainement de nombreuses recommandations, lui aussi.

— Dans ce cas, amusez-vous bien, mesdemoiselles, pendant que la pauvre Évelina s'en va distribuer ses plateaux et nettoyer ses patients!

Évelina leur fit une révérence avant de s'éloigner. Marchant bras dessus, bras dessous, Flavie et Simone sortirent de l'hôpital pour aller prendre le tramway.

* * *

Avant de partir, Flavie avait téléphoné à Victor pour l'informer de sa visite. Elle avait hâte de voir son parrain. À présent, devant l'énorme maison en brique de la rue Hartland, elle hésitait à frapper. «Ça fait si longtemps que nous nous sommes vus. Il m'a assuré au téléphone que je ne le dérangeais pas, mais quand même! Au moins, ma mère sera satisfaite: j'aurai enfin rendu visite à Victor», songea Flavie en contemplant les lucarnes qui perçaient le toit d'argile de la riche demeure. Elle avait toujours été impressionnée par l'imposante résidence du notaire. Flavie resserra le col de son manteau pour se réchauffer un peu. Simone et elle n'avaient pas prévu marcher autant malgré le trajet bien détaillé d'Évelina, alors elles n'avaient pas pris la peine de mettre des manteaux plus chauds. L'hiver serait bientôt là à en croire le vent froid qui transperçait leurs vêtements.

Perdue dans ses pensées, Flavie fixait la porte d'entrée. Simone lui donna gentiment un coup de coude.

— Alors, Flavie ? Tu frappes ? On gèle sur le pas de la porte ! J'ai hâte que tu me présentes ton parrain.

— Tu emploies la force pour me faire réagir maintenant ? dit Flavie en riant, se moquant du coup donné par sa compagne.

Simone frappa à la porte à la place de son amie en lui tirant la langue. Un majordome vint ouvrit. Il conduisit les deux jeunes femmes transies au salon après avoir pris soin de prendre leurs manteaux. Un feu dansait dans l'âtre et les visiteuses s'en approchèrent. Flavie parcourut la pièce des yeux. «Je ne me souvenais pas à quel point c'était magnifique ici ! »

Comme si elle avait lu dans ses pensées, Simone murmura :

— Mon Dieu ! Je n'ai jamais rien vu d'aussi beau que cet endroit !

Flavie n'eut pas le temps de lui répondre, car Victor s'avançait dans la pièce. Celui-ci la serra dans ses bras.

— Comme tu as grandi, chère Flavie ! J'avais très hâte que tu me rendes visite. J'ai demandé à Arthur de préparer du café pour vous réchauffer. J'aurais pu aller vous chercher à l'hôpital, si tu m'avais prévenu plus tôt de votre venue.

Victor souhaita la bienvenue à Simone et invita les jeunes femmes à s'asseoir sur les fauteuils confortables près du foyer. Simone se sentait un peu mal à l'aise de troubler les retrouvailles entre la filleule et son parrain. Mais Victor la rassura en lui disant qu'il était vraiment heureux de rencontrer une amie de Flavie.

— Tu as eu une bonne idée, Flavie, d'inviter mademoiselle Lafond. Je ne reçois pas souvent de visite, vous savez. À part mes clients qui viennent pour rédiger leurs testaments, je n'ai pas la chance de fréquenter des jeunes femmes remplies d'ambition qui veulent pratiquer le plus beau métier du monde.

— Bah! s'exclama Flavie. Pour le moment, les jeunes femmes en question soignent les patients en théorie seulement. Dans quelques semaines, elles passeront enfin à la pratique.

— Mes clients me disent le plus grand bien des soins qu'ils ont reçus à l'hôpital Notre-Dame. Les meilleures infirmières y sont formées, et je suis très fier de savoir que ma filleule fait partie de celles-ci.

Simone observait Victor Desaulniers pendant que Flavie lui faisait le compte rendu des derniers mois passés à l'hôpital Notre-Dame. Le parrain de Flavie était un homme distingué et sympathique. Il lui avait chaudement serré la main lors des présentations. Les cheveux poivre et sel, il portait la moustache. Simone avait remarqué qu'il boitait un peu. Flavie lui avait expliqué avant leur arrivée que Victor avait été blessé à la bataille de Vimy et qu'il avait été rapatrié au Canada. Edmond Prévost n'avait pas eu cette chance: il était tombé au champ d'honneur. Flavie avait toujours admiré son parrain qui avait combattu de l'autre côté de l'Atlantique. Victor ne parlait presque jamais de son séjour en Europe, sans doute à cause des mauvais souvenirs s'y rattachant. Simone enviait Flavie d'avoir quelqu'un comme Victor dans sa vie. Son oncle et sa tante ne s'étaient jamais beaucoup préoccupés d'elle.

Flavie avait pris plaisir à raconter à son parrain sa rencontre avec Simone et Évelina qui, malheureusement, n'avait pas pu venir. L'hôte s'enquit:

— Vous resterez à souper avec moi, toutes les deux ? Ça me ferait vraiment plaisir.

— On se reprendra, oncle Victor. Simone et moi voulons aller voir un film avant de rentrer.

— Ta mère m'a dit que c'était ton premier congé depuis ton arrivée à Montréal. Je comprends que tu souhaites aller voir un film plutôt que de rester avec un vieux célibataire ! Promets-moi par contre que vous reviendrez dès que vous le pourrez. J'aimerais bien aussi faire la rencontre de ton amie Évelina.

Arthur apporta les trois tasses de café ; chacun prépara la boisson chaude à son goût. Flavie dégustait sa tasse en silence en écoutant Simone raconter à Victor qu'elle avait quitté l'enseignement pour devenir infirmière. Elle s'étira les jambes pour profiter de la chaleur dégagée par le foyer. « Je m'inquiétais encore une fois pour rien. Victor est vraiment content de ma visite. Et c'est très plaisant d'être ici. Je me suis toujours sentie bien dans cette maison ; c'est un peu mon deuxième chez-moi. » Flavie se souvenait d'être venue ici quelques fois avec sa mère et son frère. Chaque fois, Victor les avait accueillis chaleureusement. « Ma mère aurait été heureuse ici avec Victor. Je me suis souvent demandé pourquoi il n'en a pas été ainsi. » Flavie soupçonnait que Victor avait tenté de se rapprocher de Bernadette. Mais celle-ci, très discrète, n'en avait jamais fait mention. Très certainement, elle devait l'avoir remis à sa place. Sa mère avait toujours été têtue : quand son idée était faite, il était difficile de la faire changer d'avis. Flavie posa les yeux sur l'horloge placée sur le manteau de la cheminée. En voyant l'heure, elle se leva promptement.

— Zut ! Nous devons partir, Simone, si nous ne voulons pas arriver en retard au cinéma.

Après avoir regardé l'heure, Simone approuva.

— Tu as bien raison, nous devons y aller !

— Arthur vous conduira. Ce sera plus rapide que le tramway.

Flavie remercia son parrain et l'embrassa. Elle lui promit de revenir bientôt lui rendre visite. Juste avant qu'elle sorte, Victor lui glissa une enveloppe dans la main.

— Pour que tu puisses te gâter un peu. Je sais que vous n'êtes pas payées très cher pour ce que vous faites. Peut-être souhaites-tu de nouveaux vêtements ? Les jeunes femmes de ton âge adorent parcourir les magasins. Sinon, payez-vous une belle sortie, tes amies et toi. Ça me fait plaisir.

Une seconde fois, Flavie remercia et embrassa son parrain. Par politesse, elle ne vérifia pas le contenu de l'enveloppe. Victor avait toujours aimé lui offrir des cadeaux ; d'ailleurs, il lui avait souvent dit qu'il la considérait comme sa fille. Elle était contente d'avoir renoué avec son parrain, et l'enveloppe n'y était pour rien. Elle adorait quand il racontait ses rencontres avec des clients et l'entretenait des livres qu'il avait lus, mais elle aimait surtout qu'il lui parle de ce père dont elle n'avait aucun souvenir. Flavie avait l'impression d'apprendre à connaître son père grâce aux anecdotes livrées par Victor, et ce lien était précieux pour elle. Sa mère ne parlait pas souvent d'Edmond. « Probablement que c'est trop pénible pour elle d'y penser », avait compris Flavie.

Une fois dans l'automobile, elle jeta un coup d'œil à l'intérieur de l'enveloppe. Surprise par la quantité de billets que celle-ci contenait, elle déclara à Simone :

— Je te paye les « vues » ce soir !

* * *

La salle était presque pleine. Flavie et Simone avaient réussi à dénicher deux sièges contigus. Flavie parcourut du regard la salle de représentation. Simone était autant émerveillée qu'elle par la décoration de la pièce. Les rideaux de velours rouge vin encadraient l'écran sur lequel serait projeté le film dans quelques minutes. Les sièges étaient confortables, malgré la proximité des coudes des occupants des bancs voisins. L'intensité de l'éclairage diminua et le projecteur se mit en marche. Un jeune homme se faufila dans la rangée pour prendre place sur le siège vide à côté de Flavie. Dans son empressement, il heurta le genou de Flavie avec le sien. « Pour qui se prend-il, lui ? Il aurait pu faire attention, franchement ! » Flavie soupira assez fort pour qu'il l'entende et elle retira son coude de l'accoudoir pour lui laisser plus de place. Se penchant vers elle, il murmura :

— Je suis vraiment désolé, mademoiselle. Je me présente : Rémi Lussier, comédien en devenir !

Sans lui répondre, Flavie saisit la main qu'il lui tendait.

— Vous êtes muette, mademoiselle ?

Flavie allait lui répondre avec un peu d'impertinence qu'elle se trouvait là pour regarder un film, et non pour faire la conversation, quand ils entendirent un chœur de « chut » provenant des spectateurs autour d'eux. Rémi posa l'index sur ses lèvres et haussa les épaules en souriant à sa voisine.

* * *

Flavie adora le film. À la fin de la projection, Rémi les invita, Simone et elle, à prendre un café avant de rentrer afin de s'excuser de les avoir un peu dérangées au début de la séance. « Comme ça, nous pourrons faire plus ample connaissance sans se faire dire de se taire. Je connais un petit café tout près si ça vous tente de vous joindre à moi, mesdemoiselles. »

Flavie fut légèrement scandalisée par son audace, et se demanda intérieurement si c'était ainsi que se comportaient dorénavant les jeunes gens dans la grande ville. « Deux jeunes filles peuvent-elles accompagner un parfait inconnu à un café ? » Elle craignait de montrer son manque d'assurance face à ce qu'il convenait à une jeune femme de dire ou de faire en pareilles circonstances. Simone, en voyant son embarras, répondit à la place de Flavie.

— Nous pouvons vous accompagner, monsieur Lussier, mais nous devrons quitter d'ici une demi-heure.

Les deux amies suivirent le jeune homme dans un petit restaurant adjacent au théâtre St-Denis.

Les passants se pressaient pour attraper le tramway ou pour assister à la prochaine représentation du film. Flavie s'étonnait de voir que, de jour comme de nuit, l'effervescence régnait dans la ville. Ils trouvèrent une table vacante près d'une fenêtre. Pour garder contenance, Flavie continua d'observer les passants à l'extérieur. Rémi Lussier l'intimidait et elle s'était sentie rougir lorsqu'elle lui avait serré la main. Le jeune homme lui plaisait bien et, surtout, son sourire charismatique aurait envoûté la dernière des célibataires de la ville. Cela avait stupéfié Flavie que Simone accepte l'invitation de Rémi Lussier, car, tout comme elle, son amie était assez réservée. Venant de la part d'Évelina, cette désinvolture aurait été beaucoup moins étonnante. La serveuse nota les commandes sur son calepin. Simone demanda une pointe de tarte aux pommes qu'elle partagerait avec son amie.

Rémi s'adressa à Flavie :

— Nous n'avons pas eu la chance de terminer les présentations. Comme je vous disais, je suis comédien ; du moins, j'essaye de vivre de mon art.

— Flavie Prévost, étudiante en soins infirmiers…

Rémi lui coupa la parole.

— Laissez-moi deviner. Vous étudiez toutes les deux à l'hôpital Notre-Dame, n'est-ce pas ?

Surprise que Rémi ait visé juste, Flavie le questionna du regard.

— C'est de loin le meilleur hôpital de la ville pour apprendre le métier, ajouta-t-il.

La serveuse revint avec les cafés et la pointe de tarte. Faisant signe à Flavie de se servir, Simone entama le dessert. Flavie prit une petite bouchée. Elle n'avait pas vraiment faim, fascinée par Rémi qui racontait de quelle façon il avait entrepris sa carrière de comédien.

— J'assiste à presque tout ce qui se joue à Montréal. Vous êtes déjà allée au Monument-National sur la «Main»? Non! Eh bien, il faudra que je fasse votre éducation en la matière. C'est comme ma deuxième maison! À la fin des représentations, je me faufile dans les coulisses pour me faire connaître. J'ai eu droit à des petits rôles. C'est très difficile de se bâtir une carrière, mais j'y parviendrai et mon nom s'étalera en grandes lettres sur toutes les marquises de Montréal!

Flavie se retint de rire devant l'enthousiasme de Rémi. «Il est passionné et déterminé à réussir, je ne devrais pas le décourager en riant de lui.» Elle l'observa en silence pendant qu'il expliquait à quel point il était difficile de vivre de l'art du théâtre. Il lui faisait penser à Antoine lorsqu'il parlait de son projet de fromagerie. Certain de réussir dans ses desseins, l'enthousiasme de Rémi était contagieux. Ce dernier était peut-être naïf de croire qu'il réussirait à devenir comédien, mais Flavie savait que tout rêve mérite d'être réalisé. La jeune fille aimait bien l'assurance du jeune homme. Elle se promit d'aller le voir jouer dans une de ses pièces quand l'occasion se présenterait.

Simone avait bien vu que les propos de Rémi faisaient de l'effet à Flavie: elle était subjuguée par lui. Simone se dit que Flavie trouverait peut-être chaussure à son pied bien avant Évelina. Rémi semblait s'adresser uniquement à Flavie, mais Simone ne lui en tenait pas rigueur. Cependant, elle n'était pas dupe. Sous ses airs de jeune premier, Rémi Lussier était présomptueux et Simone détestait ce genre de personnes qu'elle pouvait repérer à des milles à la ronde. Rémi Lussier lui faisait penser à Alphonse Boucher, son ancien fiancé qu'elle avait fui pour se réfugier à Montréal. Il parlait sans cesse des projets d'agrandissement de sa ferme, du nombre d'animaux dont Simone et lui s'occuperaient et, surtout, de tout l'argent qu'il récolterait en vendant ses litres de lait. Simone l'avait trouvé assommant dans ses propos et elle avait pris peur ; il n'était pas question qu'elle passe sa vie à l'écouter se vanter de tout ce qu'il accomplirait. Chassant Alphonse de ses pensées, elle observa Flavie, quasi hypnotisée par le beau Rémi. Simone ferait part de ses réflexions à son amie quand celle-ci serait retombée sur terre.

Les tasses de café étaient vides. Quand la serveuse offrit un « réchaud », Simone déclina l'offre et avertit Flavie qu'il était temps de rentrer avant le couvre-feu. Se levant et offrant à chacune un bras, Rémi proposa :

— Puis-je vous raccompagner, mesdemoiselles, jusqu'au prochain tramway ?

* * *

Évelina attendait avec impatience le retour de ses amies. Elle avait feint l'indifférence face à sa punition, mais le fait d'avoir perdu sa journée de congé l'avait tout de même bouleversée. Elle aussi avait besoin d'un moment de détente, et la sanction – qu'elle trouvait trop sévère – de sœur Désuète l'en avait privée. En plus, Georgina s'était moquée d'elle, ce qui avait ajouté à la colère d'Évelina de s'être fait gronder comme une écolière.

— Tes amies s'amuseront sûrement beaucoup sans toi, Évelina.

— Pff ! Moi au moins j'ai des amies. On ne peut pas dire la même chose pour tout le monde, Georgina.

Évelina avait jeté un œil à Alma en lançant cette réplique :

— Alma est bien la seule capable de te supporter !

Ne sachant quoi répondre, Georgina avait tourné les talons. Soulagée, Évelina était retournée au piano et elle avait passé sa rage sur une étude de Chopin. La fortune de sa mère lui avait au moins permis de fréquenter un collège pour jeunes filles et d'y apprendre le piano.

Flavie et Simone la trouvèrent au salon en train de jouer de l'instrument. La pièce était vide, les étudiantes ayant préféré la quiétude de leur chambre au concert déchaîné d'Évelina. À l'arrivée de ses amies, celle-ci s'informa de leur journée.

— Ah ! Vous m'avez tellement manqué ! C'était très tranquille ici sans vous.

— Tu nous as manqué aussi, lui répondit Flavie en s'asseyant à ses côtés sur le banc de piano.

Simone prit place par terre sur le tapis au centre de la pièce. Après avoir retiré ses chaussures, elle ramena ses jambes sous elle.

— Ouais ! Tu as manqué un bon film mais, surtout, tu ne sais pas la dernière ? Flavie a peut-être rencontré l'homme de sa vie !

— Hein ? Qu'est-ce que tu me chantes là ?

Évelina se leva d'un bond pour s'approcher de Simone. Flavie se cacha les yeux avec la main.

— Voyons donc, Simone ! Rémi est bien gentil, mais je ne me vois pas du tout avec lui. Un vrai rêveur !

— Pourtant, tu buvais littéralement ses paroles ! argua Simone. Tu devrais faire attention, Flavie. Ces gars-là sont des « grands parleurs, petits faiseurs » habituellement !

— Les filles ! Vous devez tout me raconter !

Flavie entreprit le récit de sa rencontre avec le comédien en devenir Rémi Lussier.

— C'est vrai qu'il me plaît bien, mais Simone exagère un peu. Rémi est gentil et il a un bon sens de l'humour. Mais quand même !

— Ça commence toujours comme ça, affirma Évelina en lui adressant un clin d'œil. Ils nous font rire au début et puis après, paf ! On craque pour eux ! Tu m'en reparleras dans quelques semaines. Tu verras, le beau Rémi Lussier occupera toutes tes pensées, mademoiselle Prévost !

# 5

Ce matin-là, il y avait un cours d'anatomie. Flavie fixait la table. Elle venait d'enfiler ses gants et attendait les instructions du docteur Jobin avant de procéder à l'examen du cœur devant elle. L'odeur de formaldéhyde lui piquait les yeux, mais surtout lui donnait la nausée. Heureusement, le cœur avait déjà été disséqué. « C'est une chance que le cœur soit passé entre les mains d'étudiants en médecine avant de finir sur ma table, car je n'aurais pas pu enfoncer un scalpel là-dedans, c'est sûr ! » songea-t-elle en prenant de grandes respirations. Le docteur Jobin leur avait fourni les cœurs pour que les étudiantes puissent observer en « vrai » cet organe important du corps humain.

— Voilà, mesdemoiselles, vous pouvez maintenant dire que vous avez le cœur sur la main ! Je vais à présent vous démontrer que le cœur sert à autre chose qu'à tomber en pâmoison devant de jeunes messieurs. Si vous regardez attentivement, vous pourrez distinguer la veine cave supérieure ainsi que l'aorte…

Évelina, la coéquipière de Flavie pendant ce cours, lui avait chuchoté que cela lui plairait bien de tenir le cœur du beau docteur Jobin dans sa main. Flavie avait placé son index devant ses lèvres pour inciter Évelina à se taire afin de bien entendre les explications du médecin. Cette dernière ne lui avait pas avoué ouvertement ses sentiments, mais devant son attitude à chacun des cours d'anatomie, Flavie se doutait bien de l'attirance de son amie pour le docteur Jobin. Malgré la nausée provoquée par l'odeur de formaldéhyde, Flavie était fascinée par l'organe qui reposait devant elle. Le docteur Jobin avait expliqué l'emplacement de chacune des artères, avant de demander aux étudiantes de soulever la partie du cœur qui avait préalablement été coupée pour permettre de regarder à l'intérieur. Flavie parvint à distinguer les quatre cavités.

Le docteur Jobin, qui circulait entre les tables, s'arrêta devant celle de Flavie et d'Évelina au moment où les deux jeunes femmes observaient l'intérieur de l'organe.

— Voilà, mesdemoiselles, les deux oreillettes et les deux ventricules, indiqua-t-il. Si vous regardez ici, vous verrez la valve mitrale et la valve tricuspide.

Flavie suivait attentivement les explications du docteur Jobin, mais il en allait autrement pour Évelina qui s'était rapprochée du médecin et faisait semblant d'écouter ce qu'il disait tout en le regardant à la dérobée. Se trouvant à la table derrière les deux amies, Simone n'avait rien perdu du manège d'Évelina. Elle hocha la tête et retourna à son examen de l'organe. Beaucoup trop absorbée par les explications, Flavie ne releva pas la tête et continua à explorer les différentes parties du cœur. Le docteur Jobin, conscient qu'Évelina l'observait, fit un clin d'œil à celle-ci et lui toucha l'épaule avant de continuer son chemin à travers les tables.

Évelina poussa un soupir qui attira l'attention de Flavie. Croyant que son amie reprenait son souffle à cause de l'odeur du formol, Flavie chuchota :

— Ouf ! Cette odeur me fait également cet effet, mais en même temps, je ne voudrais manquer pour rien au monde ce cours d'anatomie. J'adore ce que j'y apprends !

— Moi aussi j'aime le cours, mais pour une tout autre raison.

— Ah ! Je croyais que tu allais t'évanouir à cause de l'odeur…

— Eh non ! C'est plutôt la lotion d'après-rasage du docteur Jobin qui réveille mes narines !

— Bon ! Une autre affaire maintenant !

Flavie donna un coup de coude à son amie en lui désignant l'organe sur la table.

— Tu devrais t'occuper du cœur en avant de nous au lieu de rêvasser comme tu le fais, Évelina. Nous serons sûrement interrogées sur ce que nous venons d'apprendre.

— Pff! Miss Parfaite! On sait bien! Madame se cherche un mari comédien!

— Voyons! Qu'est-ce que tu vas chercher là? J'ai discuté avec Rémi Lussier, c'est tout! Il n'y a pas matière à imaginer quoi que ce soit!

— On verra bien! En tout cas, moi je vais continuer d'imaginer que le docteur Jobin vient de déposer son cœur juste devant moi sur cette table!

Flavie rit de la boutade d'Évelina. Décidément, cette dernière semblait beaucoup plus fascinée par le professeur que par la discipline dispensée par le «beau docteur». Flavie adorait le cours d'anatomie pour des raisons différentes de celles d'Évelina. Elle pouvait voir et comprendre de façon concrète le fonctionnement du corps humain. Les cours du docteur Jobin étaient beaucoup moins ennuyeux que ceux du docteur Bourque. Durant le dernier cours de bactériologie, Flavie avait surpris Marie-Anne Gascon à dormir. Par chance, elle n'avait pas ronflé! Le docteur Bourque, absorbé dans ses explications, n'avait pas réalisé que plusieurs étudiantes n'écoutaient pas. Certaines s'envoyaient des notes pendant que d'autres crayonnaient dans leur cahier. Même Flavie, qui suivait attentivement ses cours d'habitude, s'était mise à penser à sa sortie avec Simone et à sa rencontre avec Rémi Lussier. Évelina avait beau la taquiner et Flavie jouer à l'offusquée, il n'en demeurait pas moins qu'elle espérait revoir le jeune homme. Dans ce but, elle irait peut-être se promener du côté du Monument-National. Elle avait retenu qu'il considérait ce théâtre comme sa deuxième maison.

* * *

Flavie profita de quelques heures de congé pour se rendre chez Dupuis Frères, rue Sainte-Catherine, afin de se procurer un manteau pour la saison froide, qui était bel et bien commencée. Dans l'enveloppe que lui avait remise Victor lors de sa visite chez lui, il y avait suffisamment d'argent pour qu'elle puisse s'acheter un manteau plus chaud qui la protégerait du froid et de l'humidité de la ville. Simone avait préféré rester à l'école pour relire ses notes de cours. Flavie avait déjà feuilleté le catalogue du magasin quand elle se trouvait à La Prairie, mais elle n'avait jamais eu l'occasion de se rendre dans ce commerce. Évelina se porta volontaire pour l'accompagner.

Les deux amies franchirent les portes tournantes. Pendant quelques secondes, Flavie observa l'effervescence qui régnait au sein du grand magasin. Elle n'avait jamais eu la chance de se trouver dans un pareil endroit, fort différent du petit magasin général de son village. Évelina entraîna son amie en direction du rayon des dames.

Flavie émit un sifflement de surprise.

— Wow ! Je n'ai jamais vu autant de choses réunies sous le même toit !

— Tu verras, c'est vraiment plus agréable d'essayer des vêtements plutôt que de feuilleter un catalogue. Allez, mademoiselle Prévost, trouvons un manteau chaud et surtout très élégant.

— Et surtout abordable !

— Bah ! Tu as la chance d'avoir un parrain fortuné, alors profites-en !

— Victor a été généreux, c'est vrai, mais je ne tiens pas à tout dépenser aujourd'hui.

— Dans ce cas, ne confie pas ton enveloppe à « tante Évelina » parce que tu verras qu'elle ne fera pas long feu !

Devant l'étalage de manteaux, Flavie essaya d'en trouver un à sa taille. Évelina lui en proposa quelques-uns. Finalement, le choix de Flavie s'arrêta sur un simple manteau de laine qui paraissait très chaud.

— Bon sang, Flavie ! Tu pourrais avoir celui avec le col de fourrure en lapin. Il me semble que tu serais d'une telle élégance !

— Il est très beau, en effet, mais je préfère la simplicité de celui-ci.

— Tant pis ! Moi je l'essaye et s'il me va, je me paye un nouveau manteau ! Si toi tu as la chance d'avoir un parrain fortuné, moi j'ai une mère qui tente de se rapprocher de sa fille en lui envoyant une enveloppe tous les mois pour ses petites dépenses. Au moins, fais-moi le plaisir d'acheter un chapeau pour porter avec ton manteau. Ça ne se fait pas de se promener nu-tête en ville à ce temps-ci de l'année !

Flavie contempla sa silhouette dans le manteau de laine anthracite. « Bon, les manches sont longues, mais je peux les raccourcir un peu. C'est quand même pratique de savoir coudre quand on a ma taille. » Elle jeta un coup d'œil à Évelina qui essayait le manteau avec le col en fourrure. « Tout lui va comme un gant, même pas besoin de faire une seule retouche. » Elle fit part de sa réflexion à son amie et la complimenta sur son choix.

— En effet, tout me va ! reconnut Évelina. Je suis chanceuse en ce qui concerne les vêtements. Habituellement, c'est en cherchant chaussure à mon pied que ça se gâte ! Allez, viens, allons trouver un bibi digne de ce nom !

* * *

Si Flavie avait dépensé judicieusement lors de la séance d'emplettes, il en avait été tout autrement pour Évelina. Celle-ci s'était procuré plusieurs articles de toilette, dont son fameux rouge à lèvres rouge vif de Pompeian. Elle avait insisté pour que Flavie s'achète elle aussi cet article – indispensable –, mais cette dernière s'était contentée d'une poudre translucide pour le visage. En plus du manteau à col de fourrure en lapin, Évelina s'était aussi offert deux chapeaux de feutre assortis, des bottillons en cuir verni, deux robes de crêpe ondulée, une paire de souliers à talons – un peu trop hauts au goût de Flavie – et des bas de pure soie. Flavie avait réussi à trouver un chapeau, qu'elle avait voulu porter en sortant du magasin, et elle s'était payé deux camisoles en laine pour compléter ses achats. Évelina, pour sa part, avait acheté trois jupons de soie. Il était hors de question qu'elle porte ces horribles choses en laine que Flavie avait rapportées du magasin.

Les bras chargés de paquets, les deux amies s'arrêtèrent dans un petit café pour se réchauffer et pour se reposer quelques instants avant de rentrer à la résidence. Évelina s'engouffra la première dans le café. Elle parcourut des yeux la salle pendant quelques secondes ; un visage familier attira son attention. Flavie emboîta le pas à Évelina quand celle-ci se dirigea vers la table du fond. Deux jeunes hommes y étaient attablés ; ils levèrent les yeux à l'arrivée d'Évelina. D'ailleurs, tous les clients l'avaient suivie du regard quand elle avait traversé le restaurant. Un des jeunes hommes se leva pour prendre la main d'Évelina, tandis que l'autre se contenta d'accueillir les arrivantes par un simple hochement de tête.

— Flavie, laisse-moi te présenter le futur docteur Bastien Couture.

Celui qui tenait la main d'Évelina salua Flavie, puis il invita les deux amies à se joindre à son compagnon et lui. Flavie était intimidée de se retrouver à la table de deux parfaits inconnus, mais elle prit place sur la banquette en face d'Évelina, à côté de l'autre jeune homme.

— Figurez-vous, docteur Couture, qu'à cause de notre conversation de l'autre jour, sœur Désilets m'a privée de ma journée de congé.

— Ma pauvre garde Richer ! Je ne pouvais savoir que vous vous feriez gronder comme une vulgaire couventine !

Évelina lui sourit de toutes ses dents.

— Les sœurs sont très strictes avec les « pauvres infirmières en devenir », docteur Couture.

Bastien Couture présenta son compagnon. Clément Langlois était lui aussi interne à Notre-Dame, mais de toute évidence, il possédait un caractère plus réservé que son ami. Il salua Évelina et Flavie, puis il continua de boire tranquillement son café. Évelina avait déposé ses paquets encombrants dans l'allée, forçant ainsi la serveuse à enjamber ces derniers. Elle fusilla Évelina du regard, mais celle-ci était beaucoup trop occupée à discuter avec Bastien. Mal à l'aise, Flavie prit les cartons à chapeaux et les déposa à côté d'elle sur la banquette, ce qui l'obligea à se rapprocher de Clément. Celui-ci lui laissa un peu plus de place en se poussant au fond de la banquette. Flavie le remercia par un sourire timide. En écoutant les babillages incessants d'Évelina, elle pensa : « Franchement, elle a le chic pour me mettre mal à l'aise, celle-là ! Après m'avoir fait porter ses paquets, elle me force à me serrer sur une banquette contre un inconnu. Une chance qu'elle est mon amie, sinon… » Perdue dans ses pensées, Flavie n'entendit pas ce que Clément venait de dire. L'interne se racla la gorge pour capter l'attention de sa voisine et répéta sa question.

— Êtes-vous aussi en première année, Flavie ?

— Oui, docteur Langlois.

— Le docteur Langlois, pour le moment, c'est mon père. Je ne suis pas tout à fait médecin encore. D'ici un an, je pourrai porter officiellement le titre. Vous pouvez m'appeler Clément.

Il lui tendit amicalement une main, qu'elle serra.

— Je n'ai pas encore eu la chance de vous croiser dans les couloirs de l'hôpital, mademoiselle. Vous devez être à la veille de travailler auprès des patients, n'est-ce pas ?

— Oui. Je termine mes quatre mois de probation bientôt. Et j'ai très hâte, croyez-moi !

— Oh ! Mais je vous crois ! C'est intéressant la théorie, mais rien ne vaut la pratique.

Flavie avait voulu montrer à Clément sa joie face à la perspective de prendre soin des patients, mais au fond, elle redoutait ce moment. Elle chassa de ses pensées l'épisode des dentiers en se disant qu'en restant concentrée sur ce qu'elle faisait, elle devrait réussir à s'en tirer. Clément avait vu une lueur d'inquiétude passer dans ses yeux ; il en déduisit que Flavie devait être nerveuse de s'occuper des patients. Il se fit rassurant :

— Je me doute bien que vous devez être nerveuse, car je l'étais moi aussi. Vous verrez que vous deviendrez rapidement à l'aise dans votre rôle d'infirmière.

Touchée par les propos de Clément, Flavie n'eut toutefois pas le temps de le remercier. C'est à ce moment qu'Évelina bondit en voyant l'heure.

— Nous devons rentrer, messieurs ! Il ne faut pas abuser des bonnes choses. Et puis, malheureusement, les sœurs nous surveillent étroitement.

Bastien se leva. Voyant que Clément avait terminé sa tasse de café, il proposa :

— Nous allons au même endroit, mesdemoiselles. Peut-être pourrions-nous vous raccompagner ?

Évelina frappa des mains avec enthousiasme.

— Quelle bonne idée ! Nous avons dépensé sans compter et je ne suis pas certaine que nous puissions transporter tous nos paquets jusqu'à l'hôpital.

Flavie resta silencieuse. « Nous avons dépensé sans compter… Parle pour toi, Évelina ! J'ai été plus que raisonnable ! » Elle évita le regard d'Évelina pour ne pas pouffer de rire devant son petit jeu. « Il ne manque que les violons, et ces deux messieurs tomberont dans le panneau ! » Bastien se saisit des cartons à chapeaux et Clément prit les autres paquets, de sorte que Flavie et Évelina se retrouvèrent les mains vides. En sortant du café, Évelina lança un clin d'œil à son amie.

* * *

Les quatre mois de probation étaient terminés. Quelques indécises, ayant vu tout le travail à accomplir, avaient décidé que ce métier n'était pas pour elles, finalement. Marie-Ange Gascon ainsi que deux étudiantes que Flavie n'avait pas eu la chance de côtoyer décidèrent que leur aventure se terminait ici. Seule Georgina s'amusa de les voir partir et les traita de «lâcheuses». Évelina ne se gêna pas pour lui dire qu'elle devrait lâcher, elle aussi. Simone dut, une fois de plus, intervenir pour éviter une bagarre à son amie.

— Bravo ! Encore une fois, une chance que j'étais là pour vous séparer toutes les deux ! Georgina avait envie de te sauter au visage…

— J'aurais bien voulu voir ça, répondit Évelina. Je n'en reviens tout simplement pas de la voir se prendre pour Dieu le Père.

— Ce ne sont pas des «lâcheuses», à mon avis, émit doucement Flavie. Elles sont courageuses de prendre la décision de partir. Elles ont vraiment cru être capables de faire ce métier, mais se sont rendu compte qu'elles n'avaient pas les capacités requises. Ou, tout simplement, peut-être n'éprouvent-elles aucune passion pour la profession.

Simone approuva.

Les trois amies reçurent en même temps leur coiffe lors d'une petite cérémonie. Flavie et Simone la portèrent fièrement, tandis qu'Évelina essaya de mettre sa coiffure en évidence sous le couvre-chef qui écrasait sa mise en plis. Flavie se moqua de ses : «Je devrai mettre les bigoudis encore plus longtemps ! » et de ses : « Faut-il vraiment que nous ayons toujours la coiffe sur la tête ? Ça vaut vraiment la peine de se boucler le matin ! » Elle était trop heureuse d'avoir franchi l'étape des quatre mois de probation.

Simone, elle aussi très fière de sa coiffe, tenta de raisonner son amie :

— Tu devrais être contente, Évelina, de porter la coiffe. Maintenant, tu ressembles vraiment à une infirmière. Cela t'aidera très certainement dans ta recherche du mari médecin idéal !

Évelina lui fit une grimace et se mit à rire. Flavie reçut un bouquet de fleurs de Victor pour la féliciter de son acceptation définitive à l'école d'infirmières. Elle lui téléphona pour le remercier de sa délicate attention. Le soir de la remise des coiffes, elle s'endormit le cœur gonflé de bonheur. Elle avait fait le bon choix en s'inscrivant à Notre-Dame. Les trois années suivantes ne seraient pas de tout repos, mais elle était prête à relever le défi.

* * *

À son grand désarroi, Flavie avait été jumelée avec Georgina pour s'occuper des patients. Simone l'avait rassurée du mieux qu'elle avait pu, mais Flavie regrettait la présence de Charlotte à ses côtés. Suzelle superviserait les deux nouvelles dans leur travail auprès des patients. La veille de sa première journée de soins aux patients, Flavie s'était retournée sans cesse dans son lit en pensant au lendemain. « Batèche ! En plus d'être nerveuse en présence des patients, je serai en compagnie des deux personnes qui m'énervent le plus dans l'hôpital ! Je vais devoir être concentrée pour vrai ! » Suzelle avait toujours pris un malin plaisir à montrer à Flavie et à Charlotte qu'elle en savait davantage. Elle semblait avoir oublié qu'elle avait déjà été une élève de première année. Faire équipe avec Georgina relevait de l'impossible pour Flavie. La jeune femme s'était amusée à ses dépens lors de l'épisode des dentiers, ce dont Flavie lui gardait rancune. Si Georgina avait connaissance de la moindre erreur de sa part, elle était certaine de devenir encore une fois la risée de l'école.

Flavie se réveilla – elle avait très peu dormi – bien avant Évelina et son éternel rituel du matin. Elle était déjà habillée quand son amie s'extirpa du lit.

— Mon Dieu ! Déjà prête, Flavie ? Si je ne savais pas à quel point tu es nerveuse, je pourrais penser que tu veux me faire concurrence !

— Pff ! Aucun danger de ce côté, Évelina. Je suis beaucoup trop préoccupée par ma journée pour oser te voler la vedette. Je me demande pourquoi Charlotte a été changée d'équipe. On s'entendait bien toutes les deux.

— Je pense que c'est parce qu'elle ne voulait pas se trouver tout de suite sur un étage avec des hommes. Une bonne sœur comme elle !

— Ne te moque pas, Évelina. Je devrai faire équipe avec Georgina… De belles heures en perspective !

— Elle est tellement bête, celle-là, qu'elle fera nécessairement des erreurs cocasses. Tu nous les rapporteras, pour notre plus grand bonheur, pour qu'on se moque d'elle à notre tour. C'est une belle occasion, au fond !

Pour toute réponse, Flavie adressa une grimace à Évelina avant de suivre Simone au réfectoire.

* * *

Flavie avait fait le tour des patients pour prendre leurs signes vitaux et noter le tout dans les carnets placés devant chacun des lits. Elle avait toujours peur de commettre une erreur et, sous la surveillance assidue de Suzelle, elle ressentait une grande nervosité. Fort heureusement, cet exercice s'était bien passé. Le service des plateaux aussi, bien que Flavie ait évité de peu Georgina qui arrivait en sens inverse. Cette dernière l'avait fusillée du regard avant de continuer son travail.

Probablement avec la complicité de Georgina, Suzelle assigna à Flavie un vieux monsieur obèse pour sa première toilette. « Bon, calme-toi, Flavie, ça va bien se passer », la rassura sa petite voix intérieure. La jeune fille prépara la bassine avec de l'eau tiède, un gant de toilette et une serviette, puis elle se présenta devant monsieur Desroches avec toute sa candeur. Le vieil homme avait décidé ce matin-là qu'il n'avait pas besoin de changer de chemise d'hôpital et encore moins de se faire laver. À force de persuasion, il se plia à contrecœur, mais il ne l'aida pas du tout. L'élève infirmière dut donc demander l'assistance de Suzelle, qui se chargea de lui rappeler à quel point elle-même était indispensable et combien Georgina et Flavie en avaient – tellement encore – à apprendre. Suzelle lui prêta main-forte pour l'aider à accomplir cette « lourde » tâche, mais elle ne fournit aucun effort pour lui faciliter le travail.

En parlant d'une voix forte, Suzelle s'adressa au patient :

— Monsieur Desroches ! Vous allez devoir nous aider un peu ce matin.

En prenant soin de regarder Flavie avant de continuer, elle ajouta :

— La garde Prévost en est à ses débuts. Vous ne voudriez pas nuire à une « petite nouvelle », n'est-ce pas ?

— Justement ! Je ne veux pas d'une « petite nouvelle » pour faire ma toilette ! Qu'elle apprenne sur quelqu'un d'autre !

Flavie céda la place à Suzelle, qui aida monsieur Desroches à s'asseoir et à se tourner vers le bord du lit. La jeune femme détestait attendre, plantée là, sans savoir si elle devait aller vers quelqu'un d'autre ou si elle devait se montrer plus tenace devant ce genre de patient. Suzelle se tourna vers elle et lui dit qu'elle pouvait désormais procéder à la toilette de monsieur Desroches. Dans le cours de nursing donné par sœur Désuète, les étudiantes avaient appris comment manipuler un patient de la meilleure façon qui soit. Mais monsieur Desroches pesait près de 300 livres, et Flavie se trouvait minuscule à côté de ce géant.

Non sans un sourire, Suzelle referma le rideau derrière elle, laissant Flavie seule avec le patient. Monsieur Desroches la regardait d'un œil suspicieux, espérant presque qu'elle commette une erreur pour rappeler Suzelle. Flavie aida son patient à se mettre debout et à dénouer sa « jaquette » d'hôpital. Le vêtement tomba par terre, laissant voir monsieur Desroches presque complètement nu – il ne portait plus que ses bas. La scène aurait pu être drôle dans une pièce de théâtre, mais Flavie n'avait pas envie de rire. « Mon Dieu ! Qu'est-ce que je fais là ? Allez, Flavie, ne perds pas de temps, dépêche-toi de l'aider à se laver pour qu'il remette sa jaquette au plus vite ! » se dit-elle en aidant l'homme du mieux qu'elle pouvait avec le gant de toilette. Flavie connaissait toute l'anatomie masculine, mais elle ne s'était jamais trouvée en présence d'un homme nu. Heureusement, le gros ventre de monsieur Desroches aidait à dissimuler son appareil reproducteur.

En bombant le torse, le vieux monsieur déclara fièrement :

— J'ai toujours été bien nanti, moi, mademoiselle ! Si vous m'aviez vu dans mon jeune temps !

« Ben oui ! Mais il en est tout autrement maintenant, monsieur Desroches. Votre ventre cache désormais tous les attributs pour lesquels vous semblez éprouver une si grande fierté ! », se retint-elle de répliquer tout en continuant de laver le patient. Elle s'acquitta de sa tâche en détournant les yeux de l'homme qui la regardait compléter la toilette. Flavie aurait voulu se trouver à des lieues de cet endroit, mais elle devait terminer sa tâche. Elle vit sous le rideau les souliers blancs de Georgina ; elle trouva que celle-ci l'espionnait un peu trop longtemps. Flavie se dépêcha d'aider monsieur Desroches à enfiler une chemise propre et à se recoucher.

Juste avant qu'elle parte, monsieur Desroches lui prit le bras et l'attira vers lui. Il souffla :

— Ça faisait très longtemps que je ne m'étais pas retrouvé devant une si jolie demoiselle. Vous pouvez revenir me laver quand vous voulez, garde !

Flavie lui sourit bêtement en tirant le rideau et le quitta. Elle croisa Georgina qui riait sous cape et qui poursuivit son chemin ; celle-ci avait bel et bien écouté tout ce qui se passait derrière le rideau.

Quand Flavie se dirigea vers un nouveau patient, Suzelle lui fit remarquer qu'elle devrait trouver de meilleurs moyens de persuasion pour les patients récalcitrants, car elle ne serait pas toujours là pour l'aider. Flavie en était consciente, mais elle garda le silence plutôt que de l'admettre – Suzelle prenait déjà un tel plaisir à se croire indispensable. Un autre patient attendait Flavie pour sa toilette et elle ne devait pas s'attarder sur les futilités de Suzelle et de Georgina.

Flavie changea l'eau de sa bassine et prit un nouveau gant de toilette avant d'aller rejoindre son patient suivant. Monsieur Gagné, un homme frêle et brisé par la maladie, était hospitalisé depuis longtemps et ne ressortirait probablement jamais de l'hôpital. Il dormait quand Flavie referma le rideau derrière elle. Après avoir déposé la bassine sur la table près du lit, la jeune femme s'approcha pour réveiller le malade.

— Monsieur Gagné, c'est l'heure de votre toilette.

— Mmm ?

— Monsieur Gagné, je dois faire votre toilette. Je vais me dépêcher pour que vous puissiez retourner vous reposer le plus vite possible.

Le vieil homme ouvrit les yeux et Flavie l'aida à s'asseoir dans le lit. « Je ne comprends pas que je ne puisse pas faire sa toilette plus tard. Suzelle a insisté pour qu'on respecte l'ordre des lits afin de ne pas oublier de patients. Mais je trouve presque inhumain d'avoir dû réveiller ce pauvre monsieur. » En aidant son patient à retirer sa chemise d'hôpital, Flavie se passa la remarque que, décidément, elle avait affaire à tous les formats d'hommes dans cette salle. Monsieur Gagné était d'une maigreur presque effrayante. Elle rapprocha la bassine pour sauver du temps, mais le patient secoué de tremblements eut un soubresaut et envoya voler dans les airs la bassine. Flavie fut aspergée par son contenu d'eau tiède et savonneuse. Elle aida monsieur Gagné à s'asseoir pendant qu'elle retournait remplir la bassine, les cheveux collés au visage et la robe dégoulinante. Elle se dépêcha, mais lorsqu'elle revint près du lit, monsieur Gagné n'y était plus. « Ben voyons ? Où est-il passé ? » Après avoir interrogé du regard l'occupant du lit voisin, elle se tourna, horrifiée, vers la porte donnant sur le couloir. Elle passa en courant devant Suzelle et Georgina. En sortant de la salle, elle vit monsieur Gagné, nu, au milieu du couloir. Il se laissa conduire docilement vers son lit. Trempée comme un canard et humiliée, la jeune fille termina de faire la toilette de son patient.

Flavie termina sa « tournée d'hygiène », la robe collée au corps et les cheveux pendant lamentablement devant son visage. Georgina avait suivi les péripéties de Flavie avec un plaisir malsain. Cette dernière s'en était rendu compte, mais elle préféra ne rien dire. « Comme j'aurais envie de lui lancer une bassine pleine d'eau savonneuse au visage pour qu'elle se sente aussi bien que moi en ce moment ! Maudite Georgina ! Elle est toujours là quand ça va mal ! » Flavie passa devant elle en essayant de contenir sa rage et se précipita dans sa chambre pour se changer.

Encore furieuse à cause de sa matinée, Flavie rejoignit Évelina et Simone à la salle à manger. Charlotte se trouvait avec elles et terminait son assiette.

— Je suis désolée, Flavie, d'avoir été changée d'équipe. Sœur Désilets m'a fortement suggéré de m'occuper des patients féminins au deuxième étage.

— Ce n'est pas surprenant de sa part… marmonna Évelina avant d'avaler une bouchée.

Charlotte ignora sa remarque et enchaîna :

— Alors, ça s'est passé comment ?

— Voulez-vous vraiment le savoir ?

Flavie se laissa tomber sur une chaise après avoir déposé son plateau. Elle réfléchit à ce qu'elle pourrait répondre. « Par où commencer ? Raconter qu'un vieux monsieur obèse m'a fait du plat ? Voyons donc ! Raconter que je me suis retrouvée mouillée comme un canard en aidant un patient à se laver, puis que j'ai dû courir après lui dans le corridor ? » Finalement, elle déclara :

— Bof ! Disons que j'espère que ça ira mieux demain !

* * *

« Et puis là, imaginez la garde Prévost, trempée de la tête aux pieds, qui poursuit le patient qui court tout nu dans le corridor ! Une belle scène que vous avez manquée, mesdemoiselles ! » Dans la salle de repos, Georgina, Alma et quelques autres étudiantes se racontaient leur journée. Flavie avait surpris la conversation et, écœurée, elle avait quitté la pièce sans remettre ses consœurs à leur place. Elle s'était réfugiée dans sa chambre. Après avoir pleuré un bon coup à cause du stress de sa première journée avec les patients, elle s'était fait surprendre, les yeux bouffis, par Évelina.

— Imagine comment j'aurai plaisir à retourner dans cette salle…, exprima Flavie en se mouchant bruyamment.

— Tu dois réagir, Flavie ! Georgina ne peut pas se moquer de toi de cette façon !

— Je fais quoi ? Je lui « sacre » une paire de claques ? Je sais que je dramatise un peu, mais je ne peux pas dire que j'ai adoré ma première journée… Je reste persuadée que Suzelle et elle ont fait exprès de me refourguer les patients récalcitrants.

— Laisse-moi réfléchir à une façon plus subtile de lui faire comprendre qu'elle ne peut pas rire constamment des erreurs des autres. N'en parle pas à Simone. Elle est beaucoup trop raisonnable ; elle pourrait me nuire dans mon plan machiavélique !

Flavie s'essuya les yeux et éclata de rire. Évelina savait vous remonter le moral en un quart de tour. Au même moment, Simone entra. La jeune femme retira sa coiffe.

— Ouf ! J'ai bordé tout le monde ; maintenant, c'est à mon tour de dormir ! Non mais, quelle journée éreintante ! C'est comme si, pendant les dernières semaines, nous n'étions qualifiées pour rien et que, du jour au lendemain, nous étions devenues indispensables pour les soins aux patients.

— Ça fait sûrement partie du « plan » pour nous faire abandonner les études, déclara Évelina d'un ton convaincu. Les sœurs veulent nous pousser à bout pour que nous lâchions. Ainsi, elles prouveraient qu'elles sont les meilleures pour s'occuper des malades ! Sœur Désuète serait trop satisfaite que nous prenions nos jambes à notre cou pour fuir vers les études en secrétariat !

— Bon ! La voilà qui recommence ! Un complot, astheure !

Simone haussa les épaules en signe de découragement devant les propos d'Évelina, puis elle regarda Flavie. Elle n'avait pas besoin de parler pour que Flavie comprenne ce que ses yeux exprimaient : « Sacrée Évelina et son don de l'exagération ! » Évelina n'échappa pas non plus au regard de Simone. Elle lui fit une grimace.

— On sait bien, madame la maîtresse d'école, tout est toujours parfait ! Tu m'en reparleras quand tu réaliseras que sœur Désuète a bel et bien un plan !

Les trois amies pouffèrent de rire et se préparèrent pour la nuit.

* * *

Évelina était fin prête pour commencer sa journée. Contrairement à son habitude d'attendre Flavie et Simone dans la salle à manger, elle surveillait impatiemment le réveil de ses compagnes, assise sur le bord du lit. Son air faussement sage et un sourire en coin n'éveillèrent pas les soupçons de Simone qui ne remarqua pas non plus le regard de connivence qu'Évelina jeta à Flavie quand celle-ci se leva.

Les trois amies étaient toujours dans la chambre quand elles entendirent un cri strident provenir d'une des chambres voisines. Toutes les portes s'ouvrirent en même temps. On se demandait d'où avait surgi ce cri de mort.

Georgina sortit précipitamment de sa chambre, les rouleaux sur la tête, en hurlant :

— Qui a mis ça dans ma chambre ?

Elle poussa alors « Siméon », le squelette du cours d'anatomie, hors de sa chambre. Toutes les étudiantes qui étaient dans le couloir se mirent à rire devant la déconfiture de Georgina. Flavie évita le regard d'Évelina pour ne pas attirer les soupçons sur celle-ci, car elle savait pertinemment que la frayeur de Georgina était l'œuvre de son amie.

Une sœur arriva en trombe dans le couloir.

— Mademoiselle Meunier ! Calmez-vous !

— Je ne me calmerai pas tant que je ne saurai pas qui a fait ça !

La religieuse prit Georgina par le bras et la ramena de force dans sa chambre. « Siméon » resta les bras pendants, seul dans le couloir, après que toutes furent retournées dans leurs chambres.

— Argh ! Je ne sais pas qui a fait ça, mais c'est tellement de mauvais goût ! clama Simone.

— Je me demande qui a bien pu faire une chose pareille ! commenta Évelina. Pauvre Georgina, elle doit avoir eu la peur de sa vie ! ajouta-t-elle d'un ton faussement compatissant. Je vous attends dans la salle à manger, Flavie et toi.

Évelina sortit dans le couloir. Au passage, elle jeta un œil en direction de la chambre de Georgina.

* * *

« Siméon » avait regagné son poste dans la salle du cours d'anatomie. Georgina semblait s'être remise de sa frayeur. Elle n'avait pas trouvé la coupable du méfait. Sœur Désuète avait sermonné la classe à la suite de l'incident en rappelant aux élèves qu'elles devaient se conformer aux règlements.

— Ce n'est pas une farce à faire que d'utiliser le matériel didactique pour vous amuser. Je vous demande votre collaboration pour faire régner la discipline. Je croyais avoir affaire à des jeunes femmes matures ! Au lieu de ça, je me retrouve à gérer des écervelées irresponsables ! Si jamais j'attrape la coupable...

Plus tard, alors qu'elles se trouvaient seules, Flavie fit part de son inquiétude à Évelina.

— Tu pourrais être mise à la porte de l'hôpital si ça se savait !

— Pff ! Ne crains rien, personne ne me dénoncera. Tout le monde s'est beaucoup amusé de la mine déconfite de Georgina. Qui se moque de qui aujourd'hui, hein ?

— Ouais ! Je ne suis pas convaincue, mais je te fais confiance.

— Elle se tiendra tranquille durant les prochains jours, c'est certain. Après, on avisera !

Évelina fit un clin d'œil à Flavie et s'éclipsa. D'ailleurs, depuis quelque temps, Évelina brillait par son absence le soir, dans la salle de repos. « Elle doit avoir plusieurs patients à sa charge », se rassura Flavie. Simone s'inquiéta aussi de l'absence de son amie alors qu'elle écoutait avec Flavie l'émission de radio *Le curé du village* dans la salle de repos. La pièce était presque pleine ; plusieurs étudiantes s'y donnaient rendez-vous pour écouter leur feuilleton quotidien qui passait de sept heures quinze à sept heures et demie tous les soirs de la semaine.

Flavie et Simone regagnèrent leur chambre. « Évelina est peut-être rentrée ! » pensa Flavie en poussant la porte. Devant la chambre vide, Simone grommela :

— Bon sang ! Où est-elle passée celle-là, ce soir ? J'espère qu'elle ne prépare pas un autre coup pendable !

— Il y a sûrement une bonne raison qui l'a empêchée de se joindre à nous, Simone. Évelina aime bien *Le curé du village*.

— Elle aime surtout déroger aux règlements.

— Tu es sévère avec elle, Simone. Si ce n'était pas d'Évelina, nos cours seraient d'un tel ennui ! Nous avons beaucoup de chance qu'elle soit notre amie.

— Bah ! Tu as sûrement raison, Flavie. C'est pour ça que je m'inquiète pour elle. Quand j'enseignais, les élèves les plus turbulents en classe étaient ceux dont je me méfiais le plus et que j'aimais le moins. Si sœur Désuète, comme se plaît à l'appeler Évelina, décide de la prendre en grippe, notre amie pourrait se faire renvoyer – et assez rapidement, à part ça ! Je continue à penser qu'Évelina devrait essayer de ne pas se faire remarquer. J'ai tout de suite su que c'était elle qui avait mis le squelette dans la chambre de Georgina. Qui d'autre aurait pu avoir une idée aussi farfelue, dis-moi ?

— Avoue, Simone, que la tête que faisait Georgina ce matin-là valait mille piastres !

— Ouais, peut-être, mais quand même !

— Quand même ? Évelina a de l'audace à revendre. Personne n'aurait osé jouer un tour pareil à Georgina !

La porte s'ouvrit sur une Évelina essoufflée et décoiffée.

— Ne me dites pas que j'ai manqué *Le curé du village* ?

— *You bet!* Où étais-tu, bonté divine? s'empressa de la sermonner Simone.

— Hum... J'avais du travail.

Évelina se rendit à la salle de bains. Insatisfaites de la réponse de leur amie, Flavie et Simone s'interrogeaient sur la raison de son retard.

* * *

Une soirée de congé s'offrit aux trois amies qui se réjouirent de cette occasion. Elles travaillaient d'arrache-pied toutes les trois pour donner les différents soins d'hygiène aux patients. Le mois suivant, elles seraient enfin mandatées – sous la supervision d'infirmières plus expérimentées, comme l'avait précisé sœur Désuète – pour assister les médecins dans leurs différentes tâches. Évelina avait réussi à se procurer des billets pour assister à une « Veillée du bon vieux temps » au Monument-National. Simone avait compris à la mine réjouie de Flavie que cette dernière espérait rencontrer Rémi Lussier lors de cette soirée.

Dans l'effervescence de sa préparation pour la fameuse sortie, Évelina ne s'était pas rendu compte de l'excitation de Flavie. Son amie, qui ne prenait habituellement que quelques minutes pour se préparer, avait mis un temps fou à le faire ce soir-là. « Tiens, je vais emprunter le rouge d'Évelina. Ma mère m'a toujours dit que j'ai de belles lèvres, aussi bien les mettre en valeur ! Je devrais peut-être me faire couper les cheveux, comme Simone et Évelina ? Je fais un peu vieux jeu avec mes cheveux attachés... » Se mirant dans la glace sous toutes ses coutures, Flavie grimaça. « J'ai vraiment l'air d'une fille de ferme avec les cheveux longs comme ça ! Peut-être une teinture ferait-elle l'affaire ? » En sortant de la salle de bains, elle frôla le cadre de porte ; une éclisse de bois tira une maille dans son bas de soie. « Batèche ! J'ai l'air fin, astheure ! »

Au bord des larmes, Flavie retourna dans sa chambre. Elle s'assit sur le bord de son lit et soupira. Évelina, qui venait de terminer d'ajuster sa robe, sourit en voyant les lèvres écarlates de son amie. La couleur lui allait bien, mais Flavie aurait dû être heureuse de sortir plutôt que d'afficher un air aussi triste. Simone les attendait dans le vestibule. La connaissant, elle devait s'impatienter et rejetterait la faute sur Évelina qui n'était pas prête, comme d'habitude.

S'asseyant à côté de Flavie, Évelina lui prit la main.

— Qu'est-ce qui se passe, chère ?

— Bah ! J'ai l'air d'une vraie folle avec mes cheveux, je ne sais pas quoi me mettre et, surtout, je viens de filer mes uniques bas de soie.

Évelina recula et observa son amie pendant quelques secondes, la main sur le menton.

— Sapristi ! On croirait m'entendre !

Flavie se mit à rire. « C'est vrai ! Je ne me suis jamais laissée intimider par une sortie, franchement ! » Évelina ouvrit sa commode et donna une paire de bas neufs à Flavie.

— Tu vois que j'ai bien fait d'en faire provision la dernière fois. Un accident est si vite arrivé ! Tu es parfaite, Flavie. On a bien fait de laisser sécher tes cheveux sur les rouleaux. Laisse-moi t'aider.

Prenant quelques pinces à cheveux sur sa commode, Évelina aida Flavie à donner du style à son chignon.

— Une petite coupe de cheveux ne te ferait pas de tort, mais ce soir, tu es parfaite ! Vite, dépêche-toi ! Simone nous mettra en punition dans un coin si on arrive en retard.

Flavie enfila avec précaution les bas et ajusta la ceinture de sa robe. Puis, elle prit le manteau et le chapeau rose cendré qu'elle avait achetés lors de ses emplettes chez Dupuis Frères. Quand Évelina et elle rejoignirent Simone, elles se regardèrent en souriant devant le regard d'impatience que leur jeta leur amie.

— Enfin ! Ce n'est pas trop tôt ! On va manquer le début de la représentation.

* * *

Quand Flavie avait entendu parler de la « Main » – le surnom du boulevard Saint-Laurent –, elle était loin de se douter de toute l'effervescence qui régnait à cet endroit. Le boulevard Saint-Laurent parcourait la ville du nord au sud en traversant plusieurs quartiers qui accueillaient les nouveaux immigrants : le quartier chinois, le quartier juif, la Petite-Italie, le quartier portugais ainsi que le fameux Red Light. Haut lieu de la prostitution à Montréal, ce quadrilatère renfermait plusieurs maisons closes. Les plus prudes de la ville essayaient d'en oublier l'existence et les curés interdisaient aux fidèles de fréquenter cette zone « malfamée », mais le taux de fréquentation du secteur prouvait que plusieurs personnes désobéissaient aux recommandations de l'Église. Le boulevard Saint-Laurent portait très bien son nom de « Main » en tant que rue principale de Montréal. En plus des différentes salles de cinéma et de spectacles, plusieurs cabarets s'y trouvaient, dont le Connie's Inn – anciennement connu sous le nom de Cabaret Frolic. Plusieurs commerces de confection de vêtements avaient aussi pignon sur rue, boulevard Saint-Laurent.

Postée devant le Monument-National, Flavie réalisa que pour la première fois, elle sentait le pouls de cette ville moderne. Si la rue Sainte-Catherine était celle où l'on trouvait une grande quantité de magasins, le boulevard Saint-Laurent représentait à lui seul la vie dans la métropole. Le Monument-National, construit depuis 1893, abritait un musée de cire, une vaste salle de spectacles – où se produisaient les plus grandes vedettes –, et une plus petite salle de spectacles consacrée au théâtre burlesque, au rez-de-chaussée : le Starland, là où on présentait les « Veillées du bon vieux temps ». Celles-ci, animées par Conrad Gauthier, proposaient des petites pièces comiques, des chansons et des numéros de danse.

Se faufilant vers sa place, Flavie admira pendant quelques secondes la scène où se présenteraient les artistes quelques minutes plus tard. Cherchant du regard Rémi Lussier, elle crut l'apercevoir dans une des rangées à l'avant. Puis, les lumières se tamisèrent dans la salle et les comédiens entrèrent en scène. Les numéros se succédaient pour divertir les spectateurs. Chacun y trouvait son compte. Ce que Flavie aimait par-dessus tout était les numéros de chant. Plusieurs chansons tirées du folklore lui rappelaient sa grand-mère qui aimait fredonner en cuisinant. Elle s'amusa de voir les comédiens interpréter brillamment leur rôle, si bien que la soirée passa rapidement. À la fin de la représentation, alors que Flavie et ses amies se trouvaient dans le hall d'entrée et se préparaient à affronter la froideur de la nuit, Rémi passa devant Flavie sans la voir. Les genoux tremblants, elle attrapa le bras du jeune homme et le salua.

— Bonsoir, Rémi !

— Mademoiselle ?

— Flavie Prévost. Nous nous sommes rencontrés au théâtre St-Denis.

— Hum ?

Voyant qu'il ne se rappelait plus de Flavie, et pour aider celle-ci dans sa déconfiture, Simone lui rafraîchit la mémoire.

— Nous avons pris un café ensemble. Ensuite, vous nous avez raccompagnées au plus proche tramway. Votre empressement vous fait défaut ce soir !

— Ah oui ! répondit-il sans conviction. Je me souviens : les deux infirmières de l'hôpital Notre-Dame ! Pardonnez-moi, je rencontre tellement de gens dans mon métier !

Flavie était déçue qu'il l'ait oubliée si rapidement, contrairement à elle qui l'avait reconnu parmi plusieurs personnes ce soir-là. Il ne se souvenait pas de leur rencontre. « Peut-être que j'ai accordé beaucoup trop d'importance à cette soirée, finalement.

Rémi doit côtoyer des tas de personnes, effectivement. » Évelina comprenait à présent tout le manège de Flavie avant de partir : les bas de soie, le rouge à lèvres, les bigoudis…

Pour venger Flavie, Simone rétorqua :

— Vous nous aviez parlé du Monument-National et des spectacles qui y étaient présentés. À vous entendre parler l'autre soir, on s'attendait à vous voir sur la scène. Mais votre nom ne figure même pas sur la marquise…

Piqué au vif, Rémi décida de mettre fin à la discussion.

— Ça ne saurait tarder, mesdemoiselles ! Sur ce, je dois rentrer. J'ai une journée chargée, demain.

Flavie le suivit des yeux. « Bien fait pour lui ! » Évelina poussa du coude son amie.

— C'est lui, ton comédien ? Un parfait imbécile, à mon avis, qui ne fera que passer le balai dans les coulisses !

Évelina avait probablement raison, Flavie ne s'était pas aperçue à quel point Rémi était imbu de lui-même lors de leur première rencontre. Il n'avait cessé de vanter les pièces qu'il voyait, les « vedettes » qu'il côtoyait, etc. Sa grand-mère l'aurait très certainement traité de faux-jeton. Flavie se revoyait en train de se préparer : la coiffure, le rouge à lèvres, la robe parfaite… Elle s'en voulut d'avoir été aussi naïve, se trouvant ridicule d'avoir accordé autant d'importance à ce jeune homme. Au bord des larmes, elle se mordit la lèvre et chercha dans son sac un mouchoir pour camoufler son désarroi. Flavie entendit prononcer son nom dans la foule. Elle se retourna et arriva nez à nez avec Clément Langlois.

— Bonsoir, Flavie ! Bonsoir, Évelina ! Vous avez aimé votre soirée ?

Heureuse de voir qu'il l'avait reconnue contrairement à Rémi Lussier, Flavie lui répondit gaiement :

— Bonsoir, Clément. Nous avons adoré ! Quel plaisir ! Mais laissez-moi vous présenter Simone Lafond.

Clément tendit la main à Simone. Manifestement, Évelina cherchait quelqu'un des yeux.

— Votre ami Bastien n'est pas avec vous ? demanda-t-elle à brûle-pourpoint à l'interne.

— Non. Il est de garde à l'hôpital ce soir. J'accompagne mes parents.

Clément désigna un couple qui se tenait un peu plus loin et qui l'attendait. Flavie avait déjà eu la chance de rencontrer le docteur Langlois père à l'hôpital. Madame Langlois se tenait en retrait derrière son mari. Flavie leur adressa un sourire. Madame Langlois lui renvoya la pareille. Monsieur Langlois sortit sa montre de poche en regardant son fils.

— Je crois que mon père veut rentrer. Je ne ferai pas attendre mes parents plus longtemps. J'aurais bien aimé aller prendre un café. On se reprendra. Bonne soirée !

Clément les salua et retourna vers ses parents. Évelina siffla.

— Hé ! Flavie ! C'est pour lui que tu aurais dû soupirer ! Il a pas mal plus de plomb dans la cervelle que ton comédien. Un futur chirurgien ! Je donnerais très cher pour qu'il s'intéresse à moi !

— Chut ! s'exclama Flavie. Clément pourrait t'entendre. En tout cas, même si j'ai découvert que Rémi Lussier est un idiot de premier ordre, j'ai vraiment passé une belle soirée, les filles ! Dommage que madame Bolduc n'ait pas été présente ; ma grand-mère adore ses chansons.

Simone crut bon de rappeler à l'ordre ses amies.

— Rentrons, il commence à se faire tard.

— Oui, maîtresse ! se moqua Évelina.

* * *

Une fois couchée, Flavie repensa à sa soirée au Monument-National. Elle devait l'avouer, Rémi Lussier l'avait charmée lors de leur première rencontre. Elle regrettait que ses sentiments ne soient pas partagés. « Il semblait vraiment intéressé à me connaître quand on s'est vus au théâtre St-Denis. Comme j'ai été naïve ! Je me suis imaginé qu'il serait heureux de me revoir. Je ne dois pas l'avoir marqué puisqu'il ne se souvenait plus du tout de moi ! De toute façon, Évelina a raison : il se prend définitivement pour quelqu'un qu'il n'est pas, monsieur le comédien ! » Chassant Rémi de ses pensées, elle s'endormit en songeant au plaisir qu'elle avait eu à assister à une « Veillée du bon vieux temps ». Elle aimait sa vie d'étudiante infirmière à Montréal. « J'ai beaucoup de chance d'avoir Simone et Évelina. »

# 6

Flavie soupçonnait Bastien Couture d'être responsable des disparitions d'Évelina lors de ses soirées de congé. Chaque fois qu'elle l'avait questionnée sur ses absences, Évelina était demeurée évasive. Simone, comme toute bonne maîtresse d'école, avait rappelé à son amie qu'elle devait se soumettre au couvre-feu. Mais Évelina continuait de briller par son absence malgré ses recommandations. S'il fallait qu'une sœur se mette à les interroger, Flavie et elle, sur Évelina ! Pire encore, si sœur Désuète apprenait qu'Évelina « désertait » la salle commune pour se rendre on-ne-savait-où, cette dernière serait sans doute renvoyée.

Préoccupée par les absences d'Évelina et par la charge de travail qui s'accroissait de jour en jour, Flavie avait vite relégué aux oubliettes ses sentiments pour Rémi Lussier. Elle avait lu dans *La Patrie* qu'il avait obtenu un petit rôle au Théâtre national, situé rue Sainte-Catherine. Elle ne savait pas si elle s'y rendrait pour voir son interprétation, car elle avait des millions de choses plus intéressantes à faire que de voir Rémi Lussier sur une scène. Qui était Rémi Lussier de toute façon à côté des Olivier Guimond, Juliette Pétrie, Rose Ouellette et autres grands acteurs de ce monde ? Flavie aurait besoin de toute sa concentration dans les prochains jours. Elle travaillerait aux dispensaires ; elle devrait refaire des pansements et s'occuper des plaies des patients qui s'y présenteraient.

Plusieurs patients des chambres dont Flavie s'occupait avaient quitté pour céder la place à des nouveaux malades. Elle s'habituait à côtoyer ses patients tous les jours et, quand ils recevaient leur congé, elle éprouvait des sentiments contradictoires. Elle s'était attachée à certains ; savoir qu'elle ne les verrait plus la rendait mélancolique. Mais elle avait aussi le sentiment du devoir accompli. Les soins des médecins, de ses consœurs et d'elle-même avaient contribué à leur guérison ; Flavie était fière d'avoir fait sa part.

Les quelques semaines passées dans les différentes salles de patients avaient donné un peu d'assurance à Flavie. Même Suzelle n'avait pas critiqué son travail une seule fois. Cette dernière l'observait en silence sans jamais la féliciter mais sans rien lui reprocher non plus, ce qui prouvait à Flavie qu'elle était sur la bonne voie. Georgina était elle aussi à son affaire, et Flavie en profitait. « Pour une fois qu'elle n'embête personne, celle-là ! » L'épisode avec « Siméon » le squelette l'avait rendue tranquille et silencieuse. Évelina avait dit à Flavie qu'il fallait toujours se méfier de l'eau qui dort. Mais toutes les étudiantes sans exception savouraient ce moment d'accalmie. Flavie, Simone et Évelina savaient très bien que Georgina devait réfléchir à une nouvelle façon de les ridiculiser.

Sœur Désuète avait informé les étudiantes qu'elles n'auraient pas droit à un congé pour les fêtes de Noël et du Nouvel An. « La maladie ne chôme pas. Toute bonne infirmière doit savoir se priver des fêtes et autres futilités de la vie. » Cette nouvelle avait attristé Flavie. Elle avait espéré aller passer quelques jours chez elle, pour retrouver sa famille, mais elle devrait se contenter de téléphoner à La Prairie plutôt que « d'aller perdre son temps dans des réjouissances futiles et ridicules ». Elle téléphonerait aussi à Victor pour lui donner des nouvelles. Si elle obtenait une journée de congé, elle essaierait d'aller lui rendre visite. Sa famille allait lui manquer, mais elle n'était pas seule. Évelina et Simone seraient avec elle, ce qui lui réchauffait le cœur.

* * *

— Je n'en reviens tout simplement pas que je doive cuisiner ! Franchement ! Je ne sais même pas me préparer du gruau !

Évelina déposa son couteau et croisa les bras. La garde Baillargeon devait enseigner ce jour-là aux étudiantes à préparer les repas pour les malades qui étaient à la diète. Cette tâche incombait aux infirmières plutôt qu'aux cuisinières de l'hôpital. Une cuisine avait été aménagée spécialement pour y préparer ces repas. Évelina continua de bouder en regardant les carottes à moitié pelées sur sa planche à découper.

— Bon ! Astheure que je sais « torchonner » des patients, me voilà rendue à cuisiner pour eux ! Je ne veux pas être aide-ménagère mais infirmière, bon sang !

— Voyons, Évelina, tu dramatises encore ! déclara Simone en haussant les épaules. Ne viens pas me faire accroire que tu n'as jamais coupé une carotte de ta vie !

— Dans mon assiette, c'est tout ! Je déteste cuisiner et je suis nulle en plus.

— Ce n'est pas tellement compliqué ce que nous demande la garde Baillargeon, intervint Flavie en lui redonnant son couteau. Tout ce qu'on a à faire, c'est une soupe allégée pour les patients convalescents. Quelques carottes, haricots, oignons, morceaux de céleri et un peu de bouillon, et le tour est joué.

— Après la soupe, ce sera quoi ? Éplucher les patates pour les diabétiques ? Mettre en purée les navets pour les édentés ? « J'haïs » tellement ça, vous ne pouvez pas savoir…

Au contraire, Flavie et Simone le savaient très bien ! Évelina continua de ronchonner durant toute la leçon, mais elle fut la première à goûter à sa soupe qui avait mijoté pendant qu'elle nettoyait le coin où elle avait cuisiné. La jeune femme dissimula à peine sa satisfaction après sa première cuillerée. Flavie n'osa pas lui en faire la remarque, mais Simone ne se gêna pas.

— Tu vois, Évelina ! Même toi, une fille de la ville, tu peux préparer une bonne soupe. Tu pourras dire que tu es bonne à marier ! Il y aura sûrement un pauvre docteur maigrichon qui te voudra dans sa cuisine !

— Ha, ha ha! Très drôle, Simone! Tu sauras pour ta gouverne que je n'ai pas besoin de savoir faire à manger pour me dénicher un mari. De toute façon, celui que je trouverai pourra me payer une cuisinière!

— Je l'espère bien pour toi, très chère!

* * *

Ce jour-là, le cours de bactériologie du docteur Bourque avait lieu exceptionnellement dans la salle des stérilisateurs. Une fois de plus, le docteur Bourque discourut sur l'importance de bien stériliser les instruments qui serviraient lors d'une éventuelle intervention chirurgicale. En refermant la porte d'un des stérilisateurs, le professeur se tourna vers son auditoire.

— Quand les instruments sont bien nettoyés, il suffit de les placer dans le stérilisateur pour qu'ils soient aseptisés. Les chirurgiens se fient à vous, mesdemoiselles, pour que le travail soit impeccable. Vous êtes les gardiennes de la bonne santé des patients. Je n'insisterai jamais assez sur l'asepsie...

Devant la mimique d'Évelina, Flavie essaya de garder son sérieux. Le ton monocorde du médecin n'aidait pas les élèves à rester attentives à ses propos et rendait le cours long et pénible, malgré toute la matière intéressante qui y était enseignée. Flavie avait préparé tous les instruments qu'elle devait envoyer dans le stérilisateur comme le médecin l'avait indiqué. Elle s'étonnait souvent de toutes les notions qu'elle avait apprises depuis son arrivée à l'hôpital à la fin du mois d'août. Si sa mère et sa grand-mère la voyaient, elles seraient tellement fières d'elle! Flavie pouvait à présent faire des pansements et stériliser des instruments chirurgicaux, elle qui n'avait jamais vu de bistouri de sa vie. «Je pourrai assister un chirurgien dans peu de temps!» Son cœur s'emballa à cette pensée. S'il lui arrivait parfois de douter de son choix de carrière quand elle avait à effectuer certaines tâches moins plaisantes, les moments de plénitude où elle réalisait qu'elle deviendrait infirmière après trois longues années d'études compensaient et lui prouvaient qu'elle était à la bonne place. Sa soif d'apprendre était largement comblée avec les différents cours auxquels elle assistait quotidiennement.

Les plateaux d'instruments nettoyés étaient prêts à passer dans le stérilisateur. Le médecin circulait et observait d'un œil scrutateur si tous les instruments requis pour une chirurgie étaient présents et placés dans le bon ordre. Il s'arrêta quelques instants devant Flavie et la félicita de son nettoyage efficace et du fait que, contrairement à ses consœurs, elle avait réussi à préparer deux plateaux durant le temps alloué.

— La rigueur et l'efficacité sont deux qualités toujours recherchées chez une infirmière. Félicitations, mademoiselle Prévost, d'avoir pris l'initiative de préparer deux plateaux.

Flavie s'était sentie rougir devant le compliment du professeur. Son but n'avait pas été de se faire féliciter devant toute la classe ; elle avait agi sans plus de façon. Simone lui jeta un regard d'approbation. Flavie entendit chuchoter Georgina et Alma. Elle ne comprit pas ce que celles-ci disaient, mais elle devait sûrement être le sujet de conversation des deux jeunes femmes.

Le cours s'acheva. Flavie sortit la dernière en compagnie de Simone et d'Évelina. La plupart des étudiantes étaient retournées à la résidence pour se reposer avant la corvée du souper. Georgina, Alma et une autre infirmière, en grande conversation, étaient regroupées près d'une fenêtre face à la cage d'escalier. Clément venait de passer devant elles et marchait en direction des trois amies. Il s'arrêta près d'elles. Georgina observa Évelina, Flavie et Simone discuter avec l'interne. Elles les enviaient de bénéficier de l'attention de Clément Langlois. Celui-ci avait un charme discret qui n'avait pas échappé à Georgina. Elle aurait bien voulu que le jeune médecin jette son dévolu sur elle. Georgina ne comprenait vraiment pas qu'il puisse être attiré par une de ces « greluches ». À bien y penser, il n'y avait rien d'étonnant qu'il se soit fait prendre au petit jeu d'Évelina qui passait ses journées à rouler des hanches et à rire bêtement quand elle croisait des internes. Mais comment pouvait-il être attiré par Flavie et Simone, ces deux filles effacées et sans intérêt ? Indifférente aux propos d'Alma et de Jeannette, elle essaya de capter des bribes de la conversation entre les filles et le médecin. Le docteur Langlois bavarda quelques minutes avec les trois amies, puis il les quitta avec un sourire. « Si ce n'est pas le chouchou du docteur Bourque ! » déclara Georgina au passage du trio à sa hauteur. Avec une pointe d'ironie, elle continua en imitant le professeur Bourque : « "Bravo, mademoiselle Prévost, pour votre initiative"... Franchement ! Ça ne valait pas de félicitations d'avoir pensé à laver un plateau de plus. Elle doit exceller dans le ménage, la "campagnarde"... »

Évelina vit rouge devant l'insulte que Georgina venait de lancer à Flavie. Simone dut la retenir par le bras.

— Bout de viarge, Georgina ! Tu n'as vraiment rien d'autre à faire que d'écœurer le monde ? Ça ne te tenterait pas des fois de te magasiner une vie ?

— Laisse faire, Évelina, dit Flavie d'une petite voix.

— Non mais, quand même ! Y en a vraiment qui courent après les problèmes !

Simone entraîna ses amies vers la cage d'escalier en essayant de modérer Évelina. Flavie se doutait bien que l'altercation aurait dégénéré si Simone n'avait pas été là pour calmer leur amie.

— Câline, Évelina, tu le sais qu'elle fait exprès ! Et toi, tu tombes dans le panneau chaque fois, la sermonna Simone.

— On dirait qu'elle n'a rien d'autre à faire que de nous surveiller ! On ne peut pas faire un pet de travers sans que Georgina Meunier se moque de nous.

— Probablement que ça l'achale de voir que Clément s'est arrêté pour discuter avec nous.

Flavie intervint :

— Ben là ! C'était juste un petit bonjour de courtoisie ! Il n'y a pas de quoi s'énerver de même ! En plus, elle m'a traitée de chouchou ! J'ai juste fait mon travail, moi, et rien d'autre !

— Il faut toujours que Georgina soit le centre de l'attention. Elle me tape tellement sur les nerfs ! rétorqua Évelina.

— Une chance que ce n'est pas toi qu'elle a insultée… déclara Simone.

— Quelqu'un qui s'attaque directement à une amie ne mérite pas qu'on la laisse faire ! Quel culot de te traiter de « campagnarde », Flavie !

— Bah ! Ce n'est pas si grave, Évelina. C'est vrai après tout que je viens de la campagne. Toi-même, tu nous le fais remarquer, à Simone et à moi…

— Je ne me suis jamais moquée de vous autres, moi !

— Je sais bien, je te taquine !

Flavie lui posa la main sur l'épaule et lui sourit.

— C'est gentil quand même de prendre ma défense. Je ne trouve jamais rien à lui répondre, à Georgina.

— Voilà ! s'écria Simone. C'est en plein ce qu'elle désire : elle veut vous déstabiliser, les filles ! Et elle réussit en plus ! Flavie, tu ne sais pas quoi lui répondre et toi, Évelina, tu « pognes » les nerfs après elle. Ne vous occupez pas de Georgina, tout simplement !

— Bon, c'est correct, la maîtresse d'école ! On essaiera ça la prochaine fois. Pas de chicane dans ma cabane…

Flavie éclata de rire. Quand Antoine et elle se querellaient dans leur enfance, sa grand-mère lançait toujours cette phrase. Pendant quelques minutes, Flavie pensa à la vieille femme. Un élan de nostalgie s'empara d'elle. Elle avait toujours eu une relation privilégiée avec son aïeule. Tout comme Simone et

Évelina, Delvina était toujours là pour veiller sur elle. Sa « belle Flavie » devait certainement lui manquer autant que la vieille dame lui manquait en ce moment. La jeune femme regarda l'heure ; elle avait le temps de téléphoner à la maison. S'excusant auprès de ses amies, elle se dirigea vers une cabine téléphonique. Après la quatrième sonnerie, elle s'apprêtait à raccrocher quand elle entendit la voix de sa grand-mère.

— Allo ? Allo ?

— Grand-mère, c'est moi ! Flavie !

— Ah ! Ma belle Flavie ! Comment vas-tu ?

Flavie essaya de cacher son fou rire. Delvina hurlait dans le téléphone comme si elle avait peur que son interlocutrice n'entende rien. Gentiment, la jeune femme rappela à sa grand-mère qu'elle ne se trouvait que de l'autre côté du fleuve et qu'elle distinguait clairement toutes ses paroles.

— Je ne suis pas encore habituée à cette « boîte à paroles ». Ta mère est partie au village avec Antoine. Je peux lui dire que tu as appelé.

— C'est à vous, grand-mère, que j'avais envie de parler. Je m'excuse si je n'ai pas appelé souvent pour prendre de vos nouvelles.

— Je comprends, ma belle, ne t'en fais pas. Tu as besoin de toute ta concentration pour devenir garde-malade. Tout le monde va bien ici. On mange du fromage en masse avec les recettes de ton frère. J'ai hâte de te voir à Noël, ma petite.

Flavie resta silencieuse quelques instants avant de répondre.

— Euh… Je ne pourrai pas aller à La Prairie pour le temps des Fêtes. Nous n'avons pas droit à un congé pour cette période, malheureusement. J'aurais tellement aimé ça, passer quelques jours à la maison. Que dira maman ?

— Ne t'inquiète pas, je vais m'occuper de ta mère. Ce n'est pas grave, ma belle, on se reprendra. Ce qui est important, c'est que tu aimes toujours ça, apprendre comment devenir garde-malade…

— Ah oui ! On travaille fort, mes consœurs et moi, mais j'aime beaucoup apprendre.

Flavie lui raconta que, bientôt, elle s'occuperait des patients dans les dispensaires.

— Je sais faire des pansements maintenant et nettoyer les plaies, grand-mère ! J'ai encore un tas de choses à apprendre. Et vous savez quoi ? J'adore ça !

— Tant mieux ! Je suis contente !

Flavie bavarda encore pendant quelques minutes avec sa grand-mère. Elle lui raconta sa dernière sortie, puis elle lui parla de Simone et d'Évelina.

— Tu as beaucoup de chance d'être si bien entourée ! C'est important d'avoir des amies dans la vie, ma belle !

Flavie savait en effet qu'elle avait beaucoup de chance. Elle avait vu juste en se liant d'amitié avec les deux jeunes femmes. Évelina serait toujours à ses côtés pour la défendre, et Simone pour calmer les ardeurs d'Évelina. Elle dit au revoir à sa grand-mère et lui promit de téléphoner bientôt. Elle attendit que Delvina raccroche. À l'autre bout du fil, elle entendit cette dernière se demander comment on arrêtait « cette affaire-là ». Flavie s'amusa à imaginer sa grand-mère tourner le combiné dans tous les sens pour trouver la façon de couper la communication.

* * *

Sa conversation avec sa grand-mère avait fait le plus grand bien à Flavie. La jeune femme se sentait soulagée de savoir que tout le monde allait bien, et surtout que Delvina s'arrangerait pour que sa mère ne lui tienne pas rigueur de son absence à

La Prairie pour Noël. Quand sœur Désuète avait annoncé aux étudiantes qu'elles se passeraient de vacances à Noël, Flavie avait eu beaucoup de peine en pensant à la déception de sa famille. Heureusement, c'est Delvina qui annoncerait la mauvaise nouvelle. Flavie s'imaginait la scène que ferait sa mère ; elle taperait du pied en criant à quel point le rôle de mère était ingrat, car les enfants ne pensaient pas à tout l'ennui qu'éprouvait leur « pauvre » mère qui les attendait. Elle entendait Bernadette comme si celle-ci se trouvait près d'elle en ce moment : « C'est impossible que Flavie ne puisse pas se libérer ! Ça ne se fait pas de ne pas fêter Noël en famille ! Je le savais qu'en devenant infirmière, elle ne reviendrait plus ici ! » Bernadette avait toujours eu un peu le sens du drame ; cependant, sa fille ne l'en aimait pas moins malgré ce défaut.

Flavie s'était portée volontaire pour faire une des gardes de soir. Habituellement, celles-ci étaient réservées aux élèves de deuxième année, mais sœur Désuète lui en avait fait la demande après le souper et la jeune femme n'avait pas osé refuser. « Il faut bien commencer quelque part. Et puis, si quelque chose de grave arrive pendant mon quart de travail, il y a des infirmières diplômées sur les étages voisins. Tout ce que j'aurai à faire, c'est d'attendre au poste de surveillance. De toute façon, à cette heure-là, les patients dorment pour la plupart. » Flavie se rendit au troisième étage pour son quart de travail. Les salles comportaient de trois à quatre lits. La garde Cloutier, qui se trouvait au poste de garde, lui expliqua rapidement le fonctionnement du tableau couvert d'ampoules lumineuses. Flavie n'avait pas encore eu la chance d'expérimenter ce moyen de communication sophistiqué et moderne permettant en tout temps aux patients de joindre une infirmière.

— À la tête de chaque lit se trouve une lumière rouge reliée à un bouton que le patient actionne en cas de besoin. Peu importe l'endroit où vous vous trouverez, que ce soit dans le corridor, dans le poste de garde, dans la cuisine de l'étage ou dans la chambre de service, un voyant lumineux vous indiquera quel patient requiert vos services. Lorsque vous arrivez au chevet du malade, vous n'avez qu'à insérer cette clé dans l'interrupteur pour éteindre la lumière, ce qui désactivera tous les voyants lumineux reliés à cet appel. Votre garde se terminera à onze heures trente. L'infirmière de nuit viendra vous remplacer.

Percevant l'inquiétude que Flavie essayait de cacher de son mieux, la garde Cloutier se fit rassurante.

— Ça semble vraiment plus impressionnant que ça ne l'est vraiment. Les patients sont tous prêts pour la nuit ; ils ont reçu leurs médicaments, il ne leur reste plus qu'à s'endormir. Les gardes de soir et de nuit sont les plus faciles, à mon avis. S'il y a quoi que ce soit, téléphonez au poste de garde du cinquième étage. J'y serai et je viendrai vous donner un coup de main. C'est encore plus tranquille au cinquième parce que les chambres « de luxe », comme on les appelle, ne sont pas toutes remplies. Ce soir, je dois m'occuper seulement d'un ou deux patients.

— Merci, garde Cloutier. Je devrais suffire à la tâche.

— Ne vous gênez pas, garde Prévost, pour m'appeler s'il y a quoi que ce soit.

Flavie regarda partir l'infirmière. Pendant quelques instants, elle fixa le tableau de voyants lumineux. Elle secoua la tête. « Bon ! Je ne passerai pas ma soirée à surveiller le tableau comme ça, quand même. Je vais faire un petit tour de ronde avant de revenir au poste de garde. » L'hôpital en entier s'apprêtait à dormir et tout était calme. Pour la plupart, les médecins étaient rentrés chez eux. Seuls quelques-uns restaient dans la salle du personnel pour assurer la garde de nuit.

En se promenant dans le couloir, Flavie prit conscience une fois de plus qu'elle se trouvait dans l'hôpital le plus moderne en Amérique du Nord. Tous les étages disposaient de plusieurs salles de bains, et de l'eau stérilisée par un système réservé uniquement à l'hôpital était disponible partout pour les malades. Il y avait de l'eau chaude sur tous les étages sans exception. Plusieurs habitants de la ville de Montréal n'avaient même pas encore l'eau courante dans leur logement. Un système de ventilation révolutionnaire renouvelait l'air toutes les dix à quinze minutes. Au troisième étage, là où se trouvait Flavie, de larges solariums procuraient aux malades pouvant se déplacer un peu de lumière et une vue sur le parc La Fontaine. Ces pièces lumineuses étaient aussi accessibles l'hiver ; des calorifères réchauffaient les lieux lors des grands froids.

Flavie avait jeté un œil à l'intérieur de toutes les chambres avant de retourner au poste de garde. En refermant derrière elle la rampe de bois qui servait de porte à la pièce, son regard s'attarda sur le tableau. Flavie sentit ses jambes ramollir. Toutes les lumières étaient allumées ! Pendant quelques secondes, elle fixa le tableau, essayant de comprendre ce qui se passait. « Ben voyons ! Ça ne se peut pas que tous les patients aient besoin de moi en même temps ! » Elle ferma les yeux, les rouvrit aussitôt : les voyants étaient encore tous allumés. « *Go,* Flavie ! Retrousse tes manches et vas-y ! » Tenant fermement dans sa main la clé pour désactiver les voyants, elle entra dans la première chambre. Le silence qui régnait dans la pièce de quatre lits lui prouva que tous les patients dormaient du sommeil du juste. Elle vérifia quand même si le patient le plus près de la porte dormait bel et bien et n'avait besoin de rien, avant d'insérer la clé dans l'interrupteur pour désactiver le voyant lumineux de l'appel. Elle fit le tour de toutes les chambres ; aucun patient ne s'était servi du bouton pour l'appeler. Après avoir éteint le dernier voyant lumineux, Flavie retourna au poste de garde. La jeune femme restait incrédule devant ce qui venait de se passer. « Peut-être y a-t-il eu un problème électrique ? En tout cas, tout le monde dort. Je vais pouvoir m'asseoir quelques instants. »

Flavie feuilleta pendant quelques minutes la revue *La garde-malade canadienne-française*. Puis, elle pensa à Simone qui devait, une fois de plus, attendre qu'Évelina revienne de l'endroit mystérieux où elle passait ses soirées. Il faudrait bien un jour ou l'autre que leur amie leur dise ce qu'elle faisait. Ces sorties mystérieuses avaient assez duré ! Flavie regarda l'heure sur l'horloge murale. Encore deux heures à patienter avant l'arrivée de l'infirmière de nuit. Simone avait insisté pour qu'elle apporte son livre de notes de cours. « Ainsi, tu pourras réviser si tu as du temps. Tu ne seras jamais assez prête pour les examens de fin d'année, Flavie ! » Même si Simone avait fui l'enseignement pour entreprendre des études en soins infirmiers, la « maîtresse d'école » était toujours prête à reprendre du service. Au tableau, une lumière s'alluma. Comme propulsée par un ressort, Flavie se leva, prit la clé et se rendit dans la chambre du patient.

— Je voudrais un peu d'eau, mademoiselle, si c'est possible.

Le dossier du patient confirma qu'il n'y avait aucun problème à ce que l'homme prenne quelques gorgées d'eau avant de dormir. Flavie s'empara de la carafe d'eau et remplit un verre. Le patient but d'un trait, et la remercia. Elle l'aida à se recoucher, lui souhaita bonne nuit et désactiva l'interrupteur. Lorsqu'elle revint au poste de garde, elle constata que les voyants lumineux étaient tous activés, sauf celui qu'elle venait juste d'éteindre. Elle fit le tour des chambres une nouvelle fois. Évidemment, aucun patient n'avait actionné le bouton d'appel. « Batèche ! Quelqu'un doit s'amuser à mes dépens, ça ne se peut pas ! » Parvenue au poste de garde, Flavie tourna sa chaise pour voir du coin de l'œil le tableau. Elle attendit. Pendant de longues minutes, rien ne se passa. Flavie retenait son souffle. « Si c'est quelqu'un qui me joue un mauvais tour, je m'en rendrai compte. Les lumières devraient s'allumer bientôt… » Au moment où elle pensait que le farceur qui s'amusait à la faire courir dans les couloirs avait abandonné son petit jeu ridicule, un voyant s'alluma, puis un autre et encore un autre. Un sourire en coin, Flavie observait la progression du rôdeur. Toutes les lumières de la première salle étaient désormais allumées. Flavie attendit que les voyants lumineux de la deuxième salle commencent à s'allumer. Elle se leva et s'avança dans le couloir, puis elle s'arrêta devant la porte de la salle où se trouvait son « fantôme ».

Flavie s'adossa contre le mur, dans la pénombre, et attendit. Prenant son courage à deux mains, elle attendit que le « fantôme » termine de presser les boutons d'appel de tous les lits. « On dirait presque un chasseur attendant sa proie ! » Elle sourit en pensant à cette idée. « Je vais découvrir qui s'amuse à allumer les lumières. » Elle n'eut pas à attendre longtemps avant de voir une forme fantomatique se faufiler en dehors de la deuxième salle. Un enfant en chemise d'hôpital buta contre elle, qui se tenait devant la porte. Il voulut prendre la fuite, mais Flavie le saisit par le bras.

— Tiens, tiens, tiens ! Je viens de coincer mon fantôme !

Un garçon d'une dizaine d'années se débattait. Flavie le calma et l'emmena au poste de garde. Elle lui indiqua une chaise et prit place devant lui. De toute évidence, il ne s'attendait pas à être démasqué. Flavie, qui s'était promis de gronder le coupable en l'attrapant, se laissa attendrir par les grands yeux bleus effrayés. Les mains sur les genoux, le garçon aux cheveux roux et au visage couvert de taches de rousseur attendait sa punition.

— Tu vas me dire qui tu es et ce que tu fais sur mon étage, jeune monsieur. Tu m'as fait courir une bonne partie de la soirée pour éteindre ces fichues lumières.

Le garçon la regarda d'un œil renfrogné et croisa les bras. Il resta silencieux.

— Bon ! Tu ne veux pas me répondre, alors je vais te conduire directement au bureau de l'hospitalière en chef. Elle réussira peut-être à te délier la langue, elle…

Flavie saisit le bras de son interlocuteur et se dirigea vers la sortie. Tout à coup, le garçon s'exclama :

— Robin Arsenault !

— Mon Dieu ! Tu as retrouvé ta langue !

Flavie lâcha Robin, qui retourna s'asseoir.

— Alors, Robin Arsenault, que fais-tu ici à cette heure-là. Tu ne devrais pas être couché ?

— J'arrivais pas à dormir.

— Je n'arrivais pas à dormir, le corrigea-t-elle. Où est ta chambre, jeune homme ?

— En bas. Vous ne pouvez pas me garder ici. Je dois retourner dans mon lit, je suis malade.

— On voit bien ça ! Tu cours partout sur mon étage, alors j'imagine que tu dois être presque guéri. Allez, viens, je te reconduis à ta chambre.

Flavie prit doucement Robin par la main. Ce dernier la suivit sans résister. La garde ne l'avait pas grondé et, en plus, elle le raccompagnait à son lit. Depuis qu'il était hospitalisé, les autres gardes à qui il avait joué des tours s'étaient contentées de le renvoyer sèchement à sa chambre. Du coin de l'œil, il observa Flavie pendant qu'il descendait l'escalier. Elle était différente des autres infirmières, qui ne débordaient jamais du cadre de leurs tâches. Après tout, celle-ci avait décidé de le reconduire personnellement à sa chambre.

Tenant toujours la main de Robin, Flavie s'arrêta au poste de garde du second étage. L'infirmière qui s'y trouvait perdit son sourire en voyant Robin à côté de Flavie.

— Qu'est-ce que tu fais là, toi ? Tu t'es encore promené sur les étages, Robin ? Qu'est-ce que je t'ai déjà dit ? Tu ne dois pas déranger les patients des autres étages.

Pour éviter que le garçon se fasse davantage réprimander, Flavie déclara à la garde :

— Comme il n'avait pas sommeil, Robin est venu me voir pour que je lui raconte une histoire. Je le raccompagne à présent.

Sceptique, la garde observa Robin pendant quelques secondes, puis elle lui indiqua sa chambre de l'index.

— Allez ! Au lit, Robin, et que je ne te voie plus te lever.

Flavie suivit des yeux le jeune garçon en se promettant de lui rendre visite le lendemain.

* * *

Le reste du quart de travail de Flavie se déroula sans embûches. La jeune fille regarda régulièrement le tableau ; aucun des voyants lumineux ne s'alluma après le départ du jeune garçon. « Robin me fait tellement penser à Antoine. C'est le genre de plaisanteries que mon frère aimait faire quand il était jeune. Grand-mère disait toujours qu'il jouait des tours seulement dans le but d'attirer l'attention de maman. Pauvre lui ! Ça n'a jamais eu l'effet escompté ! » En effet, Bernadette se fâchait au lieu de s'amuser des farces d'Antoine.

Pour passer le temps, devenu monotone depuis le départ de Robin, Flavie rangea les draps propres empilés sur un chariot dans une des armoires destinées à cet usage dans le couloir. L'infirmière de nuit arriva à l'heure prévue pour prendre la relève de Flavie. Elle s'informa de la soirée de la jeune femme.

— Tout s'est bien passé. J'ai dû raccompagner un jeune plaisantin à sa chambre, mais sinon, ça a été tranquille.

— J'imagine qu'il s'agit de Robin ?

— À ce que je vois, il est connu comme Barabbas dans la Passion !

— Il t'a fait le coup des voyants lumineux ?

— Eh oui ! Contente de savoir que je ne suis pas la seule !

— Robin s'amuse comme il peut. D'ailleurs, habituellement, c'est signe qu'il va mieux. Il rentre chez lui peu de temps après.

La garde raconta à Flavie que Robin avait été hospitalisé plusieurs fois au cours de l'année. Il arrivait à bout de souffle à cause de crises d'asthme à répétition. Les médecins le traitaient, puis le garçon repartait. Quelques mois plus tard, il revenait dans le même état.

— À mon avis, c'est sa façon de faire savoir à sa mère qu'il souhaite qu'elle s'occupe un peu plus de lui. Sa mère travaille dans une usine de textile et parvient à peine à joindre les deux bouts.

Flavie resta songeuse. Robin devait se sentir tellement seul quand sa mère travaillait. Elle lui rendrait visite le lendemain quand elle aurait deux minutes. Avant d'aller dormir, Flavie devait aller porter le chariot de draps sales à la buanderie. Elle souhaita bonne nuit à l'infirmière qui commençait son service et se dirigea vers l'ascenseur le plus près avec son chariot.

Poussant la porte de la buanderie, elle s'avança dans cet endroit sombre et humide. En plein jour, la place bourdonnait comme une ruche, mais à cette heure tardive, elle avait un peu peur de s'y aventurer. « Tu es ben pissou, Flavie Prévost ! As-tu peur de te faire attaquer par des taies d'oreiller ? » Laissant échapper un rire nerveux, elle poussa le chariot près des cuves de lavage et se dirigea vers la sortie. Elle entendit un son étouffé derrière une étagère. Sa curiosité l'emportant sur sa peur, elle déplaça une pile de linges pour en avoir le cœur net. Un homme et une femme étaient en pleins ébats amoureux. Flavie recula, mais un doute la submergea : il lui semblait avoir entrevu la coiffure sophistiquée d'Évelina. Elle s'approcha à nouveau sans faire de bruit ; elle reconnut son amie. Elle ne voyait que le dos d'Évelina, mais elle devinait que celle-ci était nue. Un désarroi poignant s'empara de Flavie. Elle savait son amie Évelina volage, mais Flavie ne se serait jamais imaginé qu'elle oserait mettre de côté ses scrupules et les règles de bienséance les plus élémentaires. Une partie d'elle se sentait quand même soulagée de connaître enfin le fin mot de cette histoire et de savoir dorénavant avec qui Évelina passait ses soirées. « Ah ben ! Voilà donc son secret ! Pas surprenant qu'elle jouait à la cachottière et nous avait dissimulé qu'elle fréquentait Bastien Couture aussi intimement ! » Au moment où Flavie s'apprêtait à rebrousser chemin, elle vit l'homme qui se trouvait avec Évelina. Elle recula d'un pas. Ce n'était pas Bastien Couture, mais le docteur Jobin !

Surprise et mortifiée par sa découverte, Flavie se hâta de regagner sa chambre. Simone s'était endormie avec son cahier de notes sur la poitrine. Flavie rangea le cahier et éteignit la lampe de son amie. Ainsi donc, le secret d'Évelina était éventé ! Elle soupçonnait Bastien Couture d'être le responsable des absences de la jeune femme, mais jamais elle n'aurait imaginé que l'amant d'Évelina était le docteur Marcel Jobin. Un homme marié ! Elle se mit au lit en pensant à ce que Simone dirait si elle apprenait une telle chose. Évelina se ferait sermonner comme une écolière. Flavie décida de rester discrète. Elle trouverait le moment opportun pour prévenir Évelina qu'elle connaissait son secret. Cette dernière se faufila dans la chambre près d'une demi-heure après le retour de Flavie. Celle-ci fit semblant de dormir.

* * *

Le lendemain, Flavie ne parla de rien à Évelina. Durant le cours d'anatomie, elle s'assit de façon à voir son amie. Évelina fit preuve d'une telle réserve que personne n'aurait pu deviner qu'un lien existait entre le docteur Jobin et elle. L'homme enseigna avec l'entrain auquel les étudiantes étaient habituées, et il ne croisa presque jamais le regard de sa maîtresse. À quelques occasions, Flavie le surprit à observer Évelina, mais chaque fois, il détourna rapidement les yeux et poursuivit ses explications.

Flavie avait raconté sa rencontre avec le jeune Robin à Simone et Évelina. Elle profita d'un moment de repos pour rendre visite au garçon. L'enfant était assis dans son lit, penché sur une feuille de papier. Il avait posé un plateau sur ses genoux afin d'avoir une surface plane et dure pour pouvoir dessiner. Entendant des pas, il leva les yeux. Il fut content de voir l'infirmière qu'il avait connue la veille. Celle-ci avança une chaise et s'assit près du jeune malade.

— Comment vas-tu aujourd'hui ?

— Pas pire ! Le doc m'a dit que je sortirais probablement demain de l'hôpital. J'attends la visite de ma mère, mademoiselle.

— Tu peux m'appeler Flavie. Elle doit venir te voir aujourd'hui ?

— Je ne sais pas. Elle n'est pas venue hier ni avant-hier. J'imagine que, peut-être, elle aura le temps en fin de journée.

Robin continua son dessin. Flavie se leva pour regarder par-dessus son épaule.

— Wow ! Tu dessines bien ! Tu aimes les chevaux ?

— Ouais ! J'aimerais ça partir d'ici pour devenir cowboy.

— Pour ça, il faut que tu sois complètement guéri.

— Bof ! Je sais que mes poumons sont fragiles. Ma mère dit que c'est impossible pour moi d'aller si loin.

— Peut-être que si tu y crois vraiment, ton rêve se réalisera. Je suis venue te raconter une histoire. Je t'en ai presque promis une hier en te raccompagnant.

— Merci ! Je ne me suis pas fait chicaner pour une fois.

— Heureuse de l'apprendre ! Mais promets-moi que tu feras attention à toi. Je ne veux pas te revoir de sitôt à l'hôpital quand tu auras obtenu ton congé. Il paraît que tu es un « abonné » de la place ?

— Mes poumons sont fragiles !

Robin regarda le livre que Flavie avait posé sur la table de chevet.

— En attendant la visite de ta mère, est-ce qu'une histoire de mousquetaires te plairait ?

Robin sourit. Après avoir déposé sa feuille et son crayon, il se cala dans son lit pour écouter Flavie.

* * *

— Tu es encore rentrée tard hier, Évelina ! Pour l'amour de Dieu, vas-tu nous dire qu'est-ce que tu fais et où tu vas tous les soirs ?

Les mains sur les hanches, Simone attendait la réponse de son amie. Voyant que celle-ci restait muette, elle poursuivit :

— Hier, les sœurs ont fait le tour des chambres. J'ai dû couvrir ton absence en disant que tu étais sortie pour voir ta mère malade et que tu serais de retour bientôt. J'ai même dû mettre des oreillers à ta place quand la sœur est revenue et a scruté la chambre pour être certaine que nous y étions toutes. Une chance qu'elle n'est pas entrée ! Elle aurait trouvé ton lit vide, comme d'habitude !

Évelina continua d'appliquer son nouveau vernis à ongles rouge passion. Elle n'allait tout de même pas répondre aux remontrances de Simone. Sa propre mère ne l'avait jamais admonestée de cette façon et ce n'était pas Simone, malgré ses bonnes intentions, qui aurait le droit de le faire. Ressentant le malaise qui régnait dans la chambre, Flavie crut bon d'intervenir pour faire baisser la tension.

— Batèche, Simone ! Si Évelina veut nous le dire, tu penses qu'elle se gênera ?

— Bon ! Tu la couvres, Flavie ? Je dois ben être la dernière à savoir de quoi il en retourne…

— Ben non ! Je n'en sais pas plus que toi, Simone. Mais je respecte le fait qu'Évelina n'ait pas envie de se confier tout de suite. Elle le fera quand elle l'aura décidé, c'est tout.

— Bon ben, coudonc… La prochaine fois, tu la couvriras toi-même, Flavie. Je n'ai pas envie de me faire renvoyer, moi !

Simone sortit. Évelina croisa le regard de Flavie ; elle comprit que celle-ci était au courant de la nature de ses escapades. Elle ne savait pas si Flavie connaissait l'identité de son amant. Mais une chose était certaine : son amie était restée discrète. N'ayant pas envie de s'épancher pour le moment, elle remercia simplement Flavie de s'être portée à son secours face à Simone, la « méchante maîtresse ». Évelina avait voulu détendre l'atmosphère, mais Flavie ne s'amusa pas de sa boutade.

— Va ben falloir que tu nous en parles, Évelina… On ne sera pas toujours là pour te couvrir.

Flavie sortit à son tour, laissant son amie seule avec ses pensées.

* * *

Le lendemain de l'altercation entre Simone et Évelina, Flavie retourna voir Robin. Elle le croisa dans le corridor, une petite valise à la main, en compagnie d'une jeune femme qu'elle devina être sa mère. L'inconnue avait la même couleur de cheveux et les mêmes yeux que le garçon. Soudain, Robin s'exclama : « C'est elle, Flavie ! » La mère hocha la tête pour saluer la nouvelle venue.

— Je suis contente d'apprendre que Robin quitte enfin l'hôpital. Vous lui manquiez.

— Je sais… Merci de vous être occupée de lui. Je ne suis pas souvent à la maison. J'ai deux autres enfants, et je dois travailler pour qu'on puisse manger à notre faim.

— C'est un bon garçon que vous avez, madame Arsenault.

— Ouais ! Il est bien mieux à l'hôpital. Au moins, ici, il y a des gens qui ont le temps de veiller sur lui. Quand je rentre de la *job*, je suis trop fatiguée pour prendre soin de mes enfants comme il faut.

— Robin sait que vous l'aimez. C'est ça l'important.

Madame Arsenault se tourna vers son fils et l'observa quelques secondes. Flavie vit ses yeux se brouiller de larmes. Elle posa sa main sur son avant-bras, comprenant tout le poids que cette femme devait porter seule pour élever ses enfants. Sa propre mère avait essayé de le faire à la mort de son père avec deux enfants à charge et elle n'y était pas parvenue ; elle avait dû retourner à La Prairie. Flavie pressa la main de madame Arsenault pour lui faire comprendre qu'elle avait toute son admiration de travailler aussi durement pour un salaire de misère. La jeune mère de famille la remercia encore une fois. Puis, elle prit Robin par la main et l'entraîna en direction de la sortie. Celui-ci se retourna et fit un clin d'œil en déclarant : « À bientôt, Flavie ! »

# 7

L'hiver à Montréal était bel et bien commencé. Malgré les journées bien remplies, Flavie essayait de faire une promenade à l'extérieur tous les jours. « L'air frais, c'est la santé ! » comme le disait sa grand-mère ; l'adage ne pouvait être que vrai lorsqu'on passait toutes ses journées à l'intérieur d'un hôpital. Flavie avait croisé à plusieurs reprises des passants les bras chargés de paquets, signe annonciateur que les réjouissances des fêtes approchaient. Attristée de ne pas pouvoir être près des siens pour Noël et le jour de l'An, Flavie essayait de ne pas trop y penser. Elle devait se rendre à l'évidence : les trois prochaines années seraient monopolisées par ses études à l'hôpital, et les fêtes de Noël et de fin d'année passeraient en second. De toute façon, comme sœur Désuète se plaisait à le répéter : « La maladie ne prend jamais de congé et une bonne infirmière se doit d'être disponible. » Les internes devaient également être de garde à l'hôpital. Simone et Évelina seraient, elles aussi, retenues à l'école, ce qui consolait Flavie quand elle pensait qu'elle manquerait le repas de dinde de sa grand-mère, et les carrés de sucre à la crème que son aïeule cuisinait spécialement pour cette occasion.

Comme d'habitude, Flavie s'était vêtue chaudement pour sa courte promenade dans le parc La Fontaine. Mais le vent glacial de décembre eut tôt fait de mettre fin à son envie de faire le tour de l'étang gelé. Elle décida d'aller trouver refuge dans un café non loin du parc afin de se réchauffer avant de retourner à l'hôpital. Simone et Évelina travaillaient toutes les deux et Flavie aimait profiter de quelques instants de solitude. En entrant dans le café, elle vit que Bastien et Clément y étaient attablés. Clément leva les yeux au moment où elle retirait son chapeau ; il lui fit signe de se joindre à eux. Flavie se dirigea vers la table non sans remarquer que celle-ci était couverte de livres et de notes de cours. Clément lui fit une place à ses côtés.

— Je ne voudrais pas vous déranger, messieurs. Vous semblez très occupés.

— Nous étudions. Mais quelques minutes de divertissement ne nous feront pas de tort, n'est-ce pas, Bastien ?

Ce dernier délaissa à peine le livre qu'il lisait. Il se contenta de hocher la tête en signe d'assentiment. Flavie commanda un café. Quand elle reçut la boisson chaude, elle se réchauffa les mains sur la tasse.

— Ouf ! L'hiver est bel et bien là. Il fait un froid de canard !

— C'est pourquoi on est bien mieux au chaud qu'à l'extérieur.

— Euh… Peut-être, mais ça me fait un bien fou de sortir quelques instants de l'hôpital pour prendre un peu d'air.

— Comme je vous comprends !

Ne se préoccupant guère de la présence de la jeune femme, Bastien lisait ses notes de cours tout en griffonnant sur une feuille à côté. Flavie se sentit mal à l'aise de déranger les deux internes. Elle saisit un exemplaire de *La Patrie* qui traînait sur la table parmi les livres de théorie et les notes de cours. La même nouvelle faisait la une de tous les quotidiens de Montréal : l'abdication du roi Édouard VIII pour pouvoir convoler en justes noces avec une roturière, Wallis Simpson. Se rendant soudainement compte du silence qui régnait autour de la table, Bastien leva les yeux. En constatant que Flavie lisait le journal, il toussota en pointant le quotidien.

— C'est à penser qu'il n'y a que cela qui intéresse les gens ces temps-ci ! Comme si cette nouvelle allait changer le monde !

— Je trouve ça terriblement romantique qu'un roi renonce au trône pour l'amour d'une femme.

— Ah ! Vous êtes toutes pareilles, les infirmières. Vous rêvez du prince charmant !

Flavie avait senti un peu de mépris dans le ton de Bastien. Elle déposa son journal et fixa l'interne.

— Je sais qu'il se passe des choses bien plus importantes dans le monde comme la guerre civile en Espagne et la montée du fascisme en Europe. Mais je ne suis pas contre quelques nouvelles qui nous offrent une perspective plus joyeuse de notre avenir.

— Qui vous fait croire, mademoiselle, que la montée du fascisme constitue une période sombre ?

— Ah non ! Bastien ! Tu ne vas pas encore essayer de convaincre quelqu'un que le fascisme est un mal nécessaire. Flavie a bien mieux à faire que de t'écouter, je pense.

Clément jeta un regard découragé à Bastien. Ce dernier avait repoussé ses papiers et regardait Flavie et Clément.

— De toute façon, je ne crois pas que des conversations sur le fascisme trouveront preneur ici dans ce café. Mademoiselle doit certainement avoir mieux à faire en effet que de parler de sujets d'importance. Ce qui est bien plus important pour le moment, c'est qu'un roi abdique pour épouser une femme. Après tout, toutes les jeunes femmes rêvent qu'un roi délaisse le trône pour se sauver avec sa belle sur un cheval blanc !

— Tu généralises un peu, Bastien. Flavie a seulement dit qu'elle trouvait romantique qu'un roi abdique pour la femme qu'il aime, répondit Clément avec un brin d'impatience dans la voix.

— Si vous voulez bien me laisser exprimer mon opinion, docteur Couture, je dirais que toutes ces idées fascistes ne peuvent conduire qu'à un conflit mondial, comme c'est le cas en Espagne, désormais aux prises avec une guerre civile. Sachez que je ne lis pas que les potins dans les journaux, docteur…

Clément retint un fou rire devant le regard ahuri de Bastien. Lui qui aimait se montrer supérieur venait de se faire rabaisser le caquet par une femme, une infirmière de surcroît. Bastien avait toujours eu une opinion arrêtée sur la frivolité des infirmières. Mais Flavie venait de prouver qu'elle avait du plomb dans la tête. Bastien se leva et rassembla ses affaires, avant de foudroyer Flavie du regard. Prenant rapidement son manteau, il s'en alla.

Clément rassura Flavie :

— Il ne faut pas trop s'en faire avec Bastien. Il est un peu trop radical, parfois.

« Je ne vous le fais pas dire, il est misogyne en plus ! » pensa Flavie qui se retint de dire le fond de ses pensées à Clément concernant son ami.

— Ouf ! En effet ! Il semble mépriser aussi quelque peu les gardes-malades, comme il prend plaisir à nous appeler…

— Il pense que vous lui devez respect parce qu'il est médecin.

— Hum ! À mon avis, le respect se gagne bien plus qu'il ne se mérite !

— Ne prenez pas mon ami en grippe, Flavie. Il est jeune et fougueux…

Clément lui fit un clin d'œil.

— Et puis, dans les contes de fées, la jolie princesse succombe souvent au charme du chevalier hargneux !

— Pff ! Quant à moi, monsieur, le chevalier hargneux peut bien aller se rhabiller !

— Changement de sujet, Flavie : que faites-vous durant les vacances de Noël ? Du moins, avez-vous un congé ?

— Non, docteur. Les gardes-malades doivent rester à l'hôpital pendant que les médecins se gavent de dinde et d'atocas !

— Je sais que vous faites un travail remarquable, Flavie. Ce ne sont pas tous les médecins qui pensent comme Bastien.

Flavie se rendit compte qu'elle avait répondu un peu sèchement à Clément, qui ne méritait pas une telle agressivité. Elle le regarda avec un air désolé.

— Nous apprenons un métier qui est aussi important que celui d'un médecin.

— Je le sais. Mais Bastien fait partie de la vieille école qui pense que les infirmières ne servent qu'à laver les malades et à leur préparer leurs petits plats. Pour ma part, je suis convaincu que la guérison d'un patient est étroitement liée à une bonne collaboration entre médecins et infirmières.

Flavie regarda sa montre. Elle décida qu'il était temps pour elle de rentrer. Clément proposa de lui offrir son café, mais elle laissa de la monnaie sur la table avant de sortir dans la rue, balayée par le vent froid et la neige qui avait commencé à tomber.

* * *

Au retour de sa promenade, Flavie résolut de s'occuper l'esprit. Elle se rendit à la bibliothèque pour lire un peu. Les propos de Bastien Couture l'avaient mise hors d'elle et, quand elle reconnut le médecin, assis à une table et lisant un livre de référence, elle passa devant lui sans le saluer. Elle n'avait pas envie d'engager la conversation avec Bastien ; il était prétentieux, et ses préjugés l'avaient profondément choquée. « Je viens de la campagne, c'est sûr, mais je ne peux pas croire qu'en 1936, presque 1937, les gens pensent encore que les infirmières ne sont que des bonnes à tout faire et que la place des femmes est derrière les chaudrons… C'est tellement décourageant ! »

Quand Bastien passa devant la table voisine pour quitter la bibliothèque, Flavie leva son livre pour cacher son visage. Sa colère ne s'étant pas apaisée, elle ne tenait vraiment pas à ce que le jeune homme engage la conversation. Elle poursuivit une dizaine de minutes encore sa lecture sur la bonne façon de nettoyer les plaies. De retour à la résidence, elle croisa Évelina dans la salle de repos. Flavie raconta à celle-ci sa rencontre avec Bastien et Clément.

— Penses-y ! Il s'imagine que les infirmières ne sont là que pour faire du ménage et nettoyer les patients. En plus, il croit que notre seule préoccupation est de faire coordonner notre rouge à lèvres avec notre chapeau ! À l'entendre, nous sommes des idiotes qui ne comprennent rien au monde qui les entoure et qui attendent impatiemment de tomber sur le bon gars pour se marier et avoir une flopée d'enfants.

— Ben quoi ! C'est la raison pour laquelle je suis ici ! Hormis la ribambelle d'enfants…

— Voyons, Évelina, tu ne peux pas penser comme ça ! Tu cherches peut-être le mari idéal mais, quand même, n'es-tu pas fière d'apprendre un métier en prime ?

— Ouais… peut-être, Flavie. Je dois avouer que j'aime penser au titre que j'aurai. Garde Richer, ça sonne bien quand même ! N'empêche que j'aurais aimé être une petite souris pour voir ça : Flavie en colère contre un médecin !

— Il a vraiment touché une corde sensible. Son ton méprisant quand il s'adressait à moi m'a ulcérée. Monsieur pense que tout lui est dû parce qu'il est un homme et, encore plus, parce qu'il est médecin !

Évelina la taquina sur son emportement. Flavie, habituellement si douce, avait dit sa façon de penser à Bastien. Simone arriva sur ces entrefaites. Elle se laissa tomber bruyamment dans un fauteuil à côté de Flavie.

— Ouch ! Je ne sens plus mes pieds. J'ai fait l'aller-retour je ne sais combien de fois du poste de garde aux différentes chambres. Pour couronner le tout, j'ai dû aller chercher à la buanderie un chariot de draps et d'alèses propres car les armoires étaient vides. Je me demande comment l'infirmière qui travaillait avant moi a passé son temps. Quoi de neuf, les filles ?

— Bah ! Pas grand-chose, mais Flavie s'est fâchée contre un docteur…

— Hein ? Fâchée ? Racontez-moi ça !

Évelina entreprit de faire le récit de ce que Flavie lui avait raconté, en enjolivant l'affaire.

— Et puis là, Flavie s'est levée après lui avoir carrément dit qu'elle ne lisait pas seulement des potins et elle lui a lancé son café au visage !

— Hein ? Voyons donc !

— Évelina exagère, Simone, tu devrais t'en douter ! Ça ne s'est pas passé comme ça. Bastien Couture a pris ses cliques et ses claques et il est parti.

— Il me semblait bien aussi que Flavie n'aurait pas réagi comme ça ! J'ai moins de mal à t'imaginer avec un tel comportement, Évelina.

Les trois amies s'amusèrent pendant quelques minutes de la situation qui aurait dégénéré si Évelina avait été là. Elle n'aurait fait qu'une bouchée du condescendant docteur Couture !

Flavie regrettait de ne pas avoir confié à Évelina qu'elle savait pour le docteur Jobin et elle, mais elle avait l'intention de la questionner sur ses intentions. Le docteur Jobin était marié à une dame patronnesse importante pour l'hôpital et, si l'histoire scandaleuse était ébruitée, Évelina pourrait être renvoyée. Son amie y avait certainement songé, mais elle continuait tout de même à s'absenter – certes, un peu moins souvent qu'auparavant –, pour voir le docteur Jobin, ou peut-être quelqu'un d'autre sur qui elle aurait jeté son dévolu. Flavie n'en savait rien. Mais elle espérait sincèrement qu'Évelina ne fréquentait pas Bastien, cet homme si méprisant.

* * *

Trop heureuse de s'éloigner de Georgina et de Suzelle, Flavie alla remplacer Angèle Thibault – la remplaçante de Marie-Ange Gascon – au deuxième étage. Elle se retrouva une fois de plus jumelée avec Charlotte, à son grand bonheur. Elle aimait bien la novice pour son caractère posé et réservé, et l'infirmière de troisième année qui les supervisait était d'une telle amabilité, contrairement à Suzelle, que Flavie adorait sa nouvelle affectation. Tout comme le premier étage de l'hôpital, le deuxième comprenait huit salles publiques de seize lits. La lente reprise économique après la crise de 1929 expliquait que les salles publiques étaient bondées, ce qui n'était pas le cas des chambres privées et semi-privées des étages supérieurs. S'occuper de patients indigents devant recourir à l'aide publique pour recevoir des soins ramenait Flavie sur terre, elle qui vivait dans l'effervescence de ses cours d'infirmière. En plus de côtoyer la maladie, elle devait composer avec la misère humaine des gens vivant dans une extrême pauvreté. Ils étaient pris en charge à leur arrivée à l'hôpital, recevaient des soins puis, après quelques jours d'hospitalisation – ou quelques mois pour certains –, ils repartaient, essayant de survivre dans la pauvreté des quartiers industriels de Montréal.

Flavie pensait de temps à autre à Robin. Et elle espérait que les choses allaient un peu mieux pour sa mère, cette femme qui gonflait les statistiques des travailleurs qui peinaient dans les usines de textile de la ville.

En plus des salles publiques, le deuxième étage comprenait la maternité de l'hôpital et la pouponnière. Les hôpitaux, qui avaient pendant longtemps été boudés par les parturientes qui préféraient accoucher dans le confort de leur foyer, gagnaient en popularité. On ne voyait plus les hôpitaux comme un endroit où l'on tombait malade, et la population, qui pendant longtemps avait cru que les gens s'y rendaient en dernier recours et pour n'en ressortir que les deux pieds devant, faisait davantage confiance aux médecins pour les guérir des maux dont ils souffraient.

Après s'être occupée des patients du deuxième étage, Flavie était allée à quelques reprises aux dispensaires pour aider les infirmières à s'occuper des patients qui s'y présentaient pour recevoir des soins en cliniques externes. Les dispensaires se trouvaient au rez-de-chaussée et les patients y avaient accès par une porte donnant dans la rue Champlain, qui séparait le reste de l'hôpital des différentes cliniques externes. Flavie avait travaillé pendant quelques jours à la salle d'accueil. Les patients venaient s'inscrire au comptoir. Flavie devait procéder au triage, envoyer les patients dans la salle d'attente et référer leur dossier aux différents dispensaires, soit en ophtalmologie, en dermatologie, en médecine générale ou oto-rhino-laryngologie – ce mot qui avait fait rire Flavie la première fois où elle l'avait entendu et qui lui faisait penser à une grave maladie. Ce travail de bureau n'avait rien de bien compliqué, et la majorité des infirmières qui devaient travailler dans ce lieu appréciaient le petit moment de tranquillité qu'il octroyait. Les cas urgents arrivés en ambulance étaient directement acheminés aux salles d'urgence, là où Flavie n'aurait pas accès avant sa deuxième ou troisième année d'études.

En cet après-midi de décembre, la salle d'attente était bondée. Les patients tendaient dangereusement à changer leur nom pour devenir des «impatients». Le froid avait apporté son lot d'inconvénients: engelures, rhumes et autres maux. Rien de bien alarmant, mais tout le monde voulait voir un médecin pour se faire prescrire le sirop miracle qui viendrait à bout de sa toux récalcitrante. Flavie avait entrevu Clément qui travaillait aux dispensaires cette journée-là. L'achalandage de la salle d'attente n'avait pas permis au médecin de venir la saluer, mais Flavie savait qu'il n'y manquerait pas s'il disposait de quelques minutes.

— Mademoiselle ! Pouvez-vous me dire si je vais voir un médecin aujourd'hui ?

— On nous vante les mérites de cet hôpital moderne, mais le personnel n'y est pas foutu de nous soigner rapidement !

Flavie essayait du mieux qu'elle le pouvait de calmer les esprits qui s'échauffaient dans la salle d'attente. Évelina et Simone avaient vanté la tranquillité du travail d'admission, mais elles n'étaient certainement pas tombées sur une journée aussi occupée que ce jour-là. Flavie essayait de présenter un sourire encourageant pour signifier aux patients que leur attente se terminerait bientôt. Mais plusieurs n'étaient pas dupes ; ils savaient que l'attente durerait certainement encore de longues heures. En fin d'après-midi, Flavie fut soulagée de voir arriver l'infirmière qui venait prendre sa relève. S'apprêtant à partir, elle vit Clément qui venait dans sa direction.

— Moi aussi, j'ai terminé cette journée infernale ! Les gens qui viennent ici s'attendent à un miracle de notre part. Mais un rhume qui n'est pas soigné dure en moyenne sept jours et un rhume traité avec des médicaments dure une semaine !

Flavie sourit en entendant cet adage. La plupart des patients de la journée étaient repartis sans médicament, ayant reçu la recommandation de boire beaucoup de liquide et de se reposer. Clément rejoignit Flavie. Tous deux se dirigèrent vers l'aile abritant la résidence.

— C'était la première fois que je travaillais dans la salle d'attente, confia Flavie. J'ai trouvé la journée éprouvante. Peut-être à cause du fait que je ne pouvais rien faire pour accélérer les choses ? Je devais avoir l'air d'une parfaite idiote ; je souriais sans cesse pour essayer de faire patienter ceux qui attendaient.

— Ils avaient de la chance d'avoir une infirmière qui leur souriait. De temps à autre, ils doivent se frotter à une Sœur grise au regard sévère et aux lèvres pincées. J'espère que vous vous êtes remise de l'attitude exécrable de mon confrère, l'autre jour ?

— Je dois m'habituer aux préjugés, docteur Langlois.

— J'ai prévenu Bastien de faire attention aux infirmières qui n'ont pas la langue dans leur poche…

— Hum… Je n'ai pas l'habitude de répondre à ce genre de commentaires.

— En tout cas, la prochaine fois il pèsera certainement ses mots. L'autre jour, je vous ai demandé si vous aviez quelque chose de prévu pour les vacances. En fait, je sais que vous travaillez la journée de Noël, mais que diriez-vous de venir souper chez moi si vous disposez d'un congé avant? Mes parents organisent une petite réception entre amis et j'ai pensé que vous aimeriez peut-être vous joindre à nous.

Flavie resta silencieuse. Elle avait aimé l'intervention de Clément auprès de Bastien. Elle espérait rencontrer des médecins comme lui tout au long de sa carrière. Des médecins qui traitaient les infirmières sur un pied d'égalité, qui ne les rabaissaient pas au rang d'aides-ménagères et qui ne se montraient pas supérieurs. Parce que Clément avait pris sa défense lors de son altercation avec Bastien, elle accepta l'invitation. Ce n'est que rendue à sa chambre que Flavie réalisa qu'elle venait de se mettre dans l'embarras. «Je ne veux pas qu'il pense qu'il y a quelque chose entre nous. J'imagine qu'il m'a invitée en tant qu'amie et non en tant que potentielle conquête. J'ai peut-être accepté un peu trop vite; j'aurais dû lui dire que je devais réfléchir. C'est certain que si je l'avais fait, j'aurais refusé d'aller à cette réception…»

Simone trouva Flavie perdue dans ses pensées, se rongeant les ongles.

— Mon Dieu, Flavie, que se passe-t-il? Tu as l'air préoccupée.

— C'est seulement que j'ai accepté un peu trop vite une invitation. Et je ne sais pas si je pourrai me désister.

— Quelle invitation? Pour aller où?

Flavie rapporta sa discussion avec Clément. Elle avait agi sous le coup de l'impulsivité et se sentait mal à l'aise avec cette sensation qu'elle ne connaissait pas jusqu'alors. Évelina lui aurait sûrement dit qu'elle avait bien fait de dire oui et d'en profiter au maximum, mais elle attendait impatiemment le commentaire de Simone. Celle-ci, qui était vraiment sage, lui répondit qu'il n'y avait rien d'inconvenant à se rendre chez les parents du docteur Langlois. On ne parlait pas ici d'un souper en tête à tête, mais bien d'une réception entre amis. Soulagée par les propos de Simone, Flavie remercia son amie. Elle commença à songer à ce qu'elle pourrait porter pour l'occasion. Elle sourit en pensant qu'elle réagissait comme Évelina.

* * *

La tournée des patientes du deuxième étage était terminée. Flavie disposait de quelques minutes avant d'assister au cours d'obstétrique. Assise à une table de la salle à manger, elle buvait un thé. À force de côtoyer les nombreux patients qui toussaient, elle sentait qu'elle n'échapperait pas au rhume qui sévissait dans l'hôpital. Elle avait pourtant fait attention, s'était lavé les mains deux fois plutôt qu'une la plupart du temps, mais la gorge lui piquait et elle se sentait fatiguée. Charlotte vint la rejoindre.

— Une petite pause ne nous fera pas de tort. Nous faisons une belle équipe toi et moi, Flavie. C'est dommage qu'après les Fêtes tu doives retourner avec la garde Pelletier et Georgina.

— Si je pouvais, Charlotte, je resterais avec toi. C'est vrai que nous formons une bonne équipe.

— Je pourrais en glisser un mot à sœur Larivière ?

— Si tu penses que ça peut changer quelque chose…

Charlotte lui adressa un sourire rassurant.

— Peut-être. Sœur Larivière m'a souvent dit que si elle avait eu une fille, elle aurait aimé que ce soit moi ! Je peux user de mon influence !

La novice lui fit un clin d'œil.

— Tu deviens aussi ratoureuse qu'Évelina, Charlotte ! s'exclama Flavie. Et dire que tu es une future religieuse…

— Ah ! Je subis la mauvaise influence de mes consœurs laïques ! Mes supérieures me mettent constamment en garde à ce sujet !

Flavie se demanda si Charlotte plaisantait. Mais après y avoir réfléchi, elle songea qu'effectivement, les supérieures de Charlotte devaient prévenir les novices des tentations et de tout ce qui pouvait s'interposer entre la vocation et elles. Afin de changer de sujet, elle demanda à la jeune femme si elle avait toujours voulu devenir religieuse.

— Du plus loin que je me souvienne, oui. Depuis que je suis toute petite, j'aspire à devenir une religieuse.

— Tu n'as jamais de doutes ?

— En fait, ça m'a beaucoup ébranlée de voir Marie-Ange Gascon et les deux autres filles quitter avant la fin de leur probation. Je me suis demandé ce que j'aurais fait à leur place. Je me suis aussi interrogée sur ce que je souhaitais le plus : être religieuse ou infirmière. En continuant mon noviciat, je peux réaliser mes deux aspirations.

— Tu aurais pu choisir aussi de devenir infirmière sans entrer en religion.

Charlotte ferma les yeux. On lui avait souvent fait ce commentaire. Tout ce dont elle était certaine, c'est qu'elle ne se voyait pas ailleurs que dans la communauté religieuse.

— Le monde extérieur me fait peur, Flavie. J'ai toujours vécu au sein de la communauté ; être infirmière est un plus. Je suis consciente de la « vraie vie » qui se déroule autour de moi même si je n'en fais pas véritablement partie, et je pense que ça me plaît. Ma famille, c'est ma communauté. Évelina a aussi soulevé la question l'autre jour. Je n'ai pas su quoi lui répondre.

— J'ai bien vu qu'elle t'avait embarrassée. Évelina est parfois indiscrète.

— Plusieurs infirmières que je côtoie me demandent souvent pourquoi je veux devenir religieuse. Je désire offrir ma vie à la communauté, Flavie. Évelina ne comprend pas ce sacrifice et elle n'est pas la seule. Ce n'est pas quelque chose de compréhensible que d'avoir la vocation et de croire en Dieu. Je sais que mon destin est de devenir religieuse, c'est tout.

Flavie comprenait le sens des paroles de Charlotte. Au fond d'elle, Flavie avait toujours voulu devenir infirmière. Elle comprenait aussi que Charlotte puisse se sentir à l'aise de vivre dans un couvent. « J'imagine que si je n'avais rien connu d'autre, j'éprouverais les mêmes sentiments qu'elle. » Elle-même avait eu peur de partir s'installer à Montréal et, si cela n'avait été de sa grand-mère et de Victor, elle ne serait pas ici en ce moment. Flavie décida de changer de sujet. Elle offrit une tasse de thé à Charlotte tout en discutant du cours d'obstétrique qui commençait une quinzaine de minutes plus tard. Charlotte sembla lui en être reconnaissante. Les jeunes femmes bavardèrent encore un peu tout en dégustant leur thé.

* * *

Flavie passa en revue sa tenue en se regardant une dernière fois dans la glace. Évelina l'avait conseillée sur sa coiffure, ses vêtements, ses ongles – sur lesquels, pour une rare fois, elle avait appliqué du vernis. Évelina lui avait prêté une robe bleue en crêpe plate avec une large boucle en taffetas au niveau du collet. Flavie regarda son reflet. Son regard s'attarda quelques instants sur les boutons métalliques qui ornaient le devant de la robe et qui donnaient beaucoup de classe à la tenue. Évelina se tenait derrière elle, satisfaite du résultat.

— Wow ! Tu es splendide, Flavie ! Cette robe te va beaucoup mieux qu'à moi. Je t'en fais cadeau.

— Oh merci ! Évelina, tu es trop gentille !

— Tu es certaine que tu ne veux pas que je te prête mon manteau avec un col de fourrure ? Il serait plus chic que le tien pour l'occasion.

— Ce n'est pas nécessaire. J'aime bien mon manteau !

Flavie passa celui-ci sur ses épaules et mit son chapeau en prenant soin de ne pas défaire sa coiffure. Évelina lui avait noué les cheveux en un chignon compliqué. Flavie ne s'était pas encore décidée à se faire couper les cheveux. Elle enfila ses gants et sourit à Évelina qui lui souhaita une bonne soirée.

— Tourlou ! Je retourne à ma garde. Que veux-tu ? Il faut bien que certaines travaillent pour que d'autres puissent avoir du bon temps ! Amuse-toi bien, Flavie, et ne fais pas de folies !

Flavie aurait voulu lui répondre que des deux, elle était sans doute la plus sage, mais elle s'abstint. Clément devait l'attendre à l'entrée de l'hôpital, rue Sherbrooke. Il lui avait dit qu'il passerait la prendre avec l'automobile de son père. En sortant de l'édifice, Flavie se cacha le nez dans le col de son manteau. Le vent et la neige lui fouettèrent le visage. Elle distingua Clément qui attendait patiemment dans une rutilante voiture. Il lui fit signe et elle s'engouffra dans la chaleur du véhicule.

— Bonsoir ! J'ai bien fait de venir vous chercher, avec ce vent et cette neige qui tombe.

— Merci, docteur Langlois.

— J'aimerais bien que vous m'appeliez Clément, Flavie.

Elle retira ses gants et frotta ses mains glacées. Flavie appréciait vraiment que Clément ait pensé à venir la chercher parce que le voyage en tramway aurait été pénible par ce froid et avec cette neige. Elle se sentait mal à l'aise d'appeler le jeune homme par son prénom, mais elle ferait à sa convenance.

— Où habitent vos parents, Clément ?

— À Westmount. Mon père est très fier de sa réussite, lui qui vient d'un petit village. Et ma mère adore prendre le thé chez ses voisines anglophones.

Ne trouvant rien à répondre, Flavie resta silencieuse. Elle observa les quelques passants qui bravaient le début de la tempête.

— D'où venez-vous, Flavie ?

— Tout comme votre père, je viens d'un petit village… La Prairie.

— Je connais bien. Ce n'est pas un si petit village. Vos parents y habitent toujours ?

Flavie lui raconta brièvement l'histoire de sa famille : sa mère qui avait dû retourner vivre à La Prairie après la mort de son père, son frère qui voulait devenir fromager, sa grand-mère qui veillait sur elle.

— Mon père a aussi participé à la guerre en tant que chirurgien. Il n'est pas allé au front comme le vôtre, mais il a connu son lot d'atrocités dans les hôpitaux de campagne. Il ne m'en parle pas souvent ; il a préféré passer à autre chose à son retour.

— Mon parrain aussi est allé à la Grande Guerre et il n'aborde jamais cette période. Les blessures des combattants prennent du temps à cicatriser. Ce doit être difficile de revenir sur ces moments d'horreur.

— Malheureusement, les choses ne semblent pas aller pour le mieux en Europe. Espérons que tout ce qui se passe n'est pas un précédent à une autre guerre mondiale.

La voiture remonta la rue Sherbrooke vers l'ouest, puis tourna sur l'avenue Wood. Clément s'arrêta devant une résidence en brique aux imposantes fenêtres. Il se dépêcha de sortir pour ouvrir la porte à Flavie. Lui prenant la main, il entraîna la jeune femme vers la lourde porte décorée d'une couronne de sapin. Il entra sans frapper. Une domestique se chargea de prendre les manteaux couverts de neige des arrivants. Flavie retira son chapeau et, du bout des doigts, elle se recoiffa devant l'immense miroir du hall d'entrée. Lissant les plis de sa robe, elle prit le bras que Clément lui tendait. Ce dernier conduisit Flavie dans un salon où se trouvaient ses parents et quelques autres invités. Il fit les présentations. La jeune femme reconnut plusieurs médecins de l'hôpital, et elle fit la connaissance de leurs épouses respectives.

Clément lui offrit un verre de martini, cette boisson à la mode dont Flavie avait entendu parler mais qu'elle n'avait pas encore eu la chance de déguster. Le cocktail lui réchauffa la gorge et elle sentit sa nervosité se dissiper. L'entraînant vers un fauteuil plus loin dans la pièce, Clément lui souffla :

— Il ne manque que le docteur Jobin et son épouse qui doivent se joindre à nous pour le souper.

Flavie avala sa gorgée de martini de travers, et toussa pour se libérer la gorge. Ainsi, le beau docteur Jobin, l'amant d'Évelina, compterait parmi les invités de la soirée. Flavie était la seule – du moins, elle l'espérait – à connaître le petit secret de son amie. Clément ne remarqua pas son trouble passager et Flavie reprit une gorgée de martini pour se donner une contenance. Elle s'assit dans le fauteuil et discuta avec sa voisine, qui la questionna sur ses études d'infirmière.

— Je vous trouve très courageuse, mademoiselle, d'entreprendre de telles études. J'ai essayé en vain de devenir secrétaire, mais l'école n'était pas faite pour moi. Fort heureusement, je me suis trouvé un mari médecin. Je ne regrette pas ma décision d'avoir arrêté les études.

Flavie lui sourit poliment tout en restant silencieuse. « À mon avis, cette femme de médecin aurait beaucoup de plaisir à discuter avec Évelina. Elle pourrait lui donner quelques trucs pour mettre le grappin sur le bon médecin à choisir comme mari. » S'excusant, Flavie se leva pour aller retrouver Clément qui serrait la main du docteur Jobin qui venait d'arriver. Le martini avait fait effet plus rapidement qu'elle ne l'aurait cru : ses jambes étaient beaucoup plus molles qu'à son arrivée. Se concentrant sur sa démarche pour éviter d'avoir l'air ivre, Flavie salua le docteur Jobin qui lui présenta Joséphine, sa tendre épouse. Madame Jobin avait fière allure. Flavie se demanda ce qui avait pu pousser le docteur Jobin dans les bras d'Évelina. « Sans doute l'attrait de la nouveauté... » Joséphine Jobin salua poliment Flavie et demanda à Clément comment se passait son internat. Flavie observa la femme qui se trouvait devant elle. Des petites rides près des yeux accusaient son âge, mais Joséphine avait certainement été une femme d'une grande beauté quand elle était plus jeune.

Le docteur Jobin se tourna vers Flavie.

— Le travail des infirmières est ardu et ce sont les plus persévérantes qui connaissent le succès. Félicitations, Flavie, pour avoir mené à bien vos quatre mois de probation. Cependant, le plus difficile reste à venir.

— Je m'en doute bien, mais je suis décidée à réussir.

— J'espère que mon mari ne vous décourage pas trop, mademoiselle Prévost. Il peut se montrer radical parfois.

— Euh... non, madame Jobin. Votre mari est un professeur fort apprécié par mes consœurs.

Flavie se mordit les joues pour retenir le fou rire qui lui vint en pensant à Évelina. Décidément, le martini ne lui allait pas du tout. Soulagée que madame Langlois invite tout le monde à se rendre à la salle à manger, elle suivit Clément. Madame Langlois lui indiqua la chaise qu'elle occuperait. Flavie essaya de se souvenir des bonnes manières que sa mère lui avait enseignées. « La serviette de table sur mes genoux, et les mains – pas les coudes – sur la table. Bon, je dois commencer par les couverts les plus éloignés de l'assiette. Souhaitons que je ne fasse pas tout de travers. » Flavie, se sentant observée par madame Langlois, lui rendit son sourire. Les parents de Clément auraient pu paraître hautains à première vue, mais le médecin et son épouse étaient des hôtes fort charmants, s'inquiétant du confort de chacun de leurs invités. La mère de Clément se montra d'une telle gentillesse à son égard que Flavie lui en fut reconnaissante, elle qui avait passé la journée à s'imaginer les pires scénarios. Encore une fois, elle avait compté sur Simone pour l'apaiser. Son amie lui avait dit que tout irait bien. «J'ai l'impression d'être une petite fille qui doit être rassurée constamment. Je devrais avoir plus confiance en moi. Heureusement que Simone est là pour jouer à la grande sœur!»

Flavie savoura son repas tout en refusant poliment lorsqu'on lui proposa de remplir sa coupe de vin. Elle ne voulait pas abuser de l'alcool, les effets du martini se dissipant tranquillement. Elle était assise entre Clément et Marcel Jobin. Joséphine lui adressa la parole à quelques reprises durant le repas, l'interrogeant sur le travail d'infirmière.

— Je vous trouve courageuse, mademoiselle, de travailler auprès des malades. Je fais partie des dames patronnesses de l'hôpital et je dois dire que je m'imagine mal côtoyer des malades tous les jours. Je préfère de beaucoup m'occuper des œuvres de charité de l'hôpital.

— C'est gentil à vous, madame Jobin. Le travail est difficile, mais c'est tellement gratifiant de s'occuper de gens qui ont besoin de soins!

Le docteur Jobin prit la main de sa femme.

— L'équipe de médecins de l'hôpital y est aussi pour quelque chose, Joséphine.

— Je sais bien, Marcel, mais quand même! Je sais que tu travailles beaucoup, car tu rentres souvent très tard, mais les médecins ne sont pas toujours au chevet des patients. Heureusement que les bonnes gardes-malades sont là pour s'occuper d'eux!

Le dessert était terminé depuis longtemps. Madame Langlois invita ses convives à passer au salon pour prendre un digestif. Flavie avait averti Clément qu'elle ne pourrait pas rentrer trop tard, car elle devait respecter le couvre-feu. Elle remercia monsieur et madame Langlois de leur accueil chaleureux. Lui prenant la main, cette dernière lui confia qu'elle espérait la revoir bientôt. Clément récupéra les manteaux et raccompagna Flavie dans la voiture de son père.

La tempête avait cessé, laissant quelques centimètres de neige sur les trottoirs.

— Vous avez fait bonne impression sur mes parents, Flavie. Ma mère trouve que vous êtes une « jeune femme bien élevée et de bonne famille », selon ses propres termes. Habituellement, elle est avare de compliments.

— J'ai fait de mon mieux pour appliquer tout ce que ma mère m'a enseigné.

Une fois la voiture stationnée devant l'hôpital, Flavie discuta quelques minutes de choses et d'autres avec Clément. Puis, le remerciant pour l'agréable soirée, elle sortit. Elle dut enjamber la congère qui bloquait l'accès à la porte d'entrée principale de l'hôpital.

* * *

— C'est tout ? Il n'a pas essayé de t'embrasser ?

— Voyons, Évelina ! Nous nous sommes quittés en amis, simplement.

— Eh bien, je suis déçue, Flavie !

Simone dormait déjà quand Flavie franchit la porte de la chambre. Assise dans son lit, Évelina l'attendait ; elle passait le temps en feuilletant un magazine de mode. Elle somma Flavie de lui faire le récit complet de la soirée. Cette dernière lui raconta tout, en omettant toutefois de lui mentionner sa rencontre avec le docteur Jobin et sa femme.

— Qui assistait à cette soirée ? J'imagine que le docteur Couture y était ?

— Non, pas de Bastien. Clément m'a dit qu'il était de garde ce soir.

— Pff ! N'importe quoi ! Non, Bastien n'était pas de garde. Probablement que Clément te voulait à lui tout seul !

Quand elle avait questionné Clément sur l'absence de son ami, il lui avait simplement dit que son compagnon était de garde pour la soirée. Désormais, Flavie était presque certaine qu'il avait omis de l'inviter pour ne pas la mettre dans l'embarras. Elle fut touchée par cette attention.

— Qui d'autre était présent ? Ne me dis pas que tu as mangé en tête à tête avec le beau docteur Langlois ?

Flavie nomma quelques médecins et leurs épouses. Quand elle mentionna le nom du docteur Jobin, elle vit Évelina détourner le regard et fixer pendant quelques instants l'état de sa manucure. Quelqu'un qui ne connaissait pas le secret d'Évelina n'aurait pu déceler le malaise de celle-ci, mais Flavie se rendit compte de la pâleur de son amie. Elle toussota pour attirer l'attention d'Évelina.

— Hum… Évelina, j'ai quelque chose à te dire et je ne sais pas trop par où commencer.

— Quoi ?

— Quand j'étais de garde l'autre soir, je vous ai vus, le docteur Jobin et toi, dans la buanderie.

— Et puis ?

— Eh bien…

— Eh bien quoi, Flavie ?

— Vous n'étiez pas en train de laver des draps…

Évelina se retint de rire devant le malaise de Flavie. Assise devant elle, cette dernière se tordait les mains ; elle était visiblement mal à l'aise à cause de sa découverte. Évelina la rassura.

— Nous sommes tous les deux des adultes consentants. En as-tu parlé à Simone ?

— Si je l'avais fait, tu l'aurais su…

— Ouais ! C'est bien vrai, j'aurais eu droit à tout un sermon pour avoir osé jeter mon dévolu sur un homme marié ! Merci de ne pas lui en avoir parlé.

— Vous vous voyez toujours ?

— Quand Marcel a le temps. Il est très pris, le beau docteur, tu le sais. En plus de soigner ses patients et d'enseigner à ses étudiantes, il doit s'occuper de sa femme et de ses enfants.

— Ça ne te dérange pas qu'il ne soit pas « disponible » ?

— C'est certain que j'aurais aimé être LA femme dans sa vie, mais je me satisfais très bien du peu de temps qu'il me consacre. Je sais qu'il ne laissera jamais sa femme…

— Et ça ne te fait rien ?

— Bof ! Je profite du bon temps que je passe avec lui, c'est mieux que rien ! Comment est madame Jobin ?

Flavie aurait voulu lui dire à quel point elle était ennuyeuse, laide, vieille, mais elle ne trouva pas la manière de prétendre que Joséphine ressemblait à toutes les autres femmes. En plus, celle-ci était sympathique. Flavie se contenta de hausser les épaules.

— Elle est élégante et sympathique.

— J'ai toujours pris plaisir à l'imaginer grosse, laide et vieille.

— Ce n'est pas le cas. Elle paraît plutôt bien.

— Comme tu l'imagines, nous parlons très peu de sa femme quand nous sommes ensemble, Marcel et moi… Il m'a seulement dit qu'elle fait partie des dames patronnesses.

— Je ne sais pas si tu devrais poursuivre cette liaison, Évelina.

— Tu vas me dire que notre relation est vouée à l'échec, et tu as parfaitement raison. Pour l'instant, je m'amuse et je prends plaisir à voir Marcel.

— Mais tu n'as pas peur de trop t'attacher ?

— Moi ? Ben voyons donc, Flavie !

Évelina lui avait répondu sur un ton très détaché qui reflétait parfaitement le fond de sa pensée. Flavie n'insista pas. Elle serait là pour soutenir son amie quand sa relation avec le docteur Jobin prendrait fin. Après avoir passé sa chemise de nuit, elle souhaita bonne nuit à Évelina. Pensant à la belle soirée qu'elle avait passée chez les Langlois, elle s'endormit presque aussitôt.

Le sommeil fuyant Évelina, celle-ci fixa pendant de longues minutes le plafond sombre de la chambre.

* * *

La veille de Noël, Flavie reçut un colis de la part de Victor. Laissant sa curiosité de côté car elle devait se concentrer sur son travail, la jeune femme décida d'ouvrir le paquet plus tard. Ce matin-là, elle s'était levée en essayant de ne pas penser à la veille de Noël. Cette année serait bien différente pour ses compagnes et elle, éloignées de leur famille. Flavie essayait de réfréner sa mélancolie en pensant à ce qui devait se passer alors chez elle. Comme d'habitude, il régnait sûrement une atmosphère d'euphorie dans la maison en ce matin du 24 décembre. Sa grand-mère devait s'affairer à préparer des tartes pour recevoir la parenté le soir du réveillon. Son frère était sûrement allé chercher un sapin la veille, sous la supervision de sa mère. En fermant les yeux, elle croyait entendre Bernadette et ses conseils : « Pas celui-là… il est trop gros. Ni celui-là. Voyons donc, Antoine, il n'a pas de tête ! Non, pas lui non plus... Il n'est pas assez fourni. » Comme chaque année, Antoine attendrait patiemment pour finalement suggérer à sa mère de prendre le premier sapin qu'ils avaient vu. Fière de sa « découverte », Bernadette accepterait.

Ces moments en famille manquaient à Flavie de temps à autre, mais particulièrement ce matin-là. Le colis de Victor avait mis un baume sur son chagrin. Elle aurait en quelque sorte une « récompense » si elle attendait la fin de sa journée de travail pour ouvrir le paquet. Ni Évelina ni Simone ne semblaient appréhender le réveillon et la fête de Noël autant qu'elle. Évelina s'était contentée de secouer la tête en déclarant : « De toute façon, tout ce que ma mère trouve à faire à Noël, c'est de me couvrir de cadeaux pour se déculpabiliser des années où elle a été absente. » Simone, quant à elle, avait seulement expliqué que son absence ne serait certainement pas remarquée par son oncle et sa tante, occupés à célébrer avec leur famille. « Je préfère rester ici où je me sens utile et appréciée ! »

En prodiguant aux patients leurs soins quotidiens, Flavie se rendit compte qu'ils étaient nostalgiques eux aussi. Certains espéraient la visite d'un être cher ; d'autres, résignés, songeaient que, de toute manière, ils étaient cloués au lit, comme ils l'étaient la veille et le seraient le lendemain. « C'est trop triste pour certains patients qui n'auront pas de visite. J'ai tout de même de la chance d'être en bonne santé, alors aussi bien m'accrocher un sourire et en faire profiter quelques patients. » Flavie entrait donc en souriant dans les chambres et fredonnait quelques airs de Noël. Quelques-uns se joignirent à elle pour chanter des cantiques.

Une femme lui prit la main et lança :

— Vous êtes un ange, mademoiselle. Un ange venu directement du ciel ! C'est peut-être le dernier Noël que je passerai sur cette terre, mais jamais je n'oublierai que vous êtes tout de même joyeuse dans un moment où votre famille doit vous manquer.

Flavie remonta à sa chambre à la fin de sa journée de travail, le cœur rempli de gratitude pour les patients ayant pris le temps de lui souhaiter un joyeux Noël. Sa grand-mère aurait été fière de savoir que Flavie avait laissé de côté son propre chagrin afin d'égayer la journée de ses patients en convalescence. Elle avait promis à Évelina et Simone d'aller les rejoindre dans la salle de repos. Avant de s'y rendre, elle décida d'ouvrir le colis de Victor.

La boîte reposait toujours sur la commode, là où elle l'avait laissée quelques heures auparavant. Après avoir soulevé le couvercle de la boîte, Flavie sourit. Victor avait placé une énorme boîte de chocolats – ses préférés – sur le dessus du colis. Il y avait aussi un flacon d'eau de Cologne et un manchon de fourrure ; aussitôt, elle plaça ses mains à l'intérieur de celui-ci. Dans la doublure de soie, elle sentit une ouverture ; un porte-monnaie y avait été judicieusement dissimulé. Dans ce dernier, Flavie trouva une enveloppe, qu'elle s'empressa d'ouvrir. Elle reconnut l'écriture de son parrain. Après avoir lu la lettre, elle songea : « Comme c'est gentil de sa part d'avoir pensé à moi ! Il sait que je serai seule pour les Fêtes et que je dois sûrement m'ennuyer de ma famille. » En regardant l'heure, Flavie constata qu'elle avait le temps de l'appeler pour le remercier.

Après son appel, Flavie prit sa boîte de chocolats et alla rejoindre ses deux amies. Évelina leva la tête quand elle franchit le seuil de la salle de repos.

— Ce n'est pas trop tôt, Flavie ! Nous t'attendions !

— J'avais un téléphone à faire avant de venir vous retrouver.

— Suivez-moi, mesdemoiselles, ordonna Évelina. J'ai quelque chose à vous montrer.

Flavie regarda Simone ; la jeune femme haussa les épaules en signe d'ignorance. Évelina conduisit ses amies quelques étages plus bas, à la buanderie. Elle les invita à s'asseoir dans un coin reculé de la pièce. Après avoir soulevé une pile de draps, elle brandit un flacon de gin.

— Qui a dit que nous devions fêter Noël avec un verre d'eau, mesdemoiselles ?

— Hon ! Évelina ! Où as-tu pris ça ?

Estomaquée, Simone n'en revenait tout simplement pas de l'audace d'Évelina.

— J'ai mes « connexions », Simone ! Allez ! Buvons, mesdemoiselles, en l'honneur de ce bon vieux Santa Claus !

« Décidément, Évelina adore cet endroit ! » pensa Flavie en prenant le verre que son amie lui tendait. Récalcitrante au début, Simone se laissa tenter elle aussi – mais en poussant un soupir et en roulant les yeux.

Flavie leva son verre.

— Joyeux Noël aux deux meilleures amies que j'aie jamais eues ! Et aux prochains Noëls que nous fêterons dans la buanderie à défaut de pouvoir sortir d'ici !

# 8

Le froid de janvier était bien installé dans la ville. La majorité des gens avaient décidé de rester dans le confort et la chaleur de leur logement. Flavie n'échappait pas à cette envie de rester à l'intérieur. Les rafales des derniers jours et la pluie verglaçante n'avaient pas réussi à dissiper le principal sujet qui occupait toutes les conversations des Montréalais : le bon frère André avait quitté ce monde à l'âge de quatre-vingt-onze ans. Pendant plusieurs jours, des milliers de personnes avaient défilé jour et nuit devant la dépouille de l'homme religieux. À l'annonce du décès du frère André, sœur Désuète avait demandé, durant un cours, d'observer une minute de silence à la mémoire de l'homme. Flavie était partagée quant aux miracles qu'on attribuait au frère André. Delvina, sa grand-mère, était convaincue des miracles du frère. La preuve n'en était-elle pas faite grâce à toutes les béquilles et autres appareils ayant appartenu à des malades, et qui étaient à présent suspendus dans la chapelle construite par le frère André ? À cause de leur esprit rationnel, la plupart des médecins ne pouvaient reconnaître que le bon frère André pouvait guérir. Flavie était quand même étonnée de l'hommage qui avait été rendu à celui-ci au cours des jours qui avaient suivi son décès.

Le mois de janvier commençait donc dans une certaine morosité. Les nouvelles en Europe n'étaient pas très bonnes, la guerre civile faisait toujours rage en Espagne et les Italiens, menés par Mussolini, avaient décidé de se mêler au conflit. Flavie se tenait au courant des nouvelles en lisant les journaux. Chaque fois, elle pensait à Bastien Couture qui s'étonnerait sûrement s'il la voyait feuilleter autre chose que des revues de mode. D'ailleurs, Évelina s'adonnait à ce passe-temps pour deux !

Flavie était toujours aussi passionnée par ses cours. Sœur Désuète, avare de compliments, avait continué dans la même veine en ce début de l'année 1937. Ce matin-là, durant le cours de nursing, elle avait décidé de faire un petit sermon sur ce qu'elle considérait comme un relâchement de ses étudiantes lors des semaines précédentes.

— Je dois avouer que je suis loin d'être satisfaite de vous, mesdemoiselles. Vous êtes pratiquement en train de déshonorer notre école. De façon générale, les rapports disent que vous vous débrouillez bien au chevet des malades, mais sans plus. Plusieurs accomplissent leurs tâches sans s'investir plus que nécessaire ! Certaines d'entre vous ont oublié d'être efficaces dans leur travail. Vous semblez ne penser qu'au moment où vous aurez un congé pour aller vous pavaner en ville.

En livrant ses commentaires, sœur Désuète circulait à travers les rangées de bureaux tout en posant son regard accusateur sur les étudiantes. La plupart des élèves, têtes baissées, suivaient attentivement le sermon de la religieuse. Sœur Désuète s'arrêta quelques secondes à côté du bureau d'Évelina. Visiblement, cette dernière n'écoutait pas, trop occupée à griffonner sur une feuille.

Sœur Désuète frappa sur le bureau. D'une voix forte, elle interpella l'élève prise en faute :

— Mademoiselle Richer !

Évelina sursauta. Elle lâcha son crayon. Tentant de le rattraper, elle saisit par mégarde – ou intentionnellement, personne ne le sut jamais –, un bout du voile de sœur Désuète. Cette dernière se retrouva en quelques secondes décoiffée, exposant sa chevelure – presque absente – aux yeux des étudiantes. Évelina réprima son envie de rire. Sœur Désuète lui prit le coude, la forçant à se lever. Puis, elle remit sa coiffe en place, marmonna aux élèves de faire des exercices de mise en place de pansements et entraîna Évelina dans le couloir. Les étudiantes saisirent seulement quelques bribes de la conversation au travers de la porte. Elles se doutaient bien qu'Évelina passait un très mauvais quart d'heure. Flavie croisa le regard inquiet de Simone. Son amie devait penser la même chose qu'elle. « Ça y est ! Évelina est bonne pour un renvoi, c'est certain ! »

La discussion animée se poursuivit quelques minutes, puis un silence de mort tomba. Ni Évelina ni sœur Désuète ne revinrent. La garde Baillargeon se chargea de terminer le cours. Toutes les étudiantes demeurèrent silencieuses, se concentrant sur ce que la remplaçante leur demandait de faire. Mais elles s'interrogeaient sur le sort qui attendait leur consœur. Seule Georgina avait murmuré qu'Évelina devait être en train de faire ses valises et de « sacrer son camp ».

En sortant du cours, Simone et Flavie se précipitèrent dans leur chambre. Leur amie y était. Contrairement à ce qu'elles avaient pensé, Évelina n'était pas occupée à faire ses bagages, mais à réajuster sa coiffe et à s'admirer dans le miroir. Simone se posta à côté d'elle, les mains sur les hanches.

— Câline, Évelina ! Fais-tu exprès ? On s'est fait du sang de punaise, Flavie et moi. On pensait que tu avais été renvoyée…

— Coucou ! Je suis toujours là !

Flavie lui demanda doucement :

— Qu'est-ce qui s'est passé avec sœur Désuète dans le couloir après… euh… l'incident ?

— J'ai eu droit à des remontrances. Elle m'a avertie qu'elle m'aurait à l'œil dorénavant, puis elle est partie en direction de son bureau. Elle n'aurait pas dû me crier à deux pouces des oreilles ! J'ai fait le saut, c'est tout… Vous avez vu sa tête ? Une « brosse » poivre et sel ! Personne ne nous a jamais dit que les sœurs se faisaient couper les cheveux comme ça ! Je me coucherai moins niaiseuse ce soir !

Évelina éclata de rire. Flavie se mordit les joues pour ne pas la suivre dans son fou rire. Pour sa part, Simone ne trouvait pas ça drôle du tout.

— Si ça a du bon sang, Évelina ! Pauvre sœur ! Se faire humilier comme ça ! Veux-tu ben me dire ce que tu as fait pour l'empêcher de te jeter à la rue immédiatement ?

— J'ai la chance, ma belle Simone, d'avoir une maman qui fait de généreux dons à l'hôpital et, surtout, à la congrégation. Penses-tu vraiment qu'elle m'aurait mise à la porte pour une niaiserie pareille ?

Simone resta bouche bée devant les propos d'Évelina.

— En tout cas, les filles, vous ne pourrez pas dire que je ne vous ai jamais fait rire. Avoue-le donc pour une fois, Simone, que tu as trouvé ça drôle de voir sœur Désuète sans sa précieuse coiffe ?

Simone ne répondit pas. Évelina renchérit :

— Et pis, Simone, en plus il faut se dire qu'elle n'a pas de problème de permanente ni de teinture…

— … et qu'elle n'est pas obligée de passer autant de temps qu'Évelina devant le miroir ! enchaîna Flavie.

— Envoye, la maîtresse d'école… Ris donc un peu !

Simone détourna le regard. Évelina, grâce à l'argent de sa mère, l'avait échappé belle. Elle devait l'avouer, la situation était réellement cocasse. Et puis, sœur Désuète se tiendrait loin d'Évelina pour un moment. Simone se mordait les joues pour retenir son fou rire, puis elle éclata. Elle se tordait à présent, pliée en deux, et elle s'essuyait les yeux. Flavie n'avait jamais vu Simone s'amuser autant.

Évelina s'esclaffa :

— Tu vois, Flavie ! Même la maîtresse d'école trouve ça drôle de savoir que sœur Désuète cache une « brosse » sous son voile !

* * *

Quelques jours s'étaient écoulés depuis « l'incident de la "capine" », comme tout le monde s'était amusé à nommer le fâcheux événement dont sœur Désilets avait été la victime. Malgré son exubérance, Évelina se tenait tranquille et écoutait attentivement durant les cours. Simone lui avait suggéré de « s'effacer » pendant quelque temps ; pour une fois, Évelina avait pris le conseil de son amie au sérieux. L'histoire s'était bien terminée, mais elle ne devait pas pousser sa chance trop loin.

L'hospitalière en chef, sœur Larivière, avait prévenu les étudiantes qu'elle ne tolérerait pas qu'une affaire semblable se reproduise. L'histoire avait rapidement fait le tour de l'hôpital, mais personne n'avait osé reparler de l'incident avec la principale intéressée. Sœur Désuète avait repris l'enseignement quelques jours plus tard sans faire allusion à ce qui s'était passé. Malgré l'avertissement servi aux étudiantes par l'hospitalière en chef, sœur Désuète restait méfiante. Elle se postait devant la classe, ne se risquant plus à circuler autour des bureaux. À quelques reprises, son regard rempli d'animosité avait croisé celui d'Évelina. Il était clair qu'à la moindre incartade de celle-ci, la sœur ferait tout en son pouvoir pour qu'Évelina se fasse renvoyer.

Certaines étudiantes avaient pris au sérieux l'avertissement de sœur Désuète de redoubler d'ardeur dans leur travail. La religieuse leur avait fait comprendre qu'elles deviendraient rapidement la « déception » de l'école si elles ne mettaient pas davantage de cœur à l'ouvrage. Peu importait si les propos de sœur Désuète étaient véridiques, ils avaient eu l'effet d'un coup de fouet sur les étudiantes de première année.

Comme ses consœurs, Flavie s'appliquait encore plus dans les soins aux patients. Durant ses quelques heures de congé, elle rendait visite à des patientes âgées qui trouvaient le temps long et elle distribuait aux patientes convalescentes les vieilles revues de mode d'Évelina. À quelques reprises, elle avait croisé Clément qui l'avait invitée à sortir, mais elle avait décliné l'offre de peur de se faire remettre à sa place par sœur Désuète. D'ici quelque temps, la religieuse passerait certainement à autre chose. Flavie n'aurait alors plus l'impression de se faire surveiller constamment.

Simone travaillait elle aussi d'arrache-pied et étudiait ses notes de cours pratiquement tous les soirs. Évelina consacrait également plus de temps à ses patients, mais elle ne démontrait pas un aussi grand zèle que ses consœurs. Simone et Flavie avaient eu droit à ses commentaires concernant son travail : « Je ne peux quand même pas me tuer à la tâche comme vous deux ! Il faut des infirmières fraîches et disposes pour s'occuper des patients ! » Simone avait préféré se taire ; elle n'avait pas l'énergie suffisante pour faire comprendre à Évelina qu'elle était sous « haute surveillance » – gracieuseté de sœur Désuète.

* * *

Flavie avait à sa charge un jeune homme d'une trentaine d'années. Léo Gazaille s'était plaint de douleurs abdominales en fin de journée et il avait été conduit à l'hôpital. La chirurgie devait avoir lieu le lendemain matin à la première heure. Lors de sa tournée en début de soirée, Flavie était passée pour vérifier ses signes vitaux. En prenant sa température, elle avait remarqué que celle-ci était anormalement élevée. Elle avait tout de suite contacté le médecin de garde, qui avait rapidement pris en charge Léo afin qu'il soit opéré d'urgence. Pure coïncidence, Clément était le chirurgien de garde ce soir-là. Flavie prépara le patient pour la chirurgie. Elle se fit rassurante en voyant le visage inquiet de Léo Gazaille.

— Vous n'avez rien à craindre, monsieur Gazaille. Le docteur Talbot est un chirurgien consciencieux. Et il sera assisté du docteur Langlois, que je connais bien.

— Au risque de passer pour une poule mouillée, je dois vous avouer que je suis terrifié, mademoiselle.

Flavie posa sa main sur le bras de Léo juste avant que les brancardiers le transfèrent sur une civière. Elle réconforta son patient :

— C'est moi qui prendrai soin de vous à votre retour. L'opération se passera bien. Vous serez le premier à dire que vous avez eu peur pour rien.

Flavie le regarda partir, puis elle continua sa tournée de patients en pensant constamment à monsieur Gazaille. Elle savait qu'il était en bonnes mains, car Clément se distinguait des autres internes en chirurgie. Son stage se terminerait bientôt et, à la fin de l'année, il serait un des meilleurs chirurgiens de sa promotion.

Sœur Désuète disait souvent qu'une infirmière se devait de demeurer objective en pratiquant son métier. « Pour bien faire son travail, toute infirmière doit être apathique devant son patient. » Flavie avait essayé à plusieurs reprises de ne pas éprouver d'empathie pour ses patients, mais c'était peine perdue. Elle n'était pas d'accord avec le discours de sœur Désuète. Peut-être ferait-elle une meilleure infirmière si elle se mettait à la place des patients ? L'histoire de Robin l'avait bouleversée – ce jeune garçon qui s'était amusé à la faire tourner en bourrique avec les lumières d'appel. Le cas de Léo Gazaille la touchait aussi en ce soir de janvier. Elle avait vu la peur sur son visage quand le médecin lui avait annoncé qu'il devait se faire opérer d'urgence, car on craignait une péritonite. Il était seul, sans famille à ses côtés. Ce patient lui rappelait Antoine qui se montrait stoïque devant toutes les situations de la vie, mais dont le courage capitulait devant la maladie.

Simone et Évelina se questionneraient certainement sur son absence, mais elle tenait à être présente lors du retour de Léo Gazaille dans sa chambre. Même si elle regardait souvent l'heure à sa montre, Flavie réussit à terminer sa tournée avant la nuit. Elle croisa les brancardiers qui ramenaient Léo à moitié endormi dans sa chambre. Elle s'installa à son chevet et attendit qu'il ouvre les yeux.

Flavie demeura de longues minutes au chevet de Léo Gazaille. Comme il dormait, encore abruti par l'anesthésiant, elle se promit de revenir le voir dès le lendemain. En sortant de la chambre, elle croisa Clément.

— Flavie ! Quelle belle surprise ! Je vous cherchais justement. J'ai des billets pour un concert, si ça vous dit.

— J'ai beaucoup de travail ces temps-ci, Clément.

— Je m'en doute, mais quelques heures de loisir pourraient vous faire du bien. Pensez-y. Le spectacle a lieu ce vendredi. Nous pourrions en profiter pour aller manger ensemble avant.

— Hum…

— Pensez-y ; ne me dites pas non tout de suite. Je voulais également vous voir pour vous féliciter. Vous avez été vigilante lors de la prise des signes vitaux de monsieur Gazaille. Sans cela, il ne s'en serait pas aussi bien tiré. Grâce à la rapidité de votre intervention, nous avons évité la péritonite aiguë. Soyez certaine que je vanterai votre mérite auprès de sœur Désilets.

— Merci ! Et je ne dis pas non pour cette sortie. Je vais vérifier mon emploi du temps. Je vous donnerai ma réponse le plus tôt possible.

Flavie salua Clément et prit la direction de sa chambre. Sa journée avait été éreintante ; un repos lui ferait le plus grand bien. Quand elle poussa la porte de sa chambre, Simone leva les yeux de son livre et déclara :

— Ce n'est pas trop tôt ! Tu es rendue comme Évelina, astheure ! Ne me dis pas que tu as un amoureux secret toi aussi ?

— Eh non, Simone ! Ne va pas t'imaginer des choses…

— Avec vous deux, on ne sait jamais !

— Voyons donc ! Je voulais seulement m'assurer qu'un de mes patients allait bien.

— Un patient ! Me semblait bien, aussi !

Flavie lui raconta l'histoire de Léo Gazaille en omettant volontairement de lui parler de l'invitation de Clément pour vendredi. « J'en parlerai à Évelina à son retour. Simone n'approuvera certainement pas que j'aille à cette soirée seule en compagnie du docteur Langlois. » Devant le regard perdu de Flavie, Simone commenta :

— Il doit être pas mal beau, ce « patient », pour te laisser songeuse comme ça !

* * *

Flavie trouva Léo Gazaille avec un journal sur les genoux et un carnet de notes à la main. Il avait meilleure mine que la veille. Quand Flavie lui tendit le thermomètre, il lui donna son carnet pour qu'elle le dépose plus loin et il plaça le thermomètre sous sa langue. Flavie nota sa température dans le dossier placé au bout du lit et prit sa tension artérielle ainsi que son pouls. Elle était soulagée de voir qu'il allait mieux.

— Vous êtes en meilleure forme qu'hier, monsieur Gazaille.

— J'ai eu de bons soins, garde… euh…

— Garde Prévost.

— Le docteur Langlois m'a dit que vous étiez restée pour attendre mon réveil à la sortie de la salle d'opération. J'étais beaucoup trop assommé pour en avoir conscience.

— En effet, je suis restée un moment pour m'assurer que tout allait bien.

— Vous êtes consciencieuse, mademoiselle. Et vous aviez raison, je me suis inquiété pour rien !

— Je vous l'avais bien dit ! Maintenant, monsieur Gazaille, si vous voulez bien, je vais changer votre pansement.

Léo releva le drap et sa chemise de nuit. Il étudia ensuite chacune des actions de la jeune femme. Après avoir enfilé des gants et nettoyé la plaie, qui semblait bien guérir, Flavie installa un nouveau pansement. Elle ne se rendit pas compte que Léo l'observait. Quand elle leva les yeux vers son patient, celui-ci lui sourit.

— J'ai beaucoup de chance que vous soyez mon infirmière, garde Prévost. Je suis impressionné par la maîtrise de vos gestes. Et puis, vous m'avez rassuré hier alors que j'avais l'air d'un vrai froussard.

— Je n'ai fait que mon travail.

— Eh bien ! Vous pouvez être fière parce que vous l'accomplissez d'une façon remarquable. Vous connaissez tout de moi, ma température, mon rythme cardiaque, ma tension artérielle, mais nous n'avons pas eu encore la chance de nous présenter. Je suis Léo Gazaille, journaliste à *La Patrie*.

— Flavie Prévost, étudiante en première année.

— Étudiante ? Vos consœurs qui ont déjà été reçues comme infirmières devraient prendre exemple sur vous. Merci encore de vous occuper si bien de moi.

Lorsque Léo posa son regard bleu sur elle, Flavie se sentit rougir. Elle lui versa un verre d'eau et le déposa sur la table de nuit en acier émaillé. Elle reprit le carnet de notes et le lui tendit.

— J'imagine que le médecin vous a donné le droit d'écrire un peu.

— Un journaliste n'est jamais en arrêt de travail. Il doit toujours être à l'affût de ce qui se passe autour de lui.

— Dans ce cas, notez dans votre carnet que je dois terminer ma tournée de patients, car plusieurs m'attendent !

— Revenez me voir quand vous aurez deux minutes. J'aime toujours avoir de la compagnie.

Flavie lui rendit son sourire et se dirigea auprès du patient voisin. De temps à autre, elle levait les yeux afin de voir Léo griffonner dans son carnet. Même en convalescence, ce dernier continuait d'exercer son métier de journaliste. « Je me demande bien ce qu'il écrit en ce moment : *La garde Prévost a fait sa tournée de prises de température et elle s'apprête maintenant à quitter la pièce pour aller préparer les plateaux !* Si moi-même je devais faire un compte rendu de la situation, je dirais que Léo Gazaille est un patient exemplaire. Il est plutôt agréable et d'une telle politesse ! Je n'ai pas toujours la chance d'avoir des patients aussi raffinés que lui. » Flavie sourit en pensant à certains des malades qui prenaient plaisir à se moquer d'elle ou qui lui avouaient ouvertement qu'ils aimaient bien qu'une infirmière aussi jolie soit à leur service. Elle était toujours mal à l'aise devant des hommes un peu trop entreprenants. Elle croisa pendant quelques secondes le regard de Léo. « Si Évelina le voyait ! Elle tomberait sous le charme, c'est certain ! » Flavie termina sa tournée. Avant de quitter la salle, elle passa près du lit de Léo pour le saluer. « Il est vraiment mignon ! »

* * *

Flavie retrouva Évelina dans la petite pièce servant de buanderie à côté des chambres. Elle soupirait en repassant ses robes. Il y avait déjà quelques jours que Flavie, débordée, n'avait pas eu le temps de discuter avec son amie. Évelina semblait heureuse elle aussi de la voir. Elle pointa la planche à repasser.

— Si ça te tente de m'aider, Flavie, tu es la bienvenue. Je déteste tellement faire ça ! Je ne peux pas croire qu'on doive laver et repasser nos uniformes pendant nos temps libres. Il devrait y avoir quelqu'un qui se charge de cette corvée. Peut-être que je devrais aller porter mes vêtements chez le Chinois qui s'occupe des vêtements de ma mère ?

— Ça n'a jamais tué personne, Évelina, de laver ses vêtements…

— Et bien, ça pourrait m'arriver. J'ai un million d'autres trucs à faire.

— Comme ?

— Comme me vernir les ongles, par exemple, ou aller prendre un café, je ne sais pas, moi ! Tout, mais pas l'infâme repassage !

Flavie lui prit le fer des mains et éloigna Évelina de la planche.

— Ouste ! Laisse-moi faire, ça me prendra deux minutes. En attendant, profitons-en pour jaser un peu, ça fait longtemps qu'on ne l'a pas fait. Tu te rends compte ? On partage la même chambre, les mêmes cours et l'on ne prend presque plus le temps de se parler.

Évelina acquiesça.

— Tu as tellement raison, Flavie. On ne prend plus le temps. Avant, on avait plaisir à discuter le soir.

— Avant que tu t'absentes de plus en plus souvent pour retrouver tu sais qui ?

— Tu ne vas pas recommencer avec ça ? On croirait entendre Simone.

— Au fait, où est-elle, notre amie ?

— Devine ! Madame la maîtresse est à la bibliothèque. Elle a déjà commencé à étudier pour ses examens de fin d'année. Gageons qu'elle sera la première à dire qu'elle n'est pas suffisamment prête !

— Tu penses ? Mais si on en revenait à toi ? Quoi de neuf, Évelina ?

— Bah ! Il n'y a rien d'autre que le train-train quotidien de l'infirmière : s'occuper des patients, éviter de se faire vomir dessus pour préserver son bel uniforme, nettoyer le vomi après l'avoir évité, assister aux cours « passionnants » de sœur Désuète, essayer de ne pas devenir folle avec tout le travail qui est éternellement à recommencer…

— … et laver et repasser ses uniformes.

— C'est en plein ça ! Et toi ?

— J'ai évité le vomi aujourd'hui, mais qui sait ce qui m'attend demain ?

Évelina gloussa. Flavie annonça qu'elle avait reçu une invitation de Clément.

— Yé ! Tu vas y aller au moins ?

— Je ne sais pas encore. J'ai vérifié mon horaire pour vendredi et je travaille.

— Ben, voyons donc ! C'est hors de question que tu manques ce rendez-vous-là ! Avec le beau docteur Langlois en plus ! Un bon parti, ça, mademoiselle !

— C'est seulement un ami, Évelina.

— Ben oui ! Ben oui ! Mais si tu veux qu'il devienne un peu plus que ça… Je suis libre vendredi et je te remplacerai avec plaisir. C'est correct pour toi ?

— Je n'en espérais pas tant !

— Évelina va encore se sacrifier pour que son amie Flavie se rende à un rendez-vous galant… Vous me décevez, mademoiselle, avec votre « relâchement ».

Évelina avait imité le ton de sœur Désuète en prononçant le mot *relâchement*. Elle poursuivit:

— C'est ça, garde Prévost! Allez vous «épivarder» dans la ville! J'espère que vous prendrez soin de bien attacher votre «capine» parce qu'il vente fort!

* * *

Flavie avait demandé la permission de sortir à la garde Baillargeon, en lui précisant qu'elle avait déjà une remplaçante prête à prendre la relève auprès de ses patients. Comme c'était la première fois que Flavie faisait une telle requête et que sa conduite était exemplaire, la garde Baillargeon lui accorda la permission, en lui précisant toutefois de ne pas en faire une habitude.

Évelina observa Flavie pendant qu'elle se préparait. Elle lui suggéra une tenue moins sobre.

— On dirait que tu t'en vas à un enterrement, Flavie. Une robe noire! Franchement!

— Pas à un enterrement, Évelina, mais à un concert. Ma robe est très bien.

— Et puis, on va devoir s'occuper sérieusement de ta crinière! Tu devrais vraiment te faire couper les cheveux, Flavie. On n'est plus en 1920, tu sais!

— Je les aime comme ça mes cheveux, Évelina. Si je ne te connaissais pas, je dirais que tu essayes de me décourager pour que je n'aille pas à ce rendez-vous.

Évelina lui avait offert généreusement de s'occuper de ses patients. Mais à la dernière minute, elle semblait vouloir ronchonner un peu avant de la laisser partir.

— Dire que c'est moi qui devrais aller à un rendez-vous galant!

— Je t'en dois une, Évelina. Dès que tu auras une invitation, je te remplacerai avec plaisir, c'est promis.

— Tu es ben mieux, Flavie ! J'ai la mémoire longue ! Je prendrai soin de tes patients comme de la prunelle de mes yeux, tu peux compter sur moi.

— Je ne suis pas inquiète. Sous tes airs grincheux se cache un cœur d'or, Évelina.

— Ouin !

Évelina lui fit un clin d'œil et lui souhaita une bonne soirée. Comme prévu, Clément attendait Flavie dans le hall d'entrée de l'hôpital. Vêtu d'un pardessus et coiffé d'un chapeau, le jeune homme était élégant. Flavie toussota pour attirer son attention. Son visage s'illumina lorsqu'il la vit marcher vers lui. Les salutations d'usage faites, Clément demanda à Flavie s'il pouvait la tutoyer.

— J'ai l'impression que tu t'adresses à mon père quand tu m'appelles « docteur Langlois ». Je n'ai pourtant pas son âge. Je suis vraiment heureux que tu aies pu te libérer, Flavie.

— Au prix d'énormes sacrifices, Clément !

Devant son regard interrogateur, Flavie précisa :

— C'est Évelina qui me remplace, alors je me sens un peu comme si j'avais vendu mon âme au diable ! J'ai une dette envers elle. J'imagine qu'elle me réservera les tâches qu'elle déteste le plus.

— Et tu trouveras la façon de les accomplir dans la bonne humeur, Flavie. J'aime beaucoup ta joie de vivre, et les patients l'apprécient eux aussi. Es-tu déjà allée à la salle du Plateau ?

— Non. Ce soir, j'assisterai à mon premier concert.

— Tu vas adorer.

En sortant, Flavie chercha du regard l'automobile de Clément.

— Nous n'aurons pas besoin de la voiture, car la salle est située en plein centre du parc La Fontaine. C'est un bel endroit malgré les bancs de neige à enjamber pour s'y rendre.

Clément lui tendit le bras et elle s'y accrocha pour traverser la rue Sherbrooke. Flavie aimait bien la compagnie de l'interne et, contrairement à ce qu'Évelina pensait, elle le considérait véritablement comme un ami et non comme un futur mari. Il ne la toisait pas de haut comme certains médecins le faisaient avec les infirmières. Avec lui, elle se sentait traitée sur un pied d'égalité. La froideur du vent donna un regain d'énergie à la jeune fille qui raconta à Clément qu'elle avait eu son premier cours de chirurgie un peu plus tôt dans la journée. Elle avait été ravie d'assister en tant que spectatrice à une opération.

— Le sang ne m'a pas effrayée du tout. J'ai adoré voir avec quelle précision le chirurgien opérait. Avec les infirmières qui l'assistaient et l'anesthésiste tout près, on aurait dit une scène de film.

— C'est toujours saisissant la première fois. Encore plus avec un bistouri dans la main. Je me souviens de ma première opération supervisée par le docteur Talbot. Je n'ai pas tremblé une seule fois devant mon patient, mais j'étais tellement nerveux !

— J'ai vu que plusieurs internes assistaient à la chirurgie, mais je ne t'ai pas vu.

— Je me spécialiserai en chirurgie, mais je dois quand même faire des stages dans les différents services de l'hôpital. Aujourd'hui, j'étais de garde en obstétrique. Les « vieux » médecins privilégient la pratique traditionnelle. J'ai quand même la chance de travailler avec le docteur Talbot en chirurgie, ce qui m'évitera peut-être de devoir aller aux États-Unis pour parfaire ma spécialité.

— J'ai aussi commencé mes cours en obstétrique. C'est tellement fascinant ! Toutefois, je n'ai pas encore eu la chance de voir un accouchement.

— C'est une expérience spectaculaire.

Marchant d'un bon pas pendant qu'ils discutaient, ils arrivèrent bientôt près de la salle de concert du Plateau. En chemin, ils avaient croisé quelques passants qui avaient décidé de braver eux aussi le froid pour se rendre au concert dirigé par le mæstro Eugène Chartier. Clément entraîna Flavie vers l'entrée de la salle.

— Bon ! Assez parlé de l'hôpital ! Tu n'as donc jamais assisté à un concert ? Je suis heureux d'être le premier à te faire découvrir la musique « en vrai » plutôt qu'à la radio ! La feuille de route d'Eugène Chartier est imposante : en plus d'être violoniste, altiste, professeur, il est chef d'orchestre. La soirée s'annonce des plus belles.

Clément invita Flavie à lui laisser son manteau. Il alla ensuite déposer au vestiaire le vêtement de la jeune femme et son pardessus. Pendant que Flavie l'attendait, elle observa les gens qui se pressaient pour entrer dans la salle. À son retour, Clément la conduisit à son siège. Flavie était impressionnée de voir l'orchestre qui attendait silencieusement l'arrivée du mæstro. Après quelques minutes, Eugène Chartier fit son apparition. Les spectateurs applaudirent son entrée en scène. L'homme les salua et se retourna vers l'orchestre. Dès qu'il leva sa baguette, les premières notes de la *Symphonie n° 3* de Beethoven se firent entendre. Flavie se laissa porter par la musique. Les yeux fermés, elle ressentait chacune des vibrations et profitait pleinement du moment. Clément était lui aussi subjugué par la musique, mais pas assez pour ne pas observer de temps à autre la jeune femme. Les yeux fermés et le léger sourire sur le visage de sa compagne lui firent comprendre que celle-ci passait une belle soirée. Il posa la main sur la sienne ; elle ouvrit les yeux mais ne retira pas sa main.

Quand l'orchestre clôtura la soirée avec les préludes de Liszt, Flavie savait qu'elle adorait assister à des concerts. Elle s'était laissée bercer par la musique, et la compagnie de Clément s'était avérée aussi plaisante que d'habitude. Tandis que celui-ci l'aidait à revêtir son manteau et lui tendait son chapeau, qu'elle posa délicatement sur sa tête, Flavie avoua :

— Je n'ai jamais rien entendu de si beau, Clément. J'ai passé une formidable soirée. Encore merci pour l'invitation.

— Si je mets la main sur d'autres billets, je saurai qui inviter. J'ai enfin trouvé quelqu'un d'aussi mélomane que moi ! Ce n'est pas Bastien qui m'accompagnerait ; il ne jure que par le swing et Benny Goodman ! J'aime bien, mais pas autant que la bonne vieille musique classique. Ma mère a beaucoup insisté pour que j'apprenne le violon quand j'étais plus jeune. Ces temps-ci, je joue très peu par manque de temps. Les examens de fin d'année approchent à grands pas.

— Moi aussi, je suis débordée. Ma mère doit se faire du mauvais sang à la maison, car elle attend sûrement un appel de ma part.

— Bah ! Les miens sont pareils ! Je croise mon père souvent durant la journée, mais je dois quand même me « rapporter » de temps à autre à la maison. Pourtant, mon père sait que j'ai un horaire très chargé. Il est passé par là, lui aussi !

— Ma mère s'imagine que je suis en « perdition » dans la grande ville.

— Elle aurait peut-être raison si elle savait que tu assistes à des concerts en compagnie d'un médecin peu fréquentable…

— Dois-je m'inquiéter ?

Flavie lui jeta un regard inquiet, attendant une révélation. Devant son œillade craintive, Clément s'amusa.

— Tu peux rassurer ta mère, Flavie. Tu es avec le médecin le plus recommandable qui soit. Bastien me trouve tellement ennuyeux !

— Je ne donne pas ma place, à entendre Évelina déblatérer sur mon compte !

Clément s'arrêta devant la porte principale de l'hôpital.

— J'ai vraiment passé une belle soirée, Flavie. Ça m'a fait du bien de sortir de mes livres un peu pour me changer les idées.

— Moi aussi. Et puis, tant pis si Évelina me confie une tâche ingrate pour compenser son remplacement.

— On remet ça bientôt.

Quand Clément se pencha pour l'embrasser, Flavie eut le réflexe de lui tendre la joue. Elle sentit la chaleur des lèvres du jeune homme effleurer sa peau froide. Clément lui adressa un sourire avant de tourner les talons pour se diriger vers la résidence des internes. La jeune fille ressentit quelques secondes la sensation de chaleur sur sa joue. « Ah ! Mon premier baiser et j'ai tendu la joue ! Franchement, Flavie Prévost ! Combien d'infirmières auraient aimé être à ta place ce soir ? Je n'ose même pas l'imaginer… Ne raconte pas ça à Évelina ; elle te traitera de folle et elle aurait presque raison ! » Flavie enleva ses gants et déboutonna son manteau en se dirigeant vers sa chambre.

* * *

— Tu n'es pas gênée, Flavie Prévost ! Tu aurais pu me dire que le patient de la salle 24 était beau comme un cœur. C'est presque un péché que tu ne m'en aies pas parlé. Je ne te pardonnerai pas de sitôt !

Flavie accrocha son manteau et chercha pendant quelques secondes ce qu'elle pourrait bien répliquer à son amie. Simone avait levé les yeux de son livre et attendait elle aussi sa réponse. Volontairement, Flavie prit le temps de se déshabiller et de passer sa chemise de nuit. Prenant la brosse pour se démêler les cheveux, elle répliqua à Évelina, qui attendait les mains sur les hanches à la manière de Simone.

— Je ne t'en ai pas parlé pour la simple et bonne raison que c'est un journaliste. Tu ne m'as jamais dit que tu penchais de ce côté-là !

L'air amusé, Simone lança à Évelina :

— Ouin ! Ce n'est pas un médecin que tu cherches ?

— Pff ! Peut-être, mais quand même !

Évelina posa sa main sur son cœur avec affectation, comme si Simone et Flavie l'avaient vraiment offensée.

— Et ça se dit mes amies, ces deux-là ! On sait bien ! On laisse les vieux patients « rabougris » à Évelina et on se garde les beaux journalistes. On fait des sorties mondaines durant la semaine avec un beau docteur et on se fait remplacer en plus !

— Si tu n'avais pas changé de place avec moi, comment aurais-tu pu t'occuper de mon magnifique – et sympathique, en plus – patient ?

— Et puis, pendant que je te remplaçais, je ne pouvais pas étudier comme Simone !

Simone posa son livre et lui tira la langue.

— Parce que c'est ce que tu aurais fait ?

— Ben… peut-être ! En tout cas, Flavie, je ne suis pas près de te pardonner. J'ai essayé autant que j'ai pu d'attirer le regard du beau journaliste, mais il était absorbé par sa lecture. Quand il a levé les yeux, ça a été pour me déclarer : « Où se trouve la garde Prévost, ce soir ? Je prendrais bien un verre d'eau, s'il vous plaît, mademoiselle. » Tu lui as fait tout un effet ! Il ne s'est même pas rendu compte de ma beauté ni de mon efficacité !

Flavie s'esclaffa et Simone l'imita.

— Pour me consoler de ma « dure » soirée, je veux tout savoir sur ta sortie avec le beau docteur Clément.

Flavie lui dit qu'elle n'avait jamais rien entendu d'aussi beau.

— Le concert était un prétexte pour la sortie, Flavie. Ne l'as-tu pas compris ?

— Peut-être, mais j'ai bien aimé ma soirée.

— Ne nous fais pas languir plus longtemps. Il t'a embrassée ?

Flavie répondit par la négative. Elle n'avait pas envie de tout raconter. Elle avait bien droit à son petit jardin secret. Évelina laissa tomber ses bras le long du corps.

— J'ai travaillé d'arrache-pied pour ça, Flavie Prévost ! C'est très décevant. Dans ce cas-là, surveille bien ton petit journaliste, car j'ai des vues sur lui !

* * *

Flavie devait remplacer Évelina lors d'une garde de soir. Le docteur Jobin l'avait invitée à souper dans un restaurant suffisamment éloigné de l'hôpital pour éviter les commérages. Simone savait qu'Évelina avait menti en disant qu'elle allait manger avec sa mère dans un restaurant du coin. Elle n'était pas dupe, sachant très bien qu'Évelina évitait de fréquenter sa mère et, surtout, qu'elle n'aurait jamais passé une soirée avec elle. Avant que Flavie se rende auprès des patients d'Évelina, Simone l'interpella :

— J'espère qu'on n'aura pas encore à couvrir la sortie de mademoiselle Richer.

Flavie sentit le reproche à peine voilé dans la voix de Simone.

— Évelina m'a promis qu'elle reviendrait avant le couvre-feu.

— Et tu l'as crue, Flavie ? Elle ne nous parle jamais de ses sorties, ni de ses absences et de ses retards. Je mettrais ma main au feu qu'elle fréquente un médecin de l'hôpital, peut-être même un homme marié.

La perspicacité de Simone fit ciller Flavie.

— Qu'est-ce qui te fait dire ça, Simone ?

— Si elle n'avait rien à se reprocher, elle se vanterait de sa conquête... Tu sais de qui il s'agit, n'est-ce pas ?

— Hum...

— Tu le sais, Flavie. Et contrairement à Évelina, tu es incapable de mentir. Je suis donc la seule à ne pas savoir.

— Ce n'est pas de ça dont il s'agit, Simone.

— Ah non ? Et de quoi, alors ? On partage la même chambre et je ne connais même pas l'identité de l'homme mystérieux que fréquente mon amie. Je dois couvrir ses absences sans savoir de qui il est question. Même toi, tu ne me fais pas assez confiance pour me le dire.

— Ce n'est pas une question de confiance, Simone. Évelina a peur que tu la juges.

— Que je la juge ? Parce qu'elle fréquente un homme marié ?

— C'est vrai que je sais de qui il s'agit, Simone, mais je l'ai découvert par hasard. Je suis désolée si je t'ai blessée en gardant l'information pour moi. J'ai promis à Évelina de ne rien révéler.

Flavie n'aimait pas la tournure que prenait la discussion. La voix chevrotante, Simone déclara :

— Ce qui me désole, Flavie, c'est d'être mise constamment à l'écart. Évelina se confie à toi, mais très rarement à moi. Je sais que je l'énerve. C'est vrai que je suis plutôt *straight* – d'après Évelina –, que je ne suis pas du genre à m'amuser et que je préfère les études à toutes vos frivolités, mais quand même ! Elle a peur que je la juge ? Pourtant, ça ne la dérange pas trop quand je suis obligée de couvrir ses absences.

— Dans ce cas, laisse-la faire, Simone. Ne te préoccupe plus de ses absences.

— Je le faisais parce que je pensais qu'Évelina éprouvait une amitié sincère pour moi….

— Simone…

La jeune femme s'était retournée pour cacher les larmes qui lui brouillaient les yeux. Flavie posa sa main sur son épaule, mais Simone la repoussa. Elle était blessée. Flavie aurait voulu prendre le temps de discuter mais, après avoir regardé sa montre, elle s'excusa auprès de son amie.

— Je dois vraiment y aller, Simone. Les patients d'Évelina m'attendent.

Flavie laissa Simone seule à ses réflexions. Elle détestait avoir dû écourter cette conversation devant le regard triste de Simone, qui avait compris qu'elle était la seule à ne pas savoir. « Évelina ne m'aurait jamais confié de qui il s'agissait si je ne l'avais pas surprise dans la buanderie. Il faudrait vraiment qu'Évelina dise tout à Simone. Je déteste être prise entre l'arbre et l'écorce comme ça ! »

Lorsque Flavie entra dans la salle 21, quelques patients la questionnèrent sur l'absence d'Évelina. Elle leur répondit simplement que la garde Richer était indisposée et qu'elle s'occuperait d'eux du mieux qu'elle le pouvait. Furieuse, elle essaya de cacher sa colère en souriant et en se montrant affable devant les patients qui réclamaient son aide pour s'installer pour la nuit. Elle passa son agressivité sur les oreillers, qu'elle secoua un peu plus fort que de coutume avant de les remettre en place dans le lit des patients. Elle s'assura que tous soient à leur aise pour dormir afin d'éviter que l'infirmière de garde de nuit ne se fasse appeler toutes les cinq minutes. Sœur Désuète répétait souvent qu'il était important pour l'infirmière de garde le soir de bien installer les patients.

À la fin de sa garde, Flavie passa devant la chambre occupée par Léo Gazaille. Voyant un filet de lumière sous la porte, elle poussa délicatement le battant. La lampe sur la table de chevet éclairait Léo, assoupi avec son carnet sur les genoux. Flavie se faufila sans faire de bruit dans la pièce. Elle prit le carnet et le déposa sur la table près du lit. Alors qu'elle allait éteindre la lumière et ressortir pour aller se coucher elle aussi, le patient ouvrit un œil. Pour ne pas réveiller ses voisins de lit, il chuchota :

— Je savais sans vous voir que c'était vous, garde Prévost.

— Ah oui ? Et comment ?

— Votre douceur quand vous avez remonté la couverture sur mes épaules. La plupart des infirmières ne l'auraient probablement pas fait, encore moins une Sœur grise.

— Les autres infirmières prennent bien soin de leurs patients.

— Je ne vous contredirai pas, mais certaines le font avec plus de cœur. J'ai vraiment beaucoup apprécié vos soins, garde Prévost. J'ai essayé de ne pas paraître aussi en forme pour pouvoir rester plus longtemps, mais je crois que dès demain, le docteur Langlois se débarrassera de moi pour laisser mon lit à un patient chanceux dont vous aurez la responsabilité.

— Vous semblez effectivement aller mieux.

Flavie prit le dossier au pied du lit et le feuilleta distraitement. Elle aurait voulu remercier Léo du compliment, mais elle ne trouvait rien d'intelligent à dire. Malgré l'obscurité de la chambre, elle sentait son regard bleu posé sur elle. Reprenant ses sens, Flavie remit le dossier en place et s'approcha du journaliste.

— Je crois qu'il est temps de dormir, monsieur Gazaille. Je vais faire de même, car j'ai eu une rude journée.

— Je vais m'abstenir de vous demander un « bec de bonne nuit », garde Prévost, même si j'en ai follement envie ! J'attendrai impatiemment votre visite demain matin. J'espère être encore ici quand vous ferez votre tournée de patients.

Flavie replaça l'oreiller du jeune homme et lui souhaita bonne nuit, troublée par ce qu'il venait de lui dire. De toute évidence, elle lui plaisait. Ce qui l'ébranlait davantage, c'est qu'il l'attirait aussi. Elle se serait peut-être prêtée au jeu du baiser en d'autres circonstances. « Je ne me reconnais plus. Je regrette d'avoir présenté ma joue à Clément et, là, j'ai dû me retenir pour ne pas embrasser Léo Gazaille. Si ma mère me voyait ! »

* * *

Quand Flavie revint de sa garde, elle trouva Simone non pas endormie comme elle s'y attendait, mais réveillée et qui fulminait, adossée contre son oreiller. Évelina n'était toujours pas rentrée malgré l'heure tardive. Simone avait dû encore une fois couvrir son absence, malgré sa résolution de ne plus le faire.

— C'est la dernière fois, Flavie ! Si je me fais prendre à mentir, je serai renvoyée. Personne ne viendra ici me « sauver les fesses », comme la mère d'Évelina. Je suis bonne pour retourner directement à Saint-Calixte !

— Évelina te remerciera sûrement, Simone.

— Si c'est comme la dernière fois, elle va s'amuser de la situation, sans plus. J'ai assez donné, Flavie. Puisqu'elle ne me fait pas assez confiance pour me confier ses secrets, eh bien c'est la dernière fois que je l'aide.

Simone frappa ses oreillers et lui tourna le dos. Elle laissa Flavie attendre seule le retour d'Évelina.

* * *

Au déjeuner, Simone boudait dans son coin. Elle n'adressa la parole ni à Flavie ni à Évelina. Se dépêchant de terminer sa tasse de café, elle sortit sans saluer ses amies.

— Tabarouette ! s'exclama Évelina. Quelle mouche l'a piquée ce matin ?

— Tu ne t'en doutes pas un peu, Évelina ? Simone est fâchée parce qu'elle a réalisé qu'elle est la seule à ne pas connaître ton petit secret. En plus, elle a encore dû te couvrir hier soir.

— Je suis rentrée tard, c'est vrai, mais j'ai passé une si belle soirée !

— Tant mieux pour toi ! Je pense quand même que tu devrais aller remercier Simone de t'avoir protégée encore une fois.

— Pour me faire mordre ? Voyons donc !

Flavie resta de marbre devant la plaisanterie d'Évelina.

— Tu deviens aussi sérieuse que Simone, ma pauvre Flavie !

— On ne peut pas toujours s'amuser, Évelina. En tout cas, règle ça avec elle. Je commence sérieusement à être « tannée » d'être prise en sandwich entre vous deux.

— Bon, OK, je lui parlerai. Dans un autre ordre d'idées, dis-moi donc si ta soirée de remplacement s'est bien passée ?

— Plutôt bien. Je n'ai pas trouvé que tes patients étaient aussi rabougris que tu l'as laissé entendre l'autre soir.

— J'exagérais un peu.

Pendant qu'Évelina lui narrait sa soirée en compagnie du docteur Jobin, Flavie empila les plateaux et alla les porter. Évelina la suivit en lui relatant comment le docteur Jobin était d'agréable compagnie, comment il la traitait comme une véritable reine, comment il aurait aimé l'avoir rencontrée plus tôt, etc. Son amie n'écoutait que d'une oreille. En se rendant au cours dispensé par sœur Désuète, les deux jeunes femmes croisèrent un groupe de dames patronnesses qui arrivaient en sens inverse. Flavie reconnut Joséphine Jobin. Le groupe continua, mais Joséphine s'arrêta.

— Bon matin, garde Prévost. Je suis heureuse de vous revoir.

Flavie parvint à cacher son malaise en faisant les présentations. Joséphine tendit la main à Évelina et la détailla de la tête aux pieds. Joséphine et Flavie discutèrent de choses et d'autres pendant quelques minutes. Évelina s'efforçait d'avoir l'air naturel et de s'intéresser à la conversation. Après avoir regardé sa montre, elle s'excusa en disant que son amie et elle seraient en retard à leur cours. Elle entraîna Flavie à sa suite. Elles prirent place à côté de Simone, qui ne leva pas les yeux de son livre.

Évelina se pencha vers Flavie.

— Je ne l'imaginais pas comme ça.

— Je t'avais dit qu'elle était élégante.

— Et tu avais raison, elle l'est. Et elle semble aussi très suspicieuse. Elle n'a pas arrêté de m'observer. J'ai bien peur qu'elle soit au courant.

— Tu penses ?

— Nous en reparlerons.

Évelina s'adressa à Simone.

— Ça va ce matin, Simone ?

— Pourquoi ça n'irait pas ?

— Bah ! Tu es partie vite de la salle à manger tout à l'heure.

— Ça me surprend que tu t'en sois rendu compte.

— Voyons, Simone, ce n'est pas la peine de bouder.

Simone jeta un regard haineux à Évelina.

— Bouder ? Tu sais très bien ce qui se passe, Évelina. Ne fais pas l'innocente.

— Les nerfs ! Pas besoin de te fâcher !

Flavie s'interposa :

— Franchement, les filles, on dirait deux couventines ! Vous devez vraiment régler votre différend. Ça ne peut pas continuer comme ça…

Alors qu'Évelina allait répliquer, sœur Désuète entra. La religieuse exigea le silence avant le début du cours.

* * *

En effectuant sa tournée de patients, Flavie croisa Léo, une valise à la main.

— Vous ne m'avez pas laissé le temps d'aller vous voir ce matin, monsieur Gazaille.

— Le docteur Langlois était beaucoup trop pressé de me faire sortir d'ici. J'ai bien peur que mes patrons l'aient soudoyé pour que je retourne au journal le plus tôt possible.

— S'il vous laisse sortir, c'est sûrement parce que vous êtes complètement rétabli.

— Ou parce qu'il a peur que je vous invite au restaurant. Je suis heureux de vous avoir vue avant mon départ.

— Je vous souhaite un bon retour chez vous, monsieur Gazaille.

— Mon retour sera encore meilleur si vous m'appelez Léo. Monsieur Gazaille, c'est mon père et il a plus de soixante-dix ans.

— D'accord ! Alors, bon retour à la maison, Léo, et ne travaillez pas trop fort.

— Vous me connaissez mal, Flavie. Je suis un véritable bourreau de travail. Et puis, j'ai été au repos trop longtemps ! Je reprends la machine à écrire dès demain.

Flavie l'accompagna à l'ascenseur. Léo s'y engouffra en tenant fermement sa valise.

— Je tiens à vous inviter à souper pour vous remercier de vous être si bien occupée de moi.

— Vous avez invité toutes les infirmières qui ont pris soin de vous ?

— Non, seulement celle qui m'a témoigné le plus de gentillesse. Vendredi prochain, ça vous irait ?

— Je ne sais pas. Je dois regarder mon horaire, et puis…

— D'accord pour vendredi. Je viendrai vous chercher vers dix-huit heures.

Au moment où Flavie allait répondre, la porte de l'ascenseur se referma. Elle aurait voulu négocier davantage, ne pas se montrer trop intéressée par une sortie avec Léo. Mais le destin, ou l'ascenseur, avait décidé pour elle. C'était seulement un souper, après tout !

# 9

L'atmosphère lourde et tendue qui régnait dans la chambre en présence de Simone et d'Évelina forçait Flavie à trouver refuge dans la salle de repos ou dans la bibliothèque, lors de ses moments libres. La jeune femme ne supportait plus de voir ses deux amies bouder chacune de leur côté. Le malentendu avait rapidement dégénéré. Dès qu'Évelina franchissait le seuil de la chambre, Simone se taisait et plongeait dans la lecture d'un livre. Et à l'arrivée de Simone, Évelina se mettait à enlever son vernis à ongles pour en appliquer un nouveau même s'il n'était pas écaillé. Flavie s'était amusée en constatant la réaction d'Évelina, mais au fil des jours, elle trouvait la situation de plus en plus pathétique. Flavie s'organisait donc pour être le moins possible prise entre ses deux amies. « Elles sont assez vieilles, il me semble, pour régler leur dispute. Je n'ai vraiment pas envie de m'en mêler. Ça s'en vient ridicule, leur affaire ! »

La température du mois de février, la neige qui se transformait en pluie, le vent glacial et l'humidité forçaient Flavie à rester à l'intérieur. C'est pourquoi elle passait de plus en plus de temps dans la bibliothèque. Cette pièce lui avait paru austère les premières fois où elle s'y était rendue, mais, avec le temps, elle s'y sentait mieux. L'odeur des livres et la quiétude de l'endroit lui plaisaient de plus en plus. À quelques reprises, elle y avait croisé Clément et ils avaient pris plaisir à discuter ensemble.

Elle se sentait de plus en plus à l'aise avec le jeune homme. Il était d'une belle simplicité et il se montrait toujours aimable avec elle à chacune de leurs rencontres. Elle aimait sa compagnie et, en pareil contexte, avec le conflit qui perdurait entre Simone et Évelina, elle avait bien besoin d'un ami. Flavie se sentait prise au piège entre ses deux amies. Simone lui parlait comme avant, mais elle se refermait comme une huître dès qu'Évelina arrivait dans la pièce. Flavie savait à quel point Simone était blessée par l'attitude d'Évelina, qui n'avait rien fait pour régler la question. Cette dernière continuait à fréquenter le docteur Jobin. Simone ignorait toujours l'identité de l'amant d'Évelina, mais elle était fermement résolue à ne plus protéger les incartades de cette dernière. D'un ton rempli de colère, elle avait lancé à Flavie : « Qu'elle s'arrange avec ses problèmes. Si les sœurs découvrent son petit jeu, ça ne me dérangera pas. » Flavie savait très bien qu'il n'en était rien, mais le fait de le dire avait certainement soulagé Simone.

Mais pour le moment, Flavie ne voulait plus songer à la querelle entre ses deux amies, car elle devait se concentrer sur son rendez-vous de vendredi avec Léo. Elle porta machinalement la main à son chignon, songeuse. En se regardant dans le miroir ce matin-là, elle avait pris une décision. « Je passe un temps fou devant la glace chaque matin pour essayer de me coiffer. Finalement, la meilleure solution, c'est probablement une bonne coupe de cheveux. C'est vrai que j'ai l'air de venir tout droit de la campagne avec mon chignon. » Évelina aurait probablement pu lui conseiller une coiffeuse, mais elle préférait se débrouiller seule pour éviter d'entendre son amie parler de Simone et de ses bouderies.

Le lendemain, alors qu'elle disposait de deux heures entre son dernier cours et sa tournée de patients, elle se dépêcha de sortir pour se rendre rue Saint-Denis. Là-bas, elle trouverait certainement une coiffeuse capable de lui faire une jolie tête.

Le tramway numéro 5 la déposa au coin de Saint-Denis et Ontario. Flavie marcha un coin de rue avant de dénicher un salon de coiffure. Quelques dames attendaient patiemment sous les sèche-cheveux. Flavie s'installa sur la chaise que lui désigna la coiffeuse, une femme d'un certain âge aux lèvres barbouillées d'un rouge à lèvres voyant.

— Comment puis-je vous aider, mademoiselle ?

— J'aurais bien besoin d'une bonne coupe de cheveux, madame. Rien de trop court, mais quelque chose qui serait facile à coiffer.

— Ça fait très longtemps que je n'ai pas vu des cheveux aussi longs !

Pendant quelques instants, Flavie eut envie de se sauver en courant. Mais elle n'en fit rien. « On se calme ! Des cheveux, ça repousse ! » La coiffeuse s'amusait allégrement dans sa chevelure, et Flavie ferma les yeux pour ne pas voir les grandes mèches qui tombaient sur le sol. Quand elle n'entendit plus le « clic-clic » des ciseaux, elle ouvrit les yeux. Elle se retrouva devant une inconnue qui la détaillait dans le miroir. « Batèche ! Qu'est-ce que j'ai fait là ? » Elle se passa la main dans les cheveux ; qu'ils étaient courts ! Satisfaite de son travail, la coiffeuse retira la cape qu'elle avait placée sur les épaules de Flavie pour protéger ses vêtements. La jeune femme reprit son manteau et fouilla dans son sac comme un automate pour payer la coiffeuse. Encore surprise de son reflet dans le miroir, Flavie quitta le commerce. Elle réussit à attraper le tramway au coin de la rue et retourna à l'hôpital.

* * *

Flavie reprit son poste à l'hôpital immédiatement après sa sortie au salon de coiffure. Elle ne savait pas encore si elle s'habituerait à son changement de style. Plusieurs patients lui passèrent un commentaire. « Vous avez un petit quelque chose de changé, garde Prévost. » « Qu'avez-vous fait de vos beaux cheveux ? » Flavie répondit simplement qu'elle avait besoin de changement. Elle évita de se rendre à la salle à manger pour ne pas croiser Évelina et Simone. « C'est ridicule, mon affaire ; il faudra bien que je retourne dans ma chambre pour dormir. »

Pendant qu'elle préparait ses patients pour la nuit, Flavie se passa la main dans les cheveux à quelques reprises. Chaque fois, elle s'étonnait de constater à quel point ils étaient courts. « J'aurais dû me méfier d'une coiffeuse qui ne sait même pas appliquer son rouge à lèvres sans avoir l'air d'un clown ! Heureusement que j'ai ma coiffe et que nous sommes en hiver : je pourrai camoufler ma tête sous mon chapeau ! » Elle termina sa ronde et retourna à sa chambre avec appréhension. C'était une des rares fois où Flavie aurait voulu s'y trouver seule, mais ce fut impossible : Évelina était déjà là. Celle-ci s'exclama :

— Tabarouette, Flavie ! Veux-tu ben me dire ce qui s'est passé ?

— Je le sais ! C'est court ! J'en avais assez de ma tignasse, mais je regrette d'avoir fait couper mes cheveux.

— C'est vrai que c'est court, mais ça te va bien.

— Ah oui ?

— Avec un fer à friser, on devrait réussir à faire quelque chose de potable avec ta nouvelle coupe.

— J'aurais dû attendre, car tu connais sûrement de meilleures coiffeuses que celle que j'ai vue aujourd'hui.

— Elle devait manquer d'expérience ! Allez, viens ici que je voie de plus près.

D'un œil expert, Évelina examina la tête de Flavie.

— Veux-tu ben me dire pourquoi ça pressait tant de te faire couper les cheveux ?

— J'ai un rendez-vous ce vendredi… J'avais besoin de changement.

— Un rendez-vous ? Avec le beau docteur Clément ?

— Non. Avec Léo le journaliste.

— Ah ! Je comprends tout ! Je n'aurais pas été aussi radicale dans mon choix de coupe, mais il faut faire avec. Et la bonne nouvelle, c'est que ça repousse les cheveux !

— Je sais. C'est d'ailleurs ce qui me console.

— Une chance que tu n'es pas tombée sur la même coiffeuse que sœur Désuète. Tu aurais pu te retrouver avec une superbe brosse !

Flavie pouffa de la boutade. Elle pouvait toujours compter sur Évelina pour dédramatiser les pires situations.

* * *

Léo avait envoyé un message à Flavie l'informant qu'il passerait la prendre vers dix-huit heures dans le hall d'entrée de l'hôpital. Pendant toute cette journée-là, Flavie avait démontré de grands signes de nervosité lors de ses soins aux patients. Dans sa hâte de terminer sa journée, une assiette, un pichet et quelques verres avaient glissé de ses mains qui tremblaient. Elle avait dû remplacer une infirmière aux dispensaires parce que celle-ci était alitée à cause d'un mauvais rhume. Quand elle put enfin se rendre à sa chambre pour se préparer, Flavie croisa Évelina qui venait à sa rencontre.

— Que faisais-tu ? Je t'attendais pour t'aider à te préparer pour ta sortie avec le séduisant journaliste. À voir ta mine épuisée, je ne serai pas de trop !

— J'ai vraiment eu une journée harassante. Si ce n'était que de moi, je remettrais ce rendez-vous à un autre soir.

— Es-tu folle ? Avec quelques frisettes et un peu de rouge à lèvres, tu seras fabuleuse. Tu ne peux quand même pas manquer ce rendez-vous ! Je vendrais mon âme au diable pour être à ta place ! Allez ! Viens ici que je t'arrange un peu !

Flavie n'eut pas la force de résister. Elle laissa Évelina s'occuper de ses cheveux qu'elle commençait à apprivoiser. Évelina, dans son empressement, n'y alla pas de main morte.

— Ouch ! Veux-tu m'arracher le peu de cheveux qu'il me reste ?

— Bien sûr que non ! Je veux seulement que le beau journaliste te trouve de son goût avec ton nouveau *look* ! Tiens, on va te mettre un peu de rouge…

Flavie laissa Évelina lui appliquer du rouge à lèvres. Elle cria quand celle-ci lui pinça les joues.

— C'est pour te donner de la couleur ! On dirait que tu sors d'un hôpital !

— Ben oui, justement !

— Mais si tu t'arranges un peu, il pensera que tu t'es préparée durant toute la journée pour ton rendez-vous avec lui au lieu de « torchonner » des patients !

— « Torchonner » ! Je hais tellement cette expression, Évelina.

— Ben moi, ça me fait du bien de dire ce mot-là. C'est une façon d'exorciser les soins d'hygiène aux patients.

— Ça fait partie des tâches d'une infirmière…

— Je sais ! J'ai quand même hâte à l'an prochain, car nous pourrons faire les injections. C'est plus intéressant comme travail, je trouve.

— À la place des patients, j'aurais peur de me trouver en présence de « la garde Évelina qui en a assez de "torchonner" les gens et qui passe à l'attaque avec une seringue » !

— N'empêche que mes patients apprécient mes soins malgré ce que tu peux en penser, Flavie la parfaite !

— Je sais, je te taquine ! C'est toi qui as commencé en me pinçant les joues.

— Et puis ? Es-tu fière du résultat ?

Flavie se regarda dans le miroir. Elle dut reconnaître qu'elle était jolie. À l'aide du fer à friser, Évelina avait fait quelques boucles qui encadraient son visage, ce qui produisait un bel effet. Et le mascara sur ses cils faisait ressortir la profondeur de ses yeux bruns.

— Bon, la contemplation a assez duré, mademoiselle ! Tu ne vas pas faire attendre le beau Léo, quand même !

Vêtue de son manteau, Flavie prit l'escalier plutôt que l'ascenseur, qui se faisait souvent attendre de longues minutes. Elle était trop impatiente d'arriver dans le hall d'entrée et puis, en descendant l'escalier, elle pourrait se préparer mentalement à revoir Léo Gazaille. Elle avait beaucoup pensé à lui depuis qu'il avait obtenu son congé de l'hôpital.

Léo attendait Flavie dans le hall. Quand il la vit, son visage s'illumina. Il se dirigea vers elle et lui prit la main.

— Flavie ! Comme je suis heureux de vous revoir !

— Vous paraissez en grande forme, Léo.

— J'ai repris du poil de la bête, comme on dit ! J'espère que vous avez faim ! L'endroit où je vous emmène souper devrait vous plaire. À défaut d'avoir une voiture, je vous offre le tramway !

Flavie et son compagnon se rendirent au coin de la rue et prirent le premier tramway qui se présenta. Le jeune homme entretenait la conversation ; il racontait avec passion son métier de journaliste. Il écrivait depuis quelques années pour le journal *La Patrie*. Prenant plaisir à l'écouter, Flavie le questionna sur les différents articles qu'il avait rédigés, sur les reportages qu'il avait faits. La conversation dura un bon moment. Flavie ne vit pas le temps passer. Léo et elle descendirent du tramway boulevard Saint-Laurent et marchèrent quelques pâtés de maisons. Le journaliste s'arrêta devant un restaurant portant un écriteau que Flavie ne parvint pas à déchiffrer.

— J'imagine, Flavie, que vous n'êtes jamais venue jusqu'ici.

— Non, en effet.

La jeune femme contempla les bâtiments environnants; Léo l'avait conduite dans le quartier chinois. Elle avait déjà entendu parler de l'endroit, mais rien de plus. Léo poussa la porte du petit restaurant et une clochette se fit entendre. Quelques clients étaient attablés; pour la plupart, ils étaient d'origine asiatique. Léo invita Flavie à prendre place à une table près de la fenêtre. Fascinée par le décor qui s'offrait à elle, la jeune femme admira pendant quelques instants les bibelots de chats sur une tablette et les dragons dorés sur les fanions qui ornaient les murs. Sur la table, deux tasses de porcelaine attendaient d'être remplies. En détaillant la table recouverte d'une nappe à motifs chinois, la jeune femme eut l'impression qu'il manquait quelque chose, mais elle n'aurait su dire quoi tant elle était impressionnée par l'environnement. Dans un coin du restaurant, un phonographe diffusait de la musique chinoise, ce qui ajoutait au sentiment de dépaysement total ressenti par Flavie.

— C'est exotique comme endroit, n'est-ce pas?

Flavie se contenta de hocher la tête avant de reprendre son examen des lieux. Un homme âgé se présenta à la table avec une théière fumante. En versant le liquide bouillant dans les tasses, il salua Léo avec un accent chantant.

— Monsieur Gazaille! Je suis content de vous revoir. Je vous sers la même chose que d'habitude?

— Oui, monsieur Zheng, avec plaisir!

— À la demoiselle aussi?

Flavie acquiesça, ne connaissant rien de la nourriture chinoise. Elle trempa les lèvres dans sa tasse et but lentement le liquide chaud. «Même le thé ici est déconcertant!» Léo se pencha vers elle.

— Je viens souvent manger ici. C'est monsieur Zheng qui sert aux tables, mais c'est madame Zheng qui cuisine. Elle viendra me dire bonsoir dès que son mari lui dira que je suis ici.

Au même moment, une femme au visage ridé sortit des cuisines. Flavie la regarda approcher. Sa démarche la faisait ressembler à s'y méprendre à Delvina, mais avec les yeux bridés. La vieille femme, qui portait une robe en soie brodée et un tablier, prit la main de Léo et lui chanta :

— « Bonsoual, mistère Lio ! »

— Madame Zheng, vous semblez en excellente forme. J'ai très hâte de manger ce que vous me préparerez.

Pour toute réponse, madame Zheng hocha la tête et retourna aux cuisines.

— Elle ne parle pas notre langue, expliqua Léo. « Bonsoir, monsieur Léo » est la seule chose qu'elle réussit à prononcer en français. Elle prend d'ailleurs plaisir à dire ces mots. Monsieur Zheng s'est mieux intégré à notre culture, car il négocie tous les jours avec des commerçants et il prend les commandes des clients. La majorité de ceux-ci viennent du même coin que lui – Guangzhou –, mais de temps à autre, des touristes se perdent par ici. Ils entrent alors dans le restaurant pour demander leur chemin, et ils restent pour se régaler de l'excellente nourriture préparée par madame Zheng.

— En tout cas, je dois dire que l'odeur qui se dégage des cuisines me donne l'eau à la bouche. Je suis affamée !

— J'ai beaucoup parlé de moi en chemin, mais je vous connais peu, garde Prévost...

Flavie chercha pendant quelques secondes ce qu'elle pourrait bien raconter d'intéressant à Léo. Finalement, elle aborda le sujet de sa candidature pour devenir infirmière, et lui apprit que sa mère, sa grand-mère – qui ressemblait à madame Zheng comme deux gouttes d'eau – et son frère habitaient toujours à La Prairie. Elle ajouta qu'elle appréciait grandement la formation proposée par l'hôpital et qu'elle ne regrettait pas son choix de carrière.

Flavie se sentait bien en compagnie de Léo, tout comme lorsqu'elle était avec Clément. Le journaliste l'écoutait attentivement – une déformation professionnelle, peut-être –, mais Flavie percevait un réel intérêt de sa part.

— Ça me paraît évident que vous aimez votre profession, Flavie. Vous la pratiquez avec une telle ferveur. J'ai pensé que vous vous occupiez aussi bien de moi pour m'impressionner, mais j'ai constaté que vous agissiez de la même manière avec les autres patients. Cela m'a d'ailleurs un peu attristé…

L'arrivée de monsieur Zheng soulagea Flavie, car cela lui évita de commenter les dernières paroles de son compagnon. Le vieil homme déposa deux bols fumants sur la table. Flavie imita Léo, qui avait saisi une curieuse cuillère en porcelaine, et goûta au bouillon. Le goût lui rappelait vaguement la soupe au bouillon de poulet de sa grand-mère, mais avec un assaisonnement inconnu. Flavie appréciait la chaleur de la soupe qui se répandait dans tout son corps. Peut-être le regard insistant de Léo était-il également pour quelque chose dans cette sensation…

Dès que les bols de soupe furent vides, monsieur Zheng apporta des assiettes remplies d'étranges boulettes de pâte. Devant le regard interrogateur de Flavie, Léo entreprit d'expliquer en quoi consistait le repas.

— Ce sont des *dim sum*, des boulettes de pâte farcies de viande et d'herbes. Ça semble curieux comme plat, mais je vous assure, c'est délicieux !

Flavie se rendit compte alors de ce qui manquait sur la table à son arrivée. « Il n'y a pas de fourchettes ! Avec quoi vais-je manger ces trucs-là ? » Comme si Léo avait lu dans ses pensées, il lui tendit une paire de baguettes de bois.

— Déconcertant, n'est-ce pas ? Vous verrez, on s'habitue rapidement à ce genre d'ustensiles. Les jeunes enfants chinois se débrouillent très bien avec, alors pourquoi pas nous ?

Flavie observa les clients attablés à la table d'à côté. Ils maniaient la baguette avec la précision d'un chirurgien avec son bistouri. Léo lui montra comment placer les baguettes. D'une main mal assurée, la jeune femme porta la première boulette de pâte à sa bouche. Elle n'était pas certaine d'apprécier la texture de la boule de pâte cuite à la vapeur, mais en la croquant, un déluge de saveurs lui fit réaliser qu'elle adorait les mets chinois. Elle n'avait jamais rien avalé de semblable. Léo fut ravi de constater que son invitée mangeait avec gourmandise.

— C'est vraiment délicieux ! s'exclama Flavie. Madame Zheng cuisine aussi bien que ma grand-mère, en plus de lui ressembler !

— C'est dommage que cette nourriture soit inconnue de la plupart des Montréalais.

— En effet ! C'est un secret bien gardé ! Je pense que même mon amie Évelina – une vraie de vraie Montréalaise – n'a jamais rien mangé d'aussi bon !

Flavie finit son assiette avec appétit. Le repas se termina par un *fortune cookie* et plusieurs tasses de thé. Léo lut à voix haute le petit bout de papier découvert dans son biscuit. Celui-ci donnait le conseil suivant : *Ne négligez pas la personne devant vous.*

— Comme le biscuit dit toujours la vérité, cela signifie que je vais devoir vous réinviter, Flavie ! À votre tour, maintenant, de lire votre message.

Flavie déplia le bout de papier. Elle gloussa devant la citation.

— Ouais ! Les messages des biscuits chinois ne se trompent vraiment pas… Le mien dit : *Vous aimez les mets chinois !*

* * *

Simone dormait déjà quand Flavie franchit la porte de la chambre. Évelina, pour sa part, l'attendait ; elle venait de terminer d'installer ses bigoudis pour la nuit. Elle avait agi le plus silencieusement possible ; elle voulait éviter à tout prix une confrontation avec Simone. La situation s'envenimait de jour en jour à cause de son refus de parler à Simone et de régler leur différend une bonne fois pour toutes. Mais les deux jeunes femmes s'étaient enlisées dans l'incompréhension, et aucune ne savait comment se sortir de ce mauvais pas.

En voyant le regard pétillant de Flavie, Évelina devina que Léo lui avait fait passer une excellente soirée et, surtout, qu'il l'avait probablement embrassée. Chuchotant pour éviter de réveiller Simone, Évelina s'installa sur le lit de Flavie pour discuter un peu avant de dormir.

— Pis ? Embrasse-t-il aussi bien qu'il est beau ?

— Tu es vite en affaires, toi ! T'as oublié le « Bonsoir, Flavie, tu as passé une belle soirée ? »

— Arrête de niaiser, mademoiselle Prévost, et raconte-moi tout ! Je mérite au moins ça pour m'être occupée personnellement de ta coiffure et de ton maquillage.

— J'ai passé une excellente soirée. Léo est gentil, intéressant, prévenant, et il possède un excellent sens de l'humour.

— On dirait que tu parles de ton frère, Flavie. Ne me fais pas languir !

Flavie pensa à son retour vers l'hôpital en compagnie de Léo. Celui-ci lui avait raconté comment il s'était retrouvé seul après avoir quitté sa ville d'origine, Saint-Hyacinthe, pour venir s'installer définitivement à Montréal. De temps à autre, sa famille lui manquait, mais il ne retournerait pas dans son « gros village » comme il disait. Il avait aussi avoué à quel point il avait été touché lorsque Flavie l'avait rassuré avant son opération. Juste avant de la quitter devant l'hôpital, il lui avait demandé la permission de l'inviter à nouveau parce qu'il aimait bien sa compagnie. Ensuite, le plus naturellement du monde, il avait posé ses lèvres sur les siennes. Flavie était restée figée quelques secondes, puis elle avait répondu au baiser. Des papillons plein le ventre, elle avait regagné sa chambre, se doutant bien qu'Évelina devait attendre impatiemment son retour pour connaître « tous les détails scabreux », d'après sa propre expression. Mais loin d'être scabreux, les détails étaient plutôt agréables. Flavie attendait avec impatience son prochain rendez-vous avec Léo.

Devant l'air interrogateur d'Évelina, Flavie haussa les épaules.

— Ben oui, il m'a embrassée. Et si tu veux tout savoir, j'ai aimé ça !

— Bon ! Tu vois que tu es capable, Flavie. Je n'en revenais tout simplement pas de la façon dont s'est terminé ton dernier rendez-vous avec Clément. Espérons que le beau journaliste connaît un peu mieux l'anatomie d'une femme que le docteur Langlois !

— Évelina !

Flavie avait haussé le ton. Simone se retourna dans son lit, mais elle ne se réveilla pas. Flavie murmura à Évelina :

— On s'est seulement embrassés, quand même.

— Bah ! Il y a un début à tout, tu sais, Flavie. Un rendez-vous est prévu pour bientôt ?

— Sûrement ! Je ne sais pas quand, mais dans un avenir rapproché, c'est certain.

— Tant mieux ! Pauvre Simone, elle devra couvrir tes absences, à toi aussi…

— Je vais respecter le couvre-feu, moi, Évelina. D'ailleurs, il est tard et je travaille aux dispensaires demain. Ouste !

Flavie fit un geste de la main pour chasser Évelina de son lit. Celle-ci lui souhaita bonne nuit, puis elle lui laissa la place. Flavie savait très bien qu'elle passerait une bonne nuit, car elle sentait encore la chaleur des lèvres de Léo sur les siennes. Elle s'endormit en espérant recevoir très bientôt des nouvelles du jeune homme.

* * *

Simone aussi avait été assignée aux dispensaires ; Flavie et elle s'y rendirent ensemble. Plus discrète qu'Évelina, Simone ne l'interrogea pas sur sa sortie de la veille.

— Tu ne me demandes pas comment ça s'est passé avec Léo hier soir ? lui demanda Flavie.

— Je me suis dit que si tu avais envie de m'en parler, tu le ferais. Je ne voulais pas te forcer.

— Je n'ai jamais besoin de me forcer pour te faire des confidences, Simone, tu le sais bien.

Une lueur de curiosité brilla dans l'œil de Simone.

— Alors ?

— J'ai réellement passé une belle soirée avec Léo. Il m'a emmenée manger dans le quartier chinois. C'est un endroit fabuleux. Il faudrait bien qu'on y aille un jour toutes les trois, Évelina, toi et moi. Ça vaut vraiment le détour.

— Allez-vous vous revoir, Léo et toi ?

— Je pense que oui. Nous avons beaucoup de points en commun.

— Je suis maintenant la seule à ne pas avoir trouvé chaussure à mon pied.

— Dans mon cas, je ne suis pas encore certaine que la pointure soit bonne…

— Au moins, tu as une chaussure à essayer !

Simone lui donna une tape sur l'épaule, ce qui fit rire Flavie. Cette dernière déclara :

— Concentrons-nous maintenant sur notre travail d'infirmière, garde Lafond. Nous irons magasiner des souliers un autre jour !

— Pis tu vas m'emmener dans le quartier chinois pour ça ?

— Si tu es fine, Simone ! Pour le moment, si tu es libre ce soir, mon oncle Victor m'a invitée à manger chez lui. Il voulait que je te demande si ça te tentait de m'accompagner.

— C'est gentil, et ça me ferait plaisir d'y aller avec toi.

— Parfait ! On se rejoint dans notre chambre en fin d'après-midi. Allez, au boulot !

Flavie quitta Simone, qui s'occupait de la clinique d'ophtalmologie pour la journée. Pour sa part, Flavie avait été assignée à la salle des plâtres. Le travail était salissant ; elle serait obligée de laver sa robe ce soir-là. Mais elle aimait quand même travailler dans cet endroit. Les bandelettes trempées dans un mélange de plâtre devaient être appliquées sur le membre cassé avec minutie. Elles devaient être juste assez serrées pour immobiliser le membre fracturé tout en ne nuisant pas à la circulation sanguine. Flavie avait effectué plusieurs fois cette tâche sous la supervision d'une infirmière de troisième année, et même devant une garde diplômée. Chaque fois, elle avait reçu des félicitations sur sa manière de procéder.

Quelques patients qui avaient reçu le résultat de leur radiographie attendaient dans la petite salle adjacente à la salle des plâtres. Flavie y vit Robin, qui attendait avec sa mère et une petite fille plus jeune que lui. Il reconnut la jeune femme et lui adressa un large sourire.

Flavie s'occupa de sa première patiente, une femme qui s'était fracturé le bras en tombant sur une plaque de glace. Une fois le plâtre installé, la femme retourna dans la salle d'attente ; le matériau devait être complètement sec avant qu'elle puisse rentrer chez elle. Flavie appela Robin. Le garçon entra dans la salle d'examen en boitant, suivi de sa mère et de sa sœur.

— Flavie ! Je suis tellement content que ce soit toi qui me fasses mon plâtre. Le médecin m'a dit que je devrai le garder quelques semaines.

— Qu'est-ce que tu as encore fait, Robin ?

En posant la question, Flavie avait fait un clin d'œil à madame Arsenault. Celle-ci soupira et répondit à la place de son fils.

— Il est tombé d'un camion en marche, le petit « mosus » !

— Hein ? C'est dangereux ce que tu as fait là, Robin. Tu aurais pu te tuer !

— Je voulais simplement prendre quelques morceaux de charbon. Le camion est reparti plus vite que je m'y attendais.

Devant les yeux tristes de madame Arsenault, Flavie comprit que Robin avait voulu s'emparer d'un peu de charbon pour pouvoir chauffer le logement de sa famille. Flavie installa le garçon sur la table d'examen. Elle nettoya sa jambe et appliqua un morceau de coton pour protéger sa peau avant de déposer les bandelettes imbibées du mélange de plâtre. Elle ressentit un pincement au cœur en voyant la jambe décharnée et couverte de bleus de Robin. « Si ça a du bon sens qu'un petit garçon comme lui doive aider sa mère comme un homme le ferait. » Elle termina le bandage et aida l'enfant à se mettre debout.

— Maintenant, monsieur Arsenault, vous allez devoir passer un peu de temps dans la salle d'attente, le temps que mon œuvre d'art sèche. Ensuite, vous pourrez partir.

Flavie installa Robin sur une chaise. Ensuite, elle vérifia le plâtre de sa première patiente et lui donna son congé. Comme il n'y avait plus personne qui attendait, Flavie en profita pour se rendre à sa chambre. Elle voulait aider la famille de Robin. Victor lui avait fait parvenir une enveloppe avec plusieurs billets de banque et, en plus, elle touchait un salaire mensuel de sept dollars. Si cet argent pouvait servir à autre chose qu'à acheter des vêtements dont elle n'avait nullement besoin, tant mieux. La jeune femme se dépêcha de retourner à son travail. Dans la salle d'attente, elle remit une enveloppe à madame Arsenault. Celle-ci ne l'ouvrit pas ; elle se mit à la retourner dans tous les sens.

— J'ai pensé que cet argent pourrait vous aider à terminer l'hiver, déclara Flavie.

Madame Arsenault hocha la tête négativement. Elle tendit l'enveloppe à Flavie, qui la refusa. Cette dernière reprit, à voix basse, pour ne pas gêner inutilement la mère de Robin :

— Étant donné l'état de votre fils, il est hors de question qu'il se lance à la quête de charbon. Cet argent vous permettra de vous chauffer jusqu'à la fin de l'hiver.

— Je ne peux pas accepter…

— Mais oui ! Ça me ferait réellement plaisir et, surtout, ça me rassurerait de savoir que vous n'aurez pas froid et que Robin n'aura plus à aller chercher de quoi vous chauffer.

— Je ne sais pas quoi vous dire, garde. La crise perdure et c'est difficile de subvenir à nos besoins. Je me sens donc obligée d'accepter. Mais je vous rembourserai dès que je le pourrai.

— Je vous l'offre. Prenez cet argent comme un cadeau.

Les yeux humides, madame Arsenault regarda sa bienfaitrice. Elle lui souffla simplement : « Merci ! » Robin s'accrocha au bras de sa mère. Avant de partir en claudiquant, il murmura :

— Tu es la meilleure infirmière au monde, Flavie.

— Tu peux venir me voir quand tu veux, Robin. Mais promets-moi de ne pas te blesser pour le faire !

Flavie lui fit un clin d'œil, lui ébouriffa les cheveux de la main et le regarda s'éloigner. Elle termina ses soins aux patients avant de retourner à sa chambre, le cœur léger grâce à la bonne action qu'elle venait de faire. Elle avait eu peur que madame Arsenault le prenne mal. Malgré sa pauvreté, cette femme avait sa fierté. Flavie savait que la famille de Robin n'était pas la seule à subir encore les contrecoups de la crise de 1929. Mais si elle avait réussi à alléger un tant soit peu le fardeau de cette femme, cela la réjouissait.

Simone l'attendait dans la salle de repos, fin prête pour le souper chez Victor. Pour la première fois depuis son conflit avec Évelina, Simone déplora l'absence de cette dernière.

— C'est dommage qu'Évelina ne puisse pas se joindre à nous ce soir. Elle ne connaît pas encore ton parrain.

— Je l'ai croisée tout à l'heure et je l'ai invitée. Elle est de garde ce soir. Moi aussi, j'aurais aimé qu'elle nous accompagne. Vous n'auriez pas eu le choix de régler votre différend.

— Je ne sais vraiment pas quoi lui dire, Flavie, pour que nous redevenions amies comme avant. Elle m'a profondément blessée et j'aurais souhaité des excuses de sa part.

— Je te comprends. Mais tu connais Évelina : elle n'est pas tellement du genre à reconnaître ses torts.

— Je sais.

Simone suivit Flavie jusque dans le hall d'entrée. En franchissant le seuil de l'hôpital, cette dernière reconnut la voiture de son oncle. Arthur était au volant. Dès qu'il vit les jeunes femmes, il sortit pour leur ouvrir la portière.

— Monsieur Victor ne voulait pas que vous veniez chez lui en tramway comme la dernière fois.

— C'est bien gentil à vous, Arthur, d'être venu nous chercher.

Flavie s'installa sur la banquette arrière avec Simone. Les amies regardèrent défiler les rues enneigées de la métropole. C'était à croire que l'hiver ne finirait jamais. Depuis quelques jours, il neigeait de plus belle et les températures s'étaient passablement refroidies. Le mois de février à Montréal n'était pas différent de celui à La Prairie. Flavie trouvait glacial le premier hiver passé loin de sa famille. Heureusement, ses liens d'amitié avec Simone, Évelina et Clément, ainsi que sa récente sortie avec Léo lui avaient un peu réchauffé le cœur.

Victor vint à la rencontre de ses invitées lorsqu'elles entrèrent dans la luxueuse résidence.

— Ça me fait tellement plaisir d'avoir de la compagnie pour souper. Vous êtes bien aimables, mesdemoiselles, de venir manger avec un vieux monsieur esseulé.

Flavie sourit aux propos de son oncle.

— Esseulé peut-être, mais pas encore vieux, Victor.

— Ah ! Flavie ! Je me sens si vieux, parfois…

L'hôte convia Flavie et Simone à passer au salon. Il leur servit ensuite un verre de vin blanc que les deux amies dégustèrent au coin du feu. Victor s'informa des événements survenus à l'hôpital au cours des semaines précédentes. Flavie lui parla de l'histoire de Robin qui l'avait particulièrement touchée. Elle lui confia aussi qu'elle avait remis une enveloppe contenant un peu d'argent à la mère du jeune garçon.

— Je reconnais là la générosité de ta mère, Flavie. Bernadette pourrait donner jusqu'à son dernier dollar pour aider quelqu'un dans le besoin. Elle-même était dans la misère à la mort de ton père et je me souviens qu'une fois, elle a secouru une voisine qui peinait à joindre les deux bouts. Et vous, mademoiselle Simone, vous aimez toujours autant vos cours ?

— Ils me passionnent, monsieur Desaulniers.

— Simone passe beaucoup de temps à étudier et très peu à se divertir, déclara Flavie.

— Il faut évidemment garder un équilibre entre le travail et les loisirs, Simone.

— Pour le moment, je suis très à l'aise avec mon horaire du temps. Flavie dit que j'étudie trop, mais je veux être prête pour les examens de fin d'année.

— Et tu le seras, Simone. Évelina et moi n'arrêtons pas de te le dire. Si toi tu n'es pas prête, personne ne le sera!

Arthur les invita à passer à table. La vaste salle à manger possédait de magnifiques boiseries et un superbe lustre éclairait les lieux. Une immense table trônait au centre de la pièce et de confortables chaises en acajou invitaient les convives à prendre part au festin. La table avait été mise comme pour un jour de fête. Flavie en fit la remarque à Victor.

— C'est beaucoup trop pour nous, Victor. Nous sommes habituées à l'austérité d'une salle à manger ressemblant à celle d'un couvent.

— Je reçois rarement, Flavie. Alors, quand j'ai des invités, j'en profite! Ma cuisinière a fait cuire un gigot d'agneau. J'espère que vous apprécierez tous les plats, mesdemoiselles.

Pendant le repas, Flavie expliqua en quoi consistaient les différents cours auxquels ses amies et elle devaient assister. Il fut aussi question de la montée du fascisme en Europe. En tant que vétéran de la guerre 1914-1918, Victor craignait l'avènement d'une seconde guerre mondiale. Pour une rare fois, il parla un peu de son expérience sur le champ de bataille.

— Ce que j'ai vu là-bas, mesdemoiselles, est insupportable pour la mémoire d'un homme. Je ne peux pas croire que l'humanité sera de nouveau précipitée dans un conflit d'une aussi grande envergure. Adolf Hitler me fait craindre le pire. Tant de gens de ma génération ont perdu la vie ou leur santé lors de la Grande Guerre que je n'ose imaginer qu'un pareil scénario puisse se reproduire. Si le Canada entrait dans une nouvelle guerre, Antoine serait appelé, lui aussi.

Flavie resta songeuse. Elle ne pouvait imaginer son frère, qu'elle aimait plus que tout, sur un champ de bataille quelque part en Europe. Sa mère ne pourrait le supporter.

— Le père de mon ami Clément est lui aussi allé en Europe. Il était chirurgien dans des hôpitaux de campagne.

— Nous devons de sincères remerciements aux hommes qui se sont occupés des blessés. Il y avait bon nombre d'infirmières aussi qui ont veillé sur nous. Sans l'intervention de ces gens, je ne serais pas en train de manger avec vous. Vous étudiez toutes les deux pour apprendre un des plus beaux métiers du monde. Vous le savez, j'espère ? Les patients qui quittent l'hôpital vous témoignent sûrement une grande reconnaissance.

— Certains invitent même les infirmières à souper pour les remercier...

Simone avait regardé Flavie en prononçant cette phrase. Cette dernière essaya de contenir son fou rire, ce qui n'échappa pas à Victor.

— Qui de vous deux, mesdemoiselles, a eu droit à cet honneur ?

— Qui d'autre que Flavie, monsieur Desaulniers ?

— Tu peux tout me raconter, Flavie. Je saurai être discret ; ta mère n'en saura rien.

— Ouf! Parce que j'imagine très bien ce qu'elle me dirait : « C'est inconcevable que ma fille sorte avec des étrangers dans des lieux malfamés de Montréal. » Ma mère a toujours peur que je sois en « perdition ».

— Elle s'inquiète pour toi, ce qui est normal, Flavie. J'espère que le jeune homme qui t'a invitée s'est montré respectueux et bienveillant.

— Un parfait *gentleman*, mon oncle ! Il m'a fait découvrir un petit restaurant du quartier chinois.

— Mon Dieu ! Je ne me rappelle pas la dernière fois où je suis allé manger là-bas ! Tu as aimé ça ?

— Oui. Et dans le restaurant, j'ai même rencontré le sosie de ma grand-mère en version chinoise !

Flavie lui relata sa rencontre avec madame Zheng. Voulant détourner le sujet sur le repas plutôt que sur la personne qui l'avait conduite là-bas, la jeune fille décrivit à son parrain ce qu'elle avait mangé et bu, l'ambiance du restaurant et la musique qui y jouait. Elle alla même jusqu'à lui parler des différents bibelots ornant les tablettes des murs. Victor sourit : il avait deviné le manège de Flavie.

— Et puis ? Ce jeune homme a-t-il apprécié autant que toi les *dim sum* ?

Flavie se fit prendre au jeu. Elle répondit en toute franchise.

— Léo n'en était pas à sa première expérience dans ce restaurant. Il connaît très bien les propriétaires.

— Ainsi, il s'appelle Léo !

— Euh… oui. Et il est journaliste à *La Patrie*.

— Un journaliste ! Je croyais que tu t'intéressais à un médecin, ce Clément dont tu as parlé tout à l'heure.

— Léo et Clément sont des amis, oncle Victor. Rien de plus.

— Bien sûr !

Flavie savait que Victor s'amusait à ses dépens, c'était évident. De toute façon, son parrain savait combien elle était sage.

— Fais quand même attention à ne pas briser des cœurs, Flavie.

— Promis, oncle Victor !

Le repas se termina dans la bonne humeur. Flavie et Simone s'étaient régalées de l'agneau servi avec une sauce à la menthe. Elles avaient accepté de prendre du dessert par pure gourmandise. Elles ne s'étaient pas éternisées après le repas, car elles devaient rentrer tôt. Au moment du départ, Victor serra Flavie dans ses bras et Simone embrassa sur une joue le parrain de son amie.

— Merci encore une fois pour votre invitation, monsieur Desaulniers.

— Vous êtes toujours la bienvenue, Simone. Et à l'avenir, je vous prierais de m'appeler Victor. J'ai l'impression d'être un centenaire avec votre « monsieur Desaulniers » !

Arthur raccompagna Flavie et Simone avant le couvre-feu. Pendant le trajet, Simone expliqua à Flavie à quel point elle la trouvait chanceuse d'avoir quelqu'un comme Victor dans sa vie.

— Peu importe ce que tu diras ou ce que tu feras, Flavie. Il te soutiendra, c'est évident.

— Victor est un ami de la famille depuis plusieurs années. Je le considère comme un oncle. Il a toujours été là pour nous. C'est le seul lien qui subsiste avec mon père. J'imagine que Victor et mon père devaient beaucoup se ressembler s'ils étaient amis.

— Tu as beaucoup de chance. Victor se soucie réellement de toi. Mon oncle et ma tante ne sont pas aussi bienveillants à mon égard.

Arthur les déposa devant l'hôpital et leur souhaita une bonne nuit. Simone et Flavie montèrent dans leur chambre, certaines de la trouver vide. Évelina n'avait sûrement pas encore terminé sa garde. Mais leur amie était déjà couchée. « Ce n'est pas dans ses habitudes de se coucher si tôt ! Elle doit couver quelque chose », se dit Flavie en se glissant dans son lit. Elle trouva rapidement le sommeil.

* * *

Quand Flavie s'éveilla le lendemain, Simone avait déjà quitté la chambre, mais Évelina était encore couchée. « Elle ne fait jamais la grasse matinée. Qu'est-ce qui se passe ? » Flavie, inquiète, se pencha sur la dormeuse. Évelina la dévisagea, les yeux bouffis et cernés.

— Qu'est-ce qu'il y a, Évelina ? Tu ne te sens pas bien ?

— Non, non, ça va aller. Je dois avoir contracté un rhume comme tout le monde en ce moment. Je ne pense pas être capable d'assister aux cours ce matin.

— Mademoiselle Richer ! Une bonne infirmière se doit d'être présente en tout temps !

Flavie avait pris le ton exaspéré de sœur Désuète. Elle était fière du résultat mais, malgré son effort pour détendre l'atmosphère, Évelina resta de marbre. Flavie s'assit sur le matelas, forçant ainsi Évelina à se pousser. Elle posa sa main sur le front de son amie.

— Tu ne sembles pas faire de fièvre, pourtant…

— C'est beau pour l'examen, garde Prévost. Je peux dormir, astheure ?

— Tu sais que sœur Désuète déteste les absences ?

— Je me fous pas mal de sœur Désuète, ce matin…

Flavie n'insista pas.

— Je lui dirai que tu ne te sens pas bien. Peut-être que tu pourras nous rejoindre cet après-midi au cours d'anatomie ?

Pour toute réponse, Évelina se contenta de cacher son visage sous le drap. Flavie la laissa seule, un peu inquiète de sa réaction. « Ce n'est pas un rhume ordinaire, ça. Il y a forcément autre chose. »

Simone attendait Flavie dans la salle à manger.

— Évelina n'était pas levée ce matin quand je suis partie, commenta-t-elle. Elle s'en vient ?

— Non. Elle préfère rester couchée. Elle ne se sent pas bien.

— Ah bon…

— Je lui ai parlé avant de venir te rejoindre. Elle est bizarre et ne semble pas si enrhumée que ça.

— À mon avis, ça sent la rupture…

— Quoi ?

— Je mettrais ma main au feu, Flavie, qu'elle est en peine d'amour.

— Tu penses ?

Flavie resta songeuse. Évelina aurait-elle feint la maladie pour cacher sa peine ? Il faudrait qu'elle l'interroge là-dessus. En voyant l'heure, la jeune femme se dépêcha. Elle avala en vitesse son bol de gruau et faillit s'étouffer avec sa tasse de café.

— Il ne faut surtout pas être en retard au cours de sœur Désuète, déclara-t-elle. Déjà que je devrai justifier l'absence d'Évelina…

* * *

Sœur Désuète balaya la salle du regard. Ses yeux se fixèrent sur la chaise vide d'Évelina.

— Mademoiselle Richer nous prive de sa présence ce matin… Quelqu'un connaît-il la raison de son absence ?

Simone allait répondre, mais Flavie fut plus rapide. Elle se leva et expliqua :

— Évelina a contracté un mauvais rhume et elle est alitée. Je pense qu'un peu de repos la remettra sur pied rapidement.

— Vous êtes capable de poser des diagnostics maintenant, mademoiselle Prévost ?

— Non, sœur Désu… euh… Désilets. Mais Évelina était mal en point ce matin.

— Dans ce cas, c'est aussi bien qu'elle soit restée couchée. Je n'ai pas envie qu'elle contamine les patients !

Flavie avait croisé le regard amusé de Georgina qui riait sous cape. Elle s'était rassise en essayant d'oublier que celle-ci la fixait encore. « Toujours à l'affût de potins, celle-là ! Elle m'énerve avec son air de sainte nitouche. J'aimerais tellement la remettre à sa place une bonne fois pour toutes ! » Flavie se tourna vers Georgina et lui sourit de toutes ses dents. Cette dernière détourna les yeux sans pour autant effacer le petit rictus de son visage. Flavie essaya de se concentrer sur le cours, mais n'y parvint pas. Elle repensait à ce que Simone lui avait dit un peu plus tôt ; celle-ci avait peut-être raison. Une peine d'amour pouvait très bien être la cause de la « maladie subite » d'Évelina. Quand Flavie avait mentionné le cours d'anatomie, Évelina s'était recroquevillée sous les couvertures.

Flavie avait hâte de retourner auprès d'Évelina. Elle ne savait pas si elle disposerait de suffisamment de temps immédiatement après le cours, mais elle comptait aller prendre des nouvelles de son amie le plus tôt possible.

* * *

La tournée des patients avait été éprouvante pour Flavie : elle avait dû donner le bain à une femme tétraplégique. Charlotte et elle avaient fait couler le bain et préparé celle-ci à recevoir les soins d'hygiène. Encore une fois, Flavie s'était fait attribuer par Suzelle Pelletier la patiente la plus acariâtre de la salle. Quand Flavie lui avait demandé si l'eau du bain était trop chaude, la femme s'était moquée d'elle : « Pourquoi c'est toujours moi qui me retrouve avec une infirmière idiote ? Je ne sens rien, mademoiselle, je suis paralysée ! » La femme s'était montrée récalcitrante et les critiques avaient plu sans arrêt. «Je n'ai jamais senti un savon qui pue autant!» «C'est toujours au moment où je veux faire la sieste que vous venez me déranger pour faire ma toilette. On dirait que vous faites exprès!» «Vous travaillez si lentement, garde, qu'on devine facilement que vous n'avez pas inventé les chevaux de course.» «Dépêchez-vous, mademoiselle, je gèle "ben raide!"» Flavie avait fait ce en quoi elle excellait depuis son arrivée à l'hôpital: elle avait gardé le sourire – malgré son envie de plonger la tête de la patiente sous l'eau. Évelina aurait certainement répliqué à de tels propos. Flavie savait que ça ne servait à rien de se laisser prendre au jeu des patients qui se plaignent sans raison. Elle s'était dépêchée de terminer la toilette de la femme et lui avait enfilé une chemise de nuit propre. Flavie avait ajouté une couverture sur le lit de la patiente, puis elle avait recouché celle-ci et lui avait souhaité une bonne sieste.

Durant le cours d'anatomie, Flavie avait trouvé que le docteur Jobin semblait fatigué. Habituellement, il aimait bien plaisanter, mais ce jour-là, il s'était contenté de distribuer quelques feuilles à ses étudiantes et de leur expliquer sommairement et sans entrain le fonctionnement du système digestif. À quelques reprises, il avait posé les yeux sur la chaise vide d'Évelina pendant qu'il parlait. Flavie avait compris à ce moment que Simone avait raison: Évelina et son amant avaient rompu.

La distribution des soupers faite et les patients installés pour la nuit, Flavie put enfin regagner sa chambre. Elle y trouva Simone tentant de consoler Évelina. «C'est dommage qu'Évelina ait autant de chagrin, songea Flavie. Mais elles feront enfin la paix, ces deux-là!» La jeune femme s'approcha des deux amies enlacées et s'assit près d'elles. Évelina se moucha bruyamment avec le mouchoir que Flavie lui avait tendu, puis elle déclara:

— Madame Jobin a reçu une lettre anonyme l'informant que son cher mari avait une liaison avec une élève infirmière. Marcel m'a dit que puisque sa femme savait, il devait mettre un terme à notre relation. Il a ajouté qu'il regrettait qu'on ne se soit pas connus avant, et patati et patata…

— Tu savais que cette relation ne serait pas éternelle, Évelina. Tu me l'avais dit toi-même, mais tu voulais en profiter quand même.

Évelina renifla et se moucha de nouveau.

— Je me sens comme un vieux kleenex qu'on jette après usage.

— Je pense que le docteur Jobin est vraiment malheureux de votre rupture. Tu aurais dû le voir cet après-midi, n'est-ce pas, Simone ?

L'interpellée acquiesça.

— Ce qui me choque le plus, ajouta Évelina, c'est que je suis certaine que Georgina a quelque chose à voir dans cette histoire. La lettre anonyme, c'est elle qui l'a envoyée, j'en mettrais ma main au feu. La maudite !

— Pourquoi dis-tu ça ?

— Parce que l'autre jour, pendant que nous discutions dans le couloir Marcel et moi, elle nous a surpris. On ne faisait que parler, mais elle en a peut-être déduit – ce qui me surprendrait beaucoup parce qu'elle est tellement imbécile – que nous entretenions une relation. Elle a tenté le tout pour le tout et a envoyé cette lettre. De toute façon, que son accusation soit vraie ou fausse, elle était certaine d'entacher définitivement ma réputation, la garce !

Simone posa sa main sur le bras d'Évelina.

— On le saura bien assez vite, si c'est elle la coupable. Georgina aime tellement se vanter de ses mauvais coups.

— Trop vrai ! approuva Évelina.

— Cette histoire aura au moins eu du bon : Simone et toi, vous vous êtes enfin réconciliées ! Je n'en pouvais plus de vous voir vous regarder en chiens de faïence.

— Ton amitié m'a beaucoup manqué, Évelina, avoua Simone.

— J'ai failli perdre ton amitié, Simone, pour une histoire sans issue. Pardonne-moi.

Évelina fondit de nouveau en larmes. Les trois amies se serrèrent les unes contre les autres pour se réconforter.

* * *

Évelina retourna en classe le lendemain. Elle croisa Georgina à quelques reprises dans le couloir sans lui porter la moindre attention, comme le lui avait suggéré Flavie. Georgina avait paru sur ses gardes les premières fois où elle s'était trouvée dans la même pièce qu'Évelina. Le calme de celle-ci l'étonnait, mais elle restait méfiante. Évelina l'avait sûrement à l'œil et, au moindre faux pas de sa part, elle assouvirait sa vengeance.

Flavie avait reçu un bouquet de fleurs de la part de Léo, avec une petite carte demandant : *Pour quand, le prochain rendez-vous ?* En bas de son nom, le jeune homme avait indiqué un numéro de téléphone où le joindre. Évelina et Simone avaient taquiné Flavie en disant que le beau journaliste avait probablement besoin des soins d'une infirmière privée, et qu'elle devrait lui rappeler qu'elle n'avait pas encore gradué. Comme aucune des trois amies n'était de garde ce soir-là, elles se fixèrent rendez-vous à la buanderie après leur tournée de patients.

La bouteille de gin les attendait à l'endroit où elles l'avaient laissée la fois précédente. Évelina en prit une gorgée et tendit ensuite le flacon à Simone, qui refusa en levant la main.

— Envoye, la maîtresse d'école ! Juste une gorgée, ça ne te tuera pas ! Il faut fêter ça : Flavie a un prétendant !

— Voyons donc, Évelina ! C'est juste un bouquet de fleurs…

— Ben oui, Flavie ! On en reçoit toutes des bouquets aussi gros que celui-là, hein, Simone ?

Simone prit la bouteille des mains d'Évelina et en avala une petite quantité.

— C'est toi qui te cherches un mari, Évelina, et c'est Flavie qui reçoit des fleurs. C'est ben pour dire !

— Niaise-moi donc, Simone Lafond !

— C'est seulement qu'on ne connaissait pas les talents de séductrice de notre amie Flavie. À mon avis, le journaliste est « accroché solide ».

— Arrêtez donc toutes les deux ! Léo est seulement un ami.

— Ben oui, Flavie, on te croit ! Regarde ben ça si, dans quelques mois, tu ne reçois pas une demande en mariage. Tu quitteras l'hôpital avant d'avoir fini le cours d'infirmière pour aller élever la « trâlée » d'enfants que tu auras avec le beau Léo Gazaille.

Les propos d'Évelina laissèrent Simone songeuse.

— On devrait faire un pacte, les filles. On termine nos trois années en soins infirmiers avant d'accepter une proposition de mariage. On fait une belle équipe et ce serait vraiment dommage de briser ça pour les beaux yeux d'un journaliste ou d'un médecin.

— Et toi, Simone, tu penches pour quelle profession ?

— Aucune pour le moment, car je veux vraiment terminer mon cours d'infirmière. J'en rêve de ce diplôme-là !

— C'est facile pour toi, Simone. Tu n'as pas de prétendant.

— Je ne veux pas être méchante, Évelina, mais toi non plus tu n'en as pas.

Après quelques secondes de stupeur, Évelina réagit :

— Tu sauras pour ta gouverne que je peux m'en trouver un autre juste en claquant des doigts.

Évelina essaya de claquer des doigts, mais en fut incapable. Cela fit pouffer de rire Simone et Flavie. Celle-ci prit la parole.

— C'est vrai ce que dit Simone : on fait une bonne équipe. En plus, je suis bien avec vous deux, les filles. Je suis d'accord pour passer un pacte.

— OK, OK. Moi aussi d'abord, mais ça sera très difficile de refuser les tonnes de demandes en mariage que je recevrai dans les prochaines années.

Simone prit la bouteille de gin des mains d'Évelina. Afin de sceller l'accord, elle la leva dans les airs et prononça :

— À notre amitié et à notre pacte de célibat !

Les deux autres répétèrent la phrase. Puis, les jeunes femmes se passèrent la bouteille à tour de rôle et prirent chacune une gorgée de gin.

# 10

Le calme était enfin revenu après la réconciliation de Simone et d'Évelina. Leur amitié était intacte ; pour preuve, les deux amies se taquinaient sans cesse. Simone prenait encore plaisir à donner des conseils à son amie, et Évelina lui avait avoué que la « maîtresse d'école » lui avait beaucoup manqué pendant leur discorde. Flavie était heureuse que tout soit rentré dans l'ordre. Les trois amies respecteraient leur promesse de terminer le cours d'infirmière, et ce, peu importe ce qu'il adviendrait.

Évelina insista beaucoup pour que Flavie téléphone à Léo afin de le remercier pour le bouquet de fleurs, mais surtout pour qu'ils puissent tous deux fixer un nouveau rendez-vous.

— *Let's go,* Flavie ! Tu ne peux pas laisser Léo se languir chez lui comme ça. Il t'a ouvert sa porte, j'espère que tu vas en profiter ! Vas-y, appelle-le !

— Je ne sais pas trop si c'est convenable. Ça me gêne beaucoup !

— On s'en fout des convenances, Flavie Prévost ! Je ne connais pas une fille qui résisterait à cet homme-là. Tu as de la chance et puis, de toute façon, sortir avec lui ne signifie pas que tu vas l'épouser. Il faut que tu attendes encore deux ans et demi avant de pouvoir le faire. Tu as fait un pacte de célibat, tu t'en souviens ? Allez ! Ne t'arrange pas pour que je me fâche contre toi.

Flavie se doutait qu'Évelina exagérait, mais elle ne voulait pas courir le moindre risque. « Elle est bien capable de me bouder en attendant que j'appelle Léo. »

— Bon, OK ! Vous m'avez convaincue ! Dès que j'ai deux minutes, je l'appelle, promis. En attendant, on a des cours à suivre et il ne faudrait surtout pas être en retard.

Flavie vit passer une lueur de tristesse dans les yeux d'Évelina. Le cours d'anatomie débutait quelques minutes plus tard. Évelina s'efforçait de se montrer indifférente quand elle se retrouvait devant le docteur Jobin, mais Flavie savait que son amie était encore vraiment ébranlée par sa rupture avec le médecin. La jeune femme essayait de se montrer forte, mais dans la quiétude de la chambre, Flavie la voyait se perdre dans ses pensées et réfléchir pendant de longues heures. Preuve ultime que la rupture l'affectait encore : elle avait enlevé son vernis à ongles et n'en avait pas réappliqué. Sans négliger sa personne, Évelina mettait beaucoup moins de temps à se préparer le matin. Flavie lui en fit la remarque.

— On ne te reconnaît plus, Évelina. Tu te lèves en même temps que nous le matin et tu te coiffes en vitesse.

— Bah ! Je n'ai pas tellement envie de me pomponner le matin.

— Je comprends que tu n'aies plus le goût, mais quand même. Il y a des tonnes de beaux internes célibataires qui n'attendent que toi !

— Tu as sûrement raison. Je vais faire un effort.

Ragaillardie, Évelina se regarda dans le miroir. Elle se passa la main dans les cheveux et s'étira la peau du visage.

— Ouach ! C'est vrai que je « fais dur ». J'ai besoin d'une bonne coupe de cheveux et de quelques vêtements neufs. Ça me ferait du bien un peu de *shopping*.

— Je peux te donner l'adresse de ma coiffeuse…

— Pour qu'elle massacre mes cheveux autant que les tiens ? Jamais de la vie ! Je croyais que tu étais mon amie, Flavie !

— Je te taquine! C'est vrai qu'elle m'a coupé les cheveux beaucoup trop court. Je ne retournerai jamais à cet endroit, c'est certain.

— À moins de vouloir devenir une Sœur grise et de porter une «capine».

— Tu ne vas pas recommencer avec ça, Évelina!

Les deux amies s'esclaffèrent en repensant à la tête de sœur Désuète. Simone les rappela à l'ordre en déclarant qu'elles seraient certainement en retard au cours.

* * *

En se rendant dans la classe d'anatomie, les trois amies croisèrent plusieurs groupes de médecins et d'internes en pleine discussion. Une onde de choc secouait le personnel masculin de l'hôpital. Hospitalisé pour une fracture à la jambe quelques semaines plus tôt, le joueur de hockey Howie Morenz venait de succomber à une embolie pulmonaire. Tous y allaient de leurs diagnostics en essayant de se convaincre que, s'il avait été hospitalisé à Notre-Dame plutôt qu'à l'hôpital Saint-Luc, le hockeyeur serait peut-être encore de ce monde. Plusieurs avaient pu le voir jouer avec l'équipe du Canadien sur la glace du Forum. La mort d'un homme de trente-quatre ans en pleine santé s'avérait totalement absurde.

Visiblement encore ébranlé par la nouvelle de la mort de Morenz, le docteur Jobin se présenta au cours avec plusieurs minutes de retard. Il toussota pour attirer l'attention des étudiantes.

— C'est un jour triste, mesdemoiselles, mais nous devons poursuivre notre apprentissage. Je vous prierais de prendre vos cahiers de notes. Nous étudierons aujourd'hui le système respiratoire.

Le froissement des feuilles des cahiers fut le seul bruit entendu dans la salle de cours. Personne n'osa prononcer un mot à cause de l'air accablé du médecin. Évelina détourna les yeux quand celui-ci la regarda quelques secondes.

Ce jour-là, le cours du docteur Jobin, habituellement passionnant et intéressant, s'avéra aussi monotone que celui du docteur Bourque. Le professeur expliqua sans grande conviction la théorie. Flavie ignorait si c'était seulement le décès du joueur de hockey qui expliquait la profonde lassitude perçue sous les propos du docteur Jobin, ou si la rupture avec Évelina avait quelque chose à voir avec sa tristesse.

À la fin du cours, le médecin demanda à Évelina de rester quelques minutes : « Je dois vérifier quelques choses dans votre carnet de notes, mademoiselle Richer. » Devant le regard suppliant d'Évelina, Flavie accepta de rester avec elle en classe après que toutes les autres étudiantes furent sorties. Simone s'attarda aussi dans le local pour être certaine qu'Évelina allait bien. Le docteur Jobin prit le cahier de notes des mains d'Évelina et l'examina comme si sa réelle intention était de procéder à une vérification. Évelina était reconnaissante envers ses deux amies pour leur présence ; elle ne voulait pas se retrouver seule avec son ancien amant par peur de flancher.

D'un air effronté, Évelina demanda :

— Tout est en ordre dans mon cahier, docteur Jobin ?

— Bien entendu, mademoiselle.

— Je peux partir ?

Le docteur Jobin hocha la tête. Flavie suivit Évelina de près et elles rejoignirent Simone dans le couloir. Les trois amies reprirent leur marche, bras dessus, bras dessous, tandis que le docteur Jobin, qui venait de sortir de la salle de classe, les observait avec un pincement au cœur.

* * *

Évelina s'assura que Flavie téléphone à Léo. Elle l'accompagna près des téléphones et suivit la conversation, en soufflant parfois quelques mots à Flavie pour l'aider à s'exprimer. Cette dernière, ayant pris de l'assurance, signifia du regard à son amie qu'elle pouvait partir. Évelina obéit à regret, visiblement impatiente de connaître la suite des choses.

Quand Flavie raccrocha, Évelina – qui, comme par hasard, traînait près des téléphones… – se précipita vers elle pour savoir ce que Léo avait dit.

— Pis ? Il devait être surpris que tu l'appelles, non ? Avez-vous fixé un rendez-vous ? Quand ? Où ? Je peux te prêter quelques trucs, si tu veux. Ça me ferait plaisir…

Flavie lui coupa la parole.

— Tu veux savoir, mais tu ne me laisses pas parler, Évelina. La réponse est oui à tes deux premières questions… Quand ? À la fin de la semaine. Où ? Nous ne le savons pas encore. C'est tout ?

— Yé ! Je suis contente pour toi. Allons annoncer la bonne nouvelle à Simone !

* * *

Pendant sa tournée de patients, Flavie se rendit au chevet d'une femme âgée qui souffrait d'un cancer en phase terminale. Elle s'occupait de Violette Pouliot depuis quelques semaines déjà et aimait passer du temps en sa compagnie. Madame Pouliot lui avait livré ses souvenirs de jeunesse. Elle lui avait raconté comment était la ville au début du siècle, bien avant cette crise dont les répercussions se faisaient sentir encore alors. Quand Flavie n'était pas de garde ou qu'elle n'avait pas eu la chance de s'occuper de madame Pouliot dans la journée, elle essayait toujours d'aller lui rendre une petite visite. Elle apprenait à connaître la femme qui lui ouvrait son cœur pour lui confier ses pensées. Madame Pouliot se savait condamnée et elle avait envie de partager les derniers instants de sa vie avec la jeune femme. À maintes reprises, elle avait dit à celle-ci à quel point elle aimait sa douceur et sa façon d'écouter. Flavie lui avait demandé si elle avait des enfants, n'ayant jamais vu un visiteur auprès d'elle. Madame Pouliot, qui avait paru ébranlée par la question, était restée évasive.

— J'ai une fille, Flavie. Elle est un peu plus âgée que vous. Après plusieurs malentendus, nous nous sommes perdues de vue.

— Vous ne souhaitez pas la revoir avant de…

La jeune femme n'avait pu prononcer le mot *mourir.*

— Vous pouvez dire le mot, Flavie. Ça ne changera rien à l'issue.

— Je trouve ça difficile, madame Pouliot.

— Appelez-moi donc Violette, ça me ferait tellement plaisir. Ma fille me manque, mais je comprends qu'elle ait coupé les ponts avec moi. L'homme qu'elle voulait épouser me déplaisait et je désapprouvais son choix. Elle est partie sur un coup de tête et je ne l'ai jamais revue. Je sais qu'elle habite toujours à Montréal.

Flavie avait senti le regret dans la voix de Violette. Sa fille lui manquait, mais elle ne savait pas comment recoller les morceaux de leur histoire. Au cours des jours précédents, son état s'était dégradé et les médecins lui avaient annoncé qu'elle n'en avait plus pour longtemps. Flavie ne pouvait concevoir que les deux femmes ne fassent pas la paix avant le départ de madame Pouliot. «Je vais devoir trouver une solution à ce problème de taille. Si j'étais dans la même situation, je voudrais me réconcilier avec ma mère avant qu'elle ne parte pour toujours.»

* * *

Flavie attendait Léo devant l'hôpital, vêtue de la robe bleue qu'Évelina lui avait offerte. Il était en retard et la jeune femme, inquiète, regardait souvent sa montre. « On a bien dit vendredi à dix-huit heures devant l'hôpital. Je me suis fait remplacer pour ce rendez-vous. J'espère qu'il ne m'a pas posé un lapin ! » Déçue, Flavie allait retourner dans le hall quand elle vit Léo apparaître au coin de la rue. Il courait dans sa direction.

— Je suis désolé du retard, s'excusa-t-il en arrivant près de Flavie. J'avais un article à terminer pour demain et mon patron, posté près de mon bureau, attendait que je le lui donne. Je n'avais pas le choix de terminer même si j'avais une envie folle de me sauver ! Bonsoir, Flavie !

Il posa les lèvres sur sa joue et lui prit la main. Flavie sentit la chaleur que le jeune homme dégageait au travers de ses gants. Elle savoura cet instant.

— Je vous fais découvrir un nouveau coin de la ville ce soir. Le menu sera très différent de celui de la dernière fois.

— Oh ! Je serais retournée au même endroit, car j'ai adoré le restaurant de monsieur et madame Zheng.

— La ville est grande, Flavie, et remplie de choses à voir. Mon patron m'a forcé à terminer mon article, mais en échange, j'ai réussi à lui emprunter sa voiture. Elle est garée là-bas.

Léo entraîna la jeune femme vers une rutilante Chevrolet.

— Ça valait la peine de travailler tard !

— Je lui ai dit que je serais en retard pour un rendez-vous avec une belle infirmière, et qu'elle n'avait pas de temps à perdre avec un journaliste retardataire quand des tonnes de médecins ponctuels lui tournent autour. Il a eu pitié de moi, je pense.

— Tant mieux ! Alors ? Où va-t-on ?

— Un quartier plus ou moins bien fréquenté, mais où l'on mange les meilleurs sandwichs à la viande fumée.

Flavie essaya de deviner de quel endroit il s'agissait, mais elle ne trouva pas. Devant son regard interrogateur, Léo précisa :

— Je vous emmène, garde Prévost, dans le quartier juif, chez Schwartz's, boulevard Saint-Laurent. Là où on mange les meilleurs *smoked meat* en ville !

— Je ne connais pas. Un autre endroit que je vais découvrir. Il ne se passe rien à La Prairie, finalement !

— Montréal est une ville d'immigrants ; c'est ce qui explique la diversité des mets et des cultures qu'on y trouve. C'est vrai qu'on a l'impression qu'il ne se passe rien ailleurs quand on habite Montréal. C'est ce qui explique en grande partie la raison pour laquelle je suis ici.

Léo gara l'automobile devant le restaurant. Il se dépêcha d'aller ouvrir la portière de Flavie et de lui prendre la main pour l'aider à descendre. Cette dernière était sensible à la galanterie du jeune homme.

— Madame, si vous voulez bien me suivre ! déclara-t-il. Je meurs de faim !

La jeune femme fut surprise par la superficie restreinte du restaurant ; celui-ci était rempli de clients entassés les uns contre les autres. Léo dénicha une table en bois vacante dans un coin et il invita Flavie à y prendre place.

— Le restaurant est plutôt exigu, mais la nourriture est tellement bonne ici ! C'est ce qui explique la popularité de l'endroit.

Une serveuse vint prendre la commande. Comme lors de leur sortie précédente, Flavie laissa Léo choisir pour elle. En attendant le repas, le journaliste interrogea la jeune femme sur ses dernières semaines à l'hôpital. Flavie lui parla du sujet qui la préoccupait alors, soit madame Pouliot.

— C'est tellement triste que sa fille et elle soient restées sans contact aussi longtemps. Madame Pouliot mourra peut-être sans avoir revu sa fille.

— En effet ! Mais je peux la retrouver.

— Vous feriez ça, Léo ?

— J'ai de bonnes relations.

— J'imagine ! Tout ce que je sais, c'est qu'elle s'appelle Denise Pouliot et qu'elle s'est mariée avec un monsieur Riendeau. Elle vivrait encore à Montréal.

Léo prit en note dans son calepin les renseignements transmis par Flavie. Il lui promit de s'informer et de lui donner des nouvelles rapidement. La serveuse arriva à leur table, chargée de deux assiettes et de deux verres de Coca-Cola. Flavie détailla son énorme sandwich, se demandant comment elle réussirait à ouvrir suffisamment la bouche pour en prendre une bouchée. Elle observa Léo qui mordait à belles dents dans son sandwich. Elle l'imita. « Miam miam ! Je n'ai jamais rien mangé d'aussi bon. C'est vraiment savoureux ! » Ils terminèrent leur repas en silence. Pendant que Flavie buvait le reste de sa boisson gazeuse, Léo lui raconta les funérailles de Howie Morenz qu'il avait couvertes lors d'un reportage.

— Son cercueil a été exposé au centre de la glace au Forum. Des milliers de personnes sont venues lui rendre un dernier hommage. C'était aussi impressionnant que les funérailles du frère André.

— En tout cas, on a autant parlé dans les couloirs de l'hôpital de la mort de monsieur Morenz que de celle du frère André. Mais les sœurs ont été davantage affectées par la nouvelle de la mort du religieux. Pour Morenz, c'est vraiment la gent masculine qui a été attristée de la perte de ce grand joueur de hockey.

— On n'avait jamais vu ça, au Canada, des obsèques aussi grandioses pour un athlète. Je suis très fier de la couverture que j'en ai faite pour le journal.

Léo était réellement passionné par son métier. Flavie voyait une étincelle briller dans ses yeux chaque fois qu'il parlait de ses reportages, des gens qu'il rencontrait. Elle l'écoutait toujours avec intérêt.

Léo constata qu'il était l'heure de ramener Flavie à l'hôpital.

— Comme la dernière fois, la soirée a passé trop vite. Je vous ai encore cassé les oreilles avec mon travail, Flavie. Vous devriez m'arrêter quand je me mets à divaguer comme ça !

— Non, au contraire ! C'est tellement intéressant ce que vous faites, je ne me lasse pas de vous entendre, Léo. Et puis, c'est vrai que le temps a filé trop rapidement. J'ai bien aimé le *smoked meat*. Une autre belle découverte !

— J'ai encore tant de choses à vous faire connaître Flavie. J'espère vous revoir bientôt.

— Les prochaines semaines seront chargées. Les examens du mois de juin s'en viennent à grands pas. J'ai très hâte d'avoir quelques semaines de vacances. Ça ne me fera pas de tort.

— Même si l'on se voit seulement pour aller au cinéma ou pour prendre un café, appelez-moi dès que vous le pourrez. Je vérifie ce que je peux trouver sur la fille de votre patiente, et je vous joins dès que j'ai quelques informations.

Léo avait arrêté la voiture devant l'hôpital Notre-Dame. Flavie ne savait pas si elle devait prendre l'initiative et l'embrasser. Sans l'ombre d'un doute, Évelina se serait jetée sur lui, mais Flavie n'avait jamais été très à l'aise en présence des hommes, hormis son frère et son parrain. Elle commençait à se sentir bien avec Clément, et Léo lui faisait un peu le même effet. « Mais quand même pas de là à lui sauter dessus et à l'embrasser goulûment ! » Léo, lui, ne se gêna pas pour attirer Flavie vers lui. Il l'embrassa avec la même passion que la fois précédente. Flavie sentit des milliers de papillons lui parcourir le corps et s'attarder dans son bas-ventre. Elle adorait la sensation que lui procurait l'étreinte de Léo et elle aurait voulu que ce moment dure encore longtemps.

Léo recula et la regarda intensément.

— Je n'ai vraiment pas envie que tu partes, Flavie. Je suis tellement bien en ta compagnie.

— Malheureusement, je dois respecter un couvre-feu comme si j'étais une couventine !

— Dès demain matin, je me mets à la recherche de la fille de madame Pouliot. Et je t'en donne des nouvelles le plus tôt possible, c'est promis.

Flavie l'embrassa avant de sortir de la voiture, le cœur léger. Léo avait trouvé naturel de la tutoyer, ce qui indiquait qu'ils avaient franchi une nouvelle étape dans leur relation. Elle ne savait pas encore où son histoire avec Léo la mènerait, mais pour lors, elle voulait prendre son temps et savourer chacun des instants qu'elle passait avec lui.

* * *

Léo ne tarda pas à retrouver Denise Pouliot : il donna rendez-vous à Flavie dans un café de la rue Ontario l'après-midi suivant. Flavie réussit à trouver quelqu'un pour la remplacer pendant deux heures. Elle se précipita au rendez-vous, encore vêtue de son uniforme. Léo l'attendait, attablé. Il buvait une tasse de café tout en griffonnant dans son calepin.

Flavie rejoignit le jeune homme.

— Je dois faire vite. J'ai réussi à me faire remplacer, mais pas pour longtemps.

— J'irai rencontrer la fille de madame Pouliot avec toi. Le quartier où elle habite n'est pas très sûr, mais heureusement, j'en connais tous les coins et recoins.

— Je te fais confiance. Alors ? Tu l'as vraiment retrouvée ?

— Denise Pouliot a épousé un certain Jean Riendeau et habite dans le « faubourg à m'lasse », qui se trouve non loin d'ici. On appelle ainsi ce quartier défavorisé de la ville à cause des usines de mélasse qu'il y a dans le secteur.

— Je ne connais pas.

— Le quartier a été durement touché par la crise – comme de nombreux autres quartiers, d'ailleurs. Ce ne sont pas des endroits qu'on prend plaisir à fréquenter.

Flavie avait quand même une bonne idée de la misère qui régnait dans ces quartiers quand elle soignait des patients aux dispensaires. Malgré tout, se retrouver devant ces bâtiments vétustes la confrontait à une dure réalité. Elle bénéficiait d'un grand confort dans la résidence des infirmières comparativement à plusieurs personnes qui habitaient dans des taudis, dans lesquels ils élevaient tant bien que mal leur famille. Flavie n'avait pas de difficulté à comprendre pourquoi le taux de mortalité infantile était si élevé dans ces quartiers pauvres. Les habitations mal chauffées et mal isolées ne réussissaient pas à protéger leurs occupants du froid mordant. Les parents peinaient à nourrir leurs enfants, et la maladie avait tôt fait de tuer ces derniers. Certains avaient recours au secours direct et, bien évidemment, les indigents pouvaient recevoir des soins à l'hôpital, mais souvent, il était trop tard pour les enfants.

Léo s'arrêta devant un bâtiment construit plusieurs années auparavant. Il manquait quelques vitres aux fenêtres. Les locataires les avaient placardées avec des matériaux de fortune pour empêcher le froid d'entrer dans le logement. Le jeune homme indiqua l'escalier qui menait au deuxième étage.

— Denise Riendeau habite la porte à gauche. Je te laisse seule avec elle, mais je t'attendrai en bas.

Flavie regarda l'escalier ; elle craignait qu'il s'effondre sous ses pas. La rampe branlait. La jeune femme dut se raisonner. « Si tu te dépêches, les marches devraient supporter ton poids. Tu voulais retrouver la fille de Violette, et tu y es presque. Allez ! » Trop heureuse d'avoir pu franchir l'escalier chambranlant, Flavie frappa à la porte. Une femme vint lui ouvrir. Celle-ci acquiesça quand Flavie lui demanda si elle s'appelait Denise Riendeau. Le visage marqué par la fatigue et par la résignation, la femme la laissa entrer à contrecœur. Distinguant l'uniforme sous le manteau, celle-ci crut que la visiteuse était une infirmière du service public. Flavie suivit madame Riendeau dans une pièce qui devait servir de cuisine, mais qui pour le moment ressemblait davantage à une buanderie car plusieurs vêtements y étaient accrochés, en train de sécher. Denise l'invita à s'asseoir tout en mouchant un enfant de quelques années avec un bout de tissu à la propreté douteuse. Le petit leva les yeux vers Flavie, puis il retourna jouer avec son camion de bois auquel il manquait une roue.

Flavie brisa le silence oppressant.

— Ce n'est pas le service public qui m'envoie, madame Riendeau. Je suis ici pour une raison personnelle. Je m'appelle Flavie Prévost et j'étudie comme élève infirmière à l'hôpital Notre-Dame. Violette Pouliot, votre mère, est ma patiente.

En entendant prononcer le nom de sa mère, Denise se raidit et croisa les bras. Flavie ne voulait pas tourner inutilement autour du pot. Elle n'avait pas beaucoup de temps, et Léo l'attendait en bas.

— Votre mère est hospitalisée depuis plusieurs semaines. Elle souffre d'un cancer du sein qui s'est malheureusement généralisé et elle n'en a plus pour longtemps.

— Et ?

Flavie reprit son souffle. Elle aurait voulu que la femme réagisse autrement, mais celle-ci était restée de marbre en apprenant la nouvelle de la mort prochaine de sa mère.

— Elle aimerait vous voir une dernière fois avant de partir.

— Elle vous a dit ça ?

— Oui. Vous lui manquez beaucoup.

— Ça me surprendrait. Elle m'a dit qu'elle ne voulait plus jamais me revoir si je me mariais avec Jean.

— Votre mère a admis ses torts. Peut-être que vous pourriez maintenant faire la paix avec elle.

— Lui rendre visite ? Pour qu'elle me dise qu'elle avait raison ? Que j'aurais une vie de misère en mariant Jean Riendeau ? Que savez-vous de la misère ? Vous est-il déjà arrivé de vous coucher le soir en vous demandant si vous pourrez nourrir vos enfants le lendemain ? Est-ce que vous êtes à la recherche d'un travail à salaire de crève-faim comme mon mari en ce moment ? Vous sortirez de votre hôpital, diplôme en main, vous épouserez un médecin et vivrez heureuse jusqu'à la fin de vos jours. Vous vous prenez pour qui, mademoiselle Prévost, pour venir ici et me demander d'aller voir ma mère ? De toute évidence, la vie a été bonne pour vous…

Elle avait raison. Flavie n'avait pas le droit de venir la sommer d'aller rendre visite à sa mère. La vie n'avait manifestement pas fait de cadeau à Denise ; il y avait une grande amertume dans ses propos. Cette femme avait beaucoup souffert au cours des dernières années, et elle ne souhaitait probablement pas que sa mère soit témoin de sa déchéance. Flavie ne regrettait pourtant pas son initiative. « Denise fera ce qu'elle pense être le mieux pour elle. » La visiteuse se dirigea vers la porte pour signifier qu'elle ne voulait pas déranger davantage.

Juste avant de sortir, Flavie se retourna et regarda Denise droit dans les yeux.

— Je ne pense pas que votre mère vous reprochera quoi que ce soit. Je ne peux pas vous obliger à aller la voir, madame Riendeau. Je voulais juste que vous sachiez qu'elle n'en a plus pour très longtemps. Si vous voulez faire la paix avec elle, il est encore temps. Votre mère est bien entourée et elle reçoit des bons soins. Merci madame de votre patience.

Flavie n'attendit pas de réponse et redescendit d'un pas tremblant – mais peut-être était-ce l'escalier qui chambranlait sous ses pas, elle n'en savait rien. Elle en avait assez fait pour la journée. Elle était venue voir Denise Riendeau avec toutes les meilleures intentions du monde et elle espérait que le message ait été entendu. Léo la raccompagna à l'hôpital. Il n'avait pas eu besoin de la questionner sur le déroulement de son entretien ; la mine défaite de la jeune femme en disait long sur la teneur de sa conversation avec la fille de sa patiente. De toute évidence, Flavie n'avait pas réussi à convaincre la femme d'aller voir sa mère. Léo lui dit simplement qu'elle avait agi selon son cœur et il l'embrassa sur la joue. Flavie remercia le jeune homme de l'avoir conduite auprès de Denise, puis elle s'engouffra dans l'hôpital par la porte principale.

* * *

Pensive, Flavie avait repris son poste. Les tâches qu'elle accomplissait et les soins qu'elle prodiguait n'arrivaient pas à lui changer les idées. Sa rencontre avec Denise l'avait bouleversée. Elle espérait sincèrement que son cri du cœur serait entendu. Madame Pouliot méritait de partir en paix. Denise avait aussi droit à cette paix ; elle ne pouvait pas vivre toute sa vie en gardant du ressentiment pour sa mère.

Pendant le souper, Simone s'aperçut que son amie était perturbée. Elle s'informa sur la cause de son chagrin. Flavie lui raconta sa rencontre avec Denise.

— Tu as bien fait, Flavie. Madame Pouliot mérite de revoir sa fille une dernière fois, peu importe le différend existant entre sa fille et elle.

— Sœur Désuète dit toujours que nous ne devons pas nous attacher à nos patients. Que c'est ce qui distingue les bonnes infirmières des mauvaises !

— Et tu la crois ? Voyons, Flavie ! L'empathie est la qualité principale de toute infirmière compétente. Et puis, c'est normal de s'attacher à certains patients.

— La relation entre Denise et sa mère me ramène à celle avec ma propre mère. Je n'ai jamais fait beaucoup d'efforts pour la comprendre. Ma mère s'inquiète toujours et elle veut me protéger. J'ai souvent critiqué sa façon de faire sans comprendre réellement ce qu'elle ressentait.

— On a tous des choses à se reprocher, Flavie. L'important, c'est d'essayer de réparer les pots cassés quand on le peut.

— J'espère que Denise saisira sa chance parce que madame Pouliot n'en a plus pour très longtemps.

— Je l'espère aussi, mais tu ne peux pas l'obliger à venir. Tu as écouté ton cœur, Flavie, et tu peux être fière.

Simone la serra dans ses bras avant de retourner auprès de ses patients. Flavie puisa du réconfort dans l'étreinte de son amie. Puis, reprenant contact avec la réalité, elle se dépêcha d'aller servir les repas. Elle se promit d'aller passer du temps avec madame Pouliot après la fin de son travail.

Quand Flavie réussit à se libérer, elle trouva madame Pouliot en compagnie de sa fille. Denise lui fit signe de se joindre à elles. Violette avait retrouvé un air de jeunesse qui faisait plaisir à voir. Malgré la maladie qui avait creusé ses traits, on discernait une lueur de bonheur dans ses yeux. Flavie vérifia que madame Pouliot ne manquait de rien, puis elle sortit pour laisser les deux femmes discuter en toute intimité. Elles avaient plusieurs années à rattraper.

* * *

Quelques heures après que Denise Pouliot fut rentrée chez elle, sa mère mourut. Flavie n'avait pas voulu quitter sa patiente, certaine que celle-ci ne passerait pas la nuit. Madame Pouliot lui avait confié plusieurs fois qu'elle avait peur d'être seule quand viendrait le temps de franchir le seuil de l'autre monde. Sa garde terminée, Flavie s'était rendue à son chevet. Surveillant chacune des respirations laborieuses de la femme, Flavie avait vu la vie la quitter peu à peu. C'était la première fois qu'elle était confrontée à la mort. À chaque pause respiratoire de Violette, Flavie avait envie de prendre ses jambes à son cou pour courir dans sa chambre et oublier qu'elle ne pouvait plus rien faire pour sa patiente. Mais elle se devait de rester auprès de madame Pouliot, qui avait si peur de mourir toute seule !

Flavie prit la main de Violette dans la sienne et essaya de la réchauffer. La peau diaphane et marquée de taches de vieillesse lui rappelait les mains de sa grand-mère. Tout comme celles de Delvina, ces mains avaient cousu, cuisiné, langé, consolé et bercé des enfants. Flavie serra doucement la main de Violette. « Elle comprendra que je suis près d'elle, qu'elle n'est pas seule. » Comme si elle avait lu dans ses pensées, madame Pouliot bougea les doigts. Flavie se pencha à son oreille.

— J'avais promis que je serais près de vous à la fin et j'ai tenu ma promesse. Maintenant que vous avez revu votre fille, vous pouvez partir en paix, madame Pouliot.

Flavie passa toute la nuit au chevet de madame Pouliot. Voulant s'assurer du confort de sa patiente, elle tenta de ne pas dormir. Elle ne pouvait plus rien pour la femme âgée, à part rester là pour qu'elle sente qu'elle n'était pas toute seule. Elle lui humectait les lèvres, la changeait de position et replaçait ses oreillers. L'infirmière de nuit qui devait s'occuper de madame Pouliot laissa Flavie en prendre soin.

Aux premières lueurs du jour, Flavie, épuisée par sa journée de travail, s'endormit. L'absence du son de la respiration sifflante de Violette la tira de son sommeil. C'est alors qu'elle constata que madame Pouliot ne respirait plus. Flavie vérifia les signes vitaux de sa patiente et ferma ses paupières entrouvertes. Le visage torturé par la douleur quelques heures plus tôt était désormais paisible, comme si Violette dormait d'un sommeil profond. Flavie téléphona au médecin de garde pour qu'il vienne constater le décès, puis elle retourna auprès de madame Pouliot. Elle prit le peigne sur la table de chevet et entreprit de coiffer ses cheveux blancs.

Flavie n'avait versé aucune larme, malgré son cœur lourd de chagrin à l'idée de penser qu'elle ne pourrait plus discuter avec la femme qu'elle avait prise en affection. Le silence régnait dans la chambre. Flavie se sentait sereine malgré la peine d'avoir perdu une patiente. La jeune femme venait de prendre conscience du faible écart entre la vie et la mort, de sa propre vulnérabilité ainsi que de celle de son entourage. Après avoir coiffé madame Pouliot, elle se rassit près du lit et attendit l'arrivée du médecin.

À la vue du visage familier de Clément, qui venait d'entrer dans la chambre, les yeux de Flavie se brouillèrent de larmes. Elle fut reconnaissante envers le médecin de ne pas parler. Il vérifia les signes vitaux et nota l'heure du décès dans le dossier au pied du lit. Déposant le dossier sur la table de chevet, il remonta respectueusement le drap sur le visage de la défunte. Ensuite, il s'approcha de Flavie et l'attira vers lui. Cette dernière ne résista pas et posa la tête sur son épaule pour y puiser tout le réconfort dont elle avait besoin.

— Une autre infirmière viendra s'occuper de la toilette de madame Pouliot. Viens avec moi.

Clément l'entraîna dans une des salles de repos du personnel. Parcourant les lieux du regard, Flavie fut soulagée de n'y voir personne. Le médecin s'installa près d'elle et lui prit la main.

— C'est toujours bouleversant, le premier patient qu'on perd. Je comprends comment tu te sens.

— J'aimais beaucoup madame Pouliot. Elle n'en pouvait plus de souffrir.

— Elle a eu beaucoup de chance que tu restes près d'elle jusqu'à la fin. Tu es une infirmière dévouée, Flavie.

La jeune femme baissa la tête. Elle souffla :

— Peut-être que je le suis trop. J'ai l'impression d'avoir perdu un membre de ma famille.

— Je comprends ton chagrin. Il y a des gens qui accomplissent leur travail sans se poser de questions, et il y a ceux qui s'y investissent avec cœur. Tous les deux, nous faisons partie de la dernière catégorie. Quand j'ai perdu mon premier patient, j'ai cru que je ne pourrais jamais plus prendre un nouveau patient en charge par peur de le perdre. Malheureusement, la mort fait aussi partie de la vie ; nous n'y pouvons rien. Mon père m'a expliqué qu'on apprend à faire la part des choses. Nous sommes là pour les bons et les mauvais moments.

Flavie et Clément restèrent de longues minutes sans parler, tous deux perdus dans leurs pensées. Puis, le jeune homme se leva et attira Flavie vers lui.

— Il reste deux heures avant la reprise des cours. Tu devrais aller te reposer un peu.

Il s'était penché vers elle pour l'embrasser. Mais au moment où il allait passer à l'action, un membre du personnel d'entretien entra dans la salle de repos. Flavie eut tout juste le temps de remercier Clément avant que celui-ci ne s'éloigne. « M'aurait-il vraiment embrassée si personne ne nous avait dérangés ? » Flavie repartit en direction de sa chambre, taraudée par cette question. Tout compte fait, elle n'aurait pas détesté être embrassée par le docteur Langlois…

* * *

Flavie n'était pas parvenue à se rendormir avant le début des cours du matin. Elle lutta contre le sommeil durant tout le cours du docteur Bourque. La journée serait longue : elle avait déjà hâte d'être le soir pour retrouver le confort de son lit. Évelina lui donna quelques coups de coude pour l'empêcher de s'endormir ; chaque fois, elle remercia son amie en silence. Heureusement que le professeur Bourque était absorbé dans ses explications – comme d'habitude – et qu'il ne remarquait pas les élèves qui crayonnaient dans leur cahier de notes, celles qui s'envoyaient des messages ou qui lisaient carrément un roman à l'eau de rose plutôt que de l'écouter.

Après le cours du docteur Bourque – qu'Évelina qualifia de « remplissage de cerveau » –, Flavie entreprit sa tournée de patients. Elle hésita avant d'entrer dans l'ancienne chambre de madame Pouliot. Le lit avait été nettoyé et recouvert d'une literie propre, attendant l'arrivée du prochain occupant. Pendant une fraction de seconde, Flavie revit le sourire de Violette ; la femme lui souriait chaque fois qu'elle franchissait le seuil de la chambre. Ce souvenir la réconforta. En sortant de la chambre, elle se retrouva nez à nez avec Denise Riendeau.

— Je vous cherchais, garde Prévost.

Disposant de quelques minutes, Flavie entraîna la visiteuse dans un des solariums au bout de l'aile B. Elle lui tendit la main pour lui offrir ses condoléances.

— Je voulais vous remercier, garde Prévost, pour m'avoir obligée à voir la réalité en face. J'avais besoin de faire la paix avec ma mère, et vous m'en avez donné l'occasion.

— Je suis vraiment touchée par ce que vous me dites, Denise.

— J'étais furieuse après votre visite. Vous m'aviez mis en plein visage que ma mère et moi, nous nous étions éloignées et que nous avions laissé les choses s'envenimer. Il y a longtemps qu'elle m'avait pardonné d'être partie avec Jean et de l'avoir épousé. Mais je croyais qu'elle m'en voulait toujours autant. On tire le diable par la queue depuis le début de cette maudite crise, mais en aucun cas, je ne regrette mon mariage. Et c'est ce que j'ai dit à ma mère. Grâce à vous, nous avons pu nous expliquer une dernière fois avant son départ. Je vais aller m'installer dans sa maison avec ma famille. Cela ne donne pas de travail à mon Jean pour le moment, mais c'est un début. Peut-être que ce déménagement marquera un nouveau départ pour nous.

Flavie était sans mot. Elle était heureuse d'avoir permis aux deux femmes de se retrouver une dernière fois. Denise lui serra la main et repartit. Le cœur léger, Flavie reprit sa tournée. Une de ses patientes lui fit remarquer qu'elle était d'excellente humeur et que ce regard ne pouvait que cacher l'existence d'un amoureux secret. Flavie sourit en pensant que la femme se trompait. Elle était heureuse d'avoir pris l'initiative de réconcilier une mère et sa fille. Le moment qu'elle avait passé avec Clément tout de suite après le décès de madame Pouliot était aussi pour quelque chose dans son bonheur. Flavie avait pris conscience que le seul qui pouvait la réconforter en ce moment pénible était Clément, et que Léo était loin dans ses pensées. Clément pouvait comprendre le déchirement de perdre un patient. Il avait su trouver les mots pour la consoler. Flavie le considérait comme un véritable ami.

* * *

Sœur Désuète avait attendu que Flavie termine sa journée de travail avant de la convoquer à son bureau. La religieuse l'invita à s'asseoir.

— J'ai eu connaissance de votre initiative, mademoiselle Prévost. Retrouver la famille d'un patient ne fait pas partie de vos tâches. La prochaine fois, laissez le service de l'administration s'occuper de cette formalité, voulez-vous ?

— J'ai pensé bien faire, sœur Désilets, en retrouvant la fille de ma patiente. D'ailleurs, Denise Riendeau m'a remerciée de l'avoir informée de l'état de santé de sa mère.

— Vous avez été chanceuse que ça se passe bien. Vous avez pris un risque, car ça aurait pu très mal se finir. Je ne vous imposerai aucune sanction cette fois-ci, mais ne vous avisez pas de recommencer. N'essayez pas d'en faire trop, mademoiselle Prévost. Contentez-vous de suivre les directives. Ai-je été suffisamment claire ?

— Très claire, ma sœur !

Flavie sortit de la pièce en se disant que sœur Désuète ne réussirait pas à miner sa bonne humeur et son sentiment d'avoir fait ce qu'il fallait pour sa patiente. « Elle ne parviendra pas à m'enlever ma sensibilité avec ses principes. J'ai écouté mon cœur, et j'ai obtenu un résultat plus que satisfaisant. » Alors qu'elle se rendait à sa chambre, elle croisa Clément. Celui-ci sourit en la voyant.

— Je te cherchais justement ! J'ai besoin de toi quelques minutes avant que tu ailles te coucher.

— Ah oui ?

Flavie le suivit avec curiosité jusqu'au deuxième étage dans le service de la maternité.

— Une de mes patientes va accoucher. Je voudrais que tu m'assistes.

— Je n'ai encore jamais fait ça, Clément. J'ai commencé mes cours théoriques en obstétrique il y a quelques semaines seulement.

— Je te dirai ce que tu dois faire. Mais je suis convaincu que tu es prête. Je vous fais confiance, garde Prévost. Suivez-moi !

Flavie se lava les mains au lavabo et enfila ensuite un sarrau pour protéger son uniforme. Elle suivit Clément dans la salle d'accouchement. Le médecin examina rapidement sa patiente pour voir où en était le travail.

— Je serai assisté d'une des meilleures infirmières de mon service, madame Boudreau. La tête est engagée, alors vous devrez pousser fort. La garde Prévost vous aidera à faire vos respirations, et elle est aussi là pour vous tenir la main. Allons-y !

Flavie réconfortait et encourageait du mieux qu'elle le pouvait madame Boudreau. Quand Clément indiqua à cette dernière qu'elle devait pousser le plus fort possible, Flavie serra la main de la parturiente et l'aida à se soulever. Après plusieurs poussées faites sous les encouragements de Flavie, madame Boudreau réussit à expulser le bébé. Clément attrapa le nouveau-né avant qu'il ne pousse son premier cri. Les pleurs du nourrisson procurèrent une grande joie à Flavie, qui venait d'assister à sa première naissance. Laissant madame Boudreau quelques minutes, elle entreprit de libérer le bébé de ses sécrétions et de le nettoyer. Après l'avoir placé dans une couverture, elle le tendit à sa mère. Madame Boudreau serra son fils contre elle. Témoin de ce débordement d'amour d'une mère pour son nouveau-né, Flavie ne put s'empêcher d'essuyer les larmes qui lui brouillaient la vue. Elle avait assisté au départ d'une personne et à l'arrivée d'une autre en moins de vingt-quatre heures.

Après avoir fait la toilette de madame Boudreau, Flavie laissa les brancardiers conduire celle-ci dans sa chambre. Fière de ce qu'elle venait d'accomplir, Flavie retira son sarrau. Se tournant vers Clément, elle murmura :

— Merci de m'avoir fait vivre ce magnifique événement.

— C'est pour les beaux moments comme ceux-ci que j'adore ma profession, et c'est ce qui me pousse à continuer de m'occuper des patients. Nous ne côtoyons pas que la mort dans notre travail, Flavie. La vie est tellement présente aussi !

* * *

La routine avait repris son cours pour Flavie. Encore reconnaissante envers Clément de l'avoir fait participer à une naissance, la jeune femme apprivoisait doucement sa peur de la mort. Le départ de madame Pouliot avait suscité beaucoup d'interrogations chez Flavie. Elle avait beau se dire que Violette ne souffrait plus, elle se questionnait sur ce qui arrivait après la mort, sur la vie éternelle et sur tout ce que prônait l'Église. Elle ne savait plus quoi penser. Elle espérait sincèrement qu'il y avait une vie après la mort. Le décès de Violette lui avait fait prendre conscience de la précarité de sa propre existence. C'était la première fois qu'elle côtoyait la mort et elle n'était pas certaine de s'habituer un jour à cette épreuve.

Flavie avait appelé Léo à quelques reprises, mais il était absent chaque fois. De toute façon, elle n'avait pas beaucoup de temps libre. Elle aurait peut-être essayé de se rendre disponible pour le voir, mais son absence l'arrangeait un peu. Elle se serait sentie mal à l'aise de refuser une sortie avec lui étant donné qu'il l'avait aidée à retrouver Denise. Flavie travaillait toutes les heures exigées pour son cours. Quand elle avait un peu de temps libre, elle allait voir certains patients qui ne recevaient jamais de visites et qui s'ennuyaient cruellement. Pour sa part, Simone était toujours plongée dans ses livres de référence.

Un jour, Évelina reprocha à ses deux amies leur manque de disponibilité pour faire autre chose que de devenir des « infirmières exemplaires ».

— Vous êtes vraiment plates, les filles ! Vous vous couchez pas mal plus tôt que le couvre-feu. Et toi, Flavie, tu passes la majeure partie de ton temps à visiter tes patients comme une missionnaire en Afrique ; et toi, Simone, tu lis et tu étudies. On ne fait plus rien ensemble, les filles. On dirait que je partage la chambre de deux vieilles filles !

— Tu pourrais demander à Georgina de t'accompagner pour une sortie ? Peut-être qu'elle serait moins plate que nous ? lui suggéra Simone qui avait levé les yeux de son livre.

— Es-tu folle, Simone ? Ben non, c'est juste que je m'ennuie de mes deux amies. Ça fait tellement longtemps qu'on ne s'est pas amusées un peu.

— As-tu une proposition ? s'enquit Flavie.

— J'ai reçu une invitation pour aller dans une petite boîte ce samedi. Évidemment, plus on est de fous, plus on rit ! Vous pourriez m'accompagner. Ça vous tente ?

— On peut savoir qui a lancé l'invitation ? s'informa Simone.

— C'est Bastien Couture. Peut-être que d'autres internes se joindront à nous. Et si, parmi eux, il y avait un prétendant pour toi, Simone ? Ce n'est pas en restant cloîtrée ici avec tes livres que tu dénicheras la perle rare.

— Ce n'est pas ce que je cherche, Évelina.

— Envoye donc ! Pour une fois, oublie que tu as été maîtresse d'école et que tu dois absolument montrer le bon exemple !

— OK ! J'accepte, mais seulement si Flavie vient avec nous. Comme ça, quand tu feras les yeux doux à Bastien, je ne me morfondrai pas toute seule à la table.

Simone et Évelina fixaient toutes les deux Flavie ; elles attendaient sa réponse.

— Bastien Couture, ce n'est pas mon préféré…

— Clément sera là aussi, Flavie…

— Ah ben ! Si Clément est là, c'est certain que Flavie nous accompagnera !

Même Simone s'en mêlait, alors Flavie n'avait pas le choix.

— Vous jouez les entremetteuses toutes les deux, déclara-t-elle. Pourtant, on s'est promis de terminer notre cours d'infirmière.

Trop heureuse de savoir qu'elle sortirait bientôt en compagnie de ses amies, Évelina affirma :

— C'est sûr que le pari tient toujours. Mais qui a dit qu'on ne pouvait pas s'amuser durant nos années d'études ? On aura tellement de *fun,* les filles !

* * *

Bastien, Clément et deux autres internes – que Flavie connaissait de vue – attendaient les trois filles devant l'entrée de l'hôpital. Évelina rayonnait : enfin une vraie sortie dans sa ville ! Elle avait pris le bras tendu de Bastien et tous deux marchaient en tête. Elle avait précisé avant de partir qu'elle connaissait l'endroit où le groupe se dirigeait et que c'était vraiment « la place où aller pour avoir du plaisir ». Émerveillée par l'enthousiasme de son amie, Flavie s'était laissée prendre au jeu quand était venu le temps de se préparer. Évelina avait redoublé d'ardeur pour conseiller ses compagnes à propos des vêtements, du rouge à lèvres, des souliers et de leurs cheveux. Simone s'était montrée plus réfractaire aux conseils ; elle avait averti Évelina qu'elle ne sortirait pas ce soir-là si elle ne lui « sacrait pas la paix » avec ses recommandations.

Puisque le club était situé à quelques rues de l'hôpital, le petit groupe avait décidé d'y aller à pied. Quelques clients attendaient en file pour entrer dans le bâtiment qui affichait une pancarte attestant qu'il s'agissait du meilleur endroit de la métropole pour s'amuser. En franchissant le seuil du club, Flavie fut frappée par la musique qui provenait de la salle du fond. Laissant leurs manteaux au vestiaire, Flavie, Simone et Clément suivirent le reste du groupe qui était déjà venu à cet endroit.

Sur la scène, les musiciens jouaient un rythme endiablé. Plusieurs personnes se trémoussaient sur le plancher de danse. Tout autour, il y avait quelques tables – occupées, pour la majorité. Paul et Alfred, les deux internes qui accompagnaient le groupe de Flavie, se dépêchèrent d'aller réquisitionner une table inoccupée. Ils firent signe aux autres de les rejoindre. La musique d'une contrebasse, de trompettes, clarinettes et percussions enflammait littéralement la salle. Évelina ne tenait pas en place. Elle entraîna Bastien à sa suite sur le plancher de danse. Plus timides, Flavie et Simone observaient les danseurs, qui se laissaient aller sans retenue.

Paul et Alfred avaient été rejoindre Bastien et Évelina ; ils avaient invité deux jeunes femmes de la table voisine. Clément se pencha vers Flavie. Pour couvrir le bruit ambiant, il parla d'une voix forte :

— C'est la première fois que tu viens dans un club où l'on danse le swing ?

— Oui ! Je n'ai jamais vu du monde se déhancher autant ! Évelina est déjà venue ici. Ça paraît que ce n'est pas la première fois qu'elle danse.

Simone contemplait elle aussi son amie sur le plancher de danse. De toute évidence, Évelina s'amusait beaucoup, tout comme la plupart des gens qui l'entouraient. Essoufflé, Paul revint à la table. Il invita Simone à le suivre. Récalcitrante au début, cette dernière se laissa convaincre assez facilement. Paul lui montra quelques pas de base et l'entraîna avec lui dans la frénésie. Flavie se retrouva seule à la table en compagnie de Clément. Sirotant son *rhum & Coke*, Flavie regardait Simone. Raide au début, la jeune femme avait assoupli ses mouvements et devenait de plus en plus habile.

Clément se pencha de nouveau vers Flavie.

— Ça te tente d'essayer ça ? Je ne suis pas tellement bon danseur mais, si tu en as envie, ça me fait plaisir de t'inviter.

Flavie suivit Clément sur le plancher de danse.

* * *

De retour de cette soirée complètement folle, Flavie, Simone et Évelina avaient mal aux pieds. Elles ne se firent pas prier pour enfiler leur chemise de nuit et s'étendre sur leur lit. Encore étonnée de s'être autant amusée, Simone soupira.

— Fiou ! Je n'ai jamais vu une danse comme ça ! C'est complètement fou ! Pas besoin d'être bon et de compter les pas. On improvise et c'est tout.

— Je te l'avais dit que ça te ferait du bien de te dégourdir un peu ! Tu as même dansé avec MON cavalier, en plus ! Ça ne te tentait pas de jeter ton dévolu sur Paul ou sur Alfred ? Ou même sur Clément ?

— Clément n'avait d'yeux que pour Flavie !

— Voyons, les filles ! Vous auriez pu danser avec Clément n'importe quand !

— Ben non, Flavie. Simone aimait mieux danser avec Bastien !

Simone sourit au plaisir qu'elle avait eu à danser quelques fois avec Bastien. Il lui avait paru arrogant au début de la soirée, mais quand il avait vu qu'elle se débrouillait quand même assez bien sur le plancher de danse, il avait changé de partenaire avec Paul. Simone s'était réellement amusée au cours de la soirée. Elle regrettait presque d'avoir attendu plusieurs mois avant de sortir en compagnie d'Évelina. Bastien lui plaisait et elle espérait secrètement qu'il les réinviterait prochainement, ses amies et elle.

Flavie écoutait ses deux compagnes se taquiner à propos de Bastien et de son talent de danseur. Elle repensait à Clément qui dansait moins bien que les trois autres internes, mais dont elle appréciait de plus en plus la compagnie. Ils s'étaient amusés sur le plancher de danse, même si tous deux ne « swingaient » pas comme les autres. Évelina s'était un peu moquée de leur manque de souplesse en leur disant qu'ils danseraient peut-être mieux la fois suivante. Flavie avait aimé la proximité de Clément et sa façon de la dévisager. Il avait posé sur elle un regard différent, et elle avait ressenti les mêmes sensations que lorsque Léo l'avait embrassée. « C'est probablement à cause du *rhum & Coke*, de la musique trop forte et de l'euphorie du moment, mais je me demande si je ne suis pas en train de tomber amoureuse de Clément. Je vais devoir faire attention si je ne veux pas courir deux lièvres à la fois. »

Fatiguées par leur soirée, les trois amies s'endormirent rapidement.

# 11

Quelques semaines avant Pâques, Flavie rendit visite à Victor. Ce dernier adorait la voir et lui avait mentionné à plusieurs reprises sa satisfaction de savoir qu'elle aimait ses études en soins infirmiers.

Après avoir rempli de nouveau la tasse de thé de sa filleule, Victor déclara :

— C'est tellement important, Flavie, d'aimer ce qu'on fait dans la vie.

— Je me questionne beaucoup ces temps-ci. La mort d'une patiente m'a ébranlée plus que je ne l'aurais cru. Je sais que je ne devrais pas m'attacher autant à mes patients, mais c'est contre ma volonté.

Tenant sa tasse, Flavie fixait le liquide ambré auquel elle n'avait pas encore touché. Elle avait décidé de profiter de son dimanche après-midi de congé pour rendre visite à Victor et essayer d'en savoir plus sur Edmond Prévost, ce père qu'elle n'avait pas connu et dont le décès de Violette avait ravivé le souvenir. Cet homme l'intriguait. Sa mère lui avait quand même un peu parlé de lui, mais Flavie voulait en connaître davantage à son sujet. Bernadette se montrait plutôt distante quand elle parlait de son mari décédé beaucoup trop tôt. Flavie savait que de parler d'Edmond aviverait les horribles années de guerre que Victor s'efforçait d'oublier.

Son parrain lui demanda ce qui la préoccupait.

— Depuis le décès de madame Pouliot, je me rends compte que je sais très peu de choses sur mon père. J'ai envie d'en apprendre plus sur lui.

— Ta mère t'a sûrement déjà parlé d'Edmond, Flavie.

— Elle l'a fait. Mais chaque fois, ça lui brise le cœur de se replonger dans ses souvenirs. Je me suis dit que, puisque tu étais son meilleur ami, tu pourrais me raconter ses dernières années.

— Que pourrais-je te dire ?

Victor s'était dirigé vers la fenêtre, tournant ainsi le dos à Flavie.

— Ton père était comme un frère pour moi. Nous avons été élevés pratiquement ensemble, malgré notre milieu familial différent. Ton grand-père était un employé de mon père, mais les deux hommes étaient amis ; c'était donc tout naturel pour leurs deux fils de l'être aussi. Nous passions tout notre temps ensemble, Edmond et moi, quand nous étions plus jeunes. Mon père a aidé la famille Prévost à payer les études en droit d'Edmond. Malheureusement, il n'a pu terminer celles-ci à cause du déclenchement de la guerre.

— Ma mère ne m'a jamais parlé des études qu'il avait faites.

— La guerre a pris toute la place, Flavie. Edmond s'est enrôlé bien avant la conscription.

— C'est étonnant. Je pensais que les volontaires étaient majoritairement des anglophones.

— Il y a quand même quelques Canadiens français qui se sont portés volontaires. Ton père était de ceux-là. J'ai terminé mes études et j'ai rejoint les rangs de l'armée en 1916. J'ai retrouvé ton père un peu après la bataille de la Somme. On s'est réconciliés et on a combattu ensemble pendant la prise de la crête de Vimy, comme tu le sais déjà.

— Vous vous êtes réconciliés ? Vous vous étiez querellés ?

C'était la première fois que Flavie entendait cette version ; Victor venait d'éveiller sa curiosité. Sa mère n'avait jamais fait mention d'une quelconque dispute entre les deux hommes.

Victor revint s'asseoir près de sa filleule. Il prit une gorgée de son thé devenu froid avant de poursuivre son récit.

— Je ne me souviens plus pourquoi nous nous étions brouillés. Probablement parce qu'il voulait s'enrôler et que je refusais de le suivre. Ça ne me disait rien de bon ce qui se tramait en Europe ; pas plus que ce qui se trame aujourd'hui, d'ailleurs… Mais ça, c'est un autre sujet. Enfin… Edmond et moi, nous nous sommes réconciliés un peu avant l'assaut sur Vimy. Ton père a été touché. Il est mort dans mes bras, Flavie.

Victor avait détourné le regard pour cacher ses yeux brouillés de larmes au souvenir de la mort tragique de son ami. Flavie s'en voulut d'avoir évoqué son père. Elle aurait voulu dire à Victor qu'elle en avait assez entendu. Mais elle resta silencieuse, attendant qu'il reprenne.

— J'étais blessé moi aussi, à la jambe comme tu le sais, mais j'ai eu plus de chance qu'Edmond. Il m'a fait promettre de veiller sur sa femme et ses enfants ; c'est ce que je me suis efforcé de faire toute ma vie. Les tiens et toi, vous êtes précieux pour moi, Flavie. Vous êtes la famille que je n'ai pas eue.

Flavie se décida à poser la question qui lui brûlait les lèvres depuis son arrivée à Montréal.

— Hum… Oncle Victor, je me suis toujours demandé si tu avais eu envie d'épouser ma mère. Après la mort de mon père, juste après ton retour d'Europe, tu aurais pu le faire.

Victor leva les yeux sur Flavie. Ses lèvres s'entrouvrirent, mais aucun son ne les franchit. Après avoir pris une profonde inspiration, il répondit simplement :

— J'ai demandé à Bernadette de m'épouser, mais elle a refusé. Ton père occupait toujours ses pensées. J'ai voulu l'aider quand elle a eu des soucis financiers. Mais tu connais ta mère et sa grande fierté : elle n'a jamais voulu accepter mon aide. Elle a préféré retourner habiter à La Prairie chez ta grand-mère. Ce n'est que quelques années plus tard qu'elle a accepté que je l'aide.

— Et c'est grâce à ta suggestion que je me suis inscrite à l'école d'infirmières de l'hôpital Notre-Dame.

— Je suis très content que tu sois ici à Montréal, près de moi. J'ai l'impression de remplir un peu ma promesse à ton père en veillant sur toi. Plus j'apprends à te connaître, Flavie, et plus je sais qu'Edmond serait fier de toi.

— J'ai beaucoup de chance de t'avoir dans ma vie, oncle Victor.

Flavie lui prit la main et l'embrassa sur la joue. Victor laissa libre cours à ses émotions ; ses yeux se remplirent à nouveau de larmes. Victor se considérait lui aussi chanceux de pouvoir se rapprocher de sa filleule. Il avait tenu sa promesse, mais celle-ci lui pesait parfois sur le cœur. Flavie n'avait aucune idée à quel point elle avait ébranlé son parrain avec toutes ses questions.

* * *

Monsieur Zheng déposa un bol de *dim sum* fumant entre Flavie et Léo sur la table recouverte d'une nappe à motifs chinois. Flavie avait rejoint le journaliste pour le souper. Ils devaient se rendre tôt au cinéma pour voir un film au Princess Theater, rue Sainte-Catherine. Flavie lui avait raconté ses derniers instants passés avec madame Pouliot, et elle l'avait remercié encore une fois de l'avoir aidée à retrouver la fille de Violette.

— Je me suis fait sermonnée parce que j'ai dépassé mon mandat d'infirmière. Mais je suis quand même très contente que mon initiative ait rapproché une mère et sa fille.

— Parfois, il faut un peu déroger aux règles pour bien faire notre travail. J'en sais quelque chose avec mon métier de journaliste.

Madame Zheng était venue saluer Léo comme la fois précédente. Elle avait toisé Flavie du regard avant de hocher la tête et de retourner aux cuisines.

— Elle n'a pas perdu sa bonne habitude de venir te saluer.

— En effet ! Elle vient toujours dire bonsoir à son « mistère Lio ».

— Elle m'a regardée d'un drôle d'air.

— Bah ! Elle doit être jalouse. Tu as beaucoup de chance, Flavie, de sortir avec le journaliste Léo Gazaille !

Il resta sérieux quelques secondes avant d'éclater de rire, suivi de Flavie.

— Madame Zheng est un peu protectrice. Elle jette toujours un coup d'œil aux personnes qui m'accompagnent, afin de s'assurer que je suis bien entouré.

— Et tu viens avec plusieurs jeunes femmes ici ?

— Depuis quelque temps, tu es la seule que j'invite. Et je suis ravi d'être avec toi.

Flavie sentit son visage s'empourprer. Elle termina son assiette en silence. Quand monsieur Zheng revint pour desservir la table et proposer un dessert, Léo regarda sa montre et refusa.

— Nous sommes désolés, monsieur Zheng, de devoir vous quitter si rapidement. Mais nous serons en retard pour voir la magnifique Katharine Hepburn.

Après avoir réglé l'addition, Léo aida Flavie à mettre son manteau. Les deux jeunes gens quittèrent le commerce et se dépêchèrent pour ne pas rater le film. La température s'était réchauffée au cours des jours précédents, et on entrevoyait enfin le printemps. Les arbres attendaient une journée plus chaude, ce qui ne tarderait pas, pour faire éclater les bourgeons qui recouvraient leurs branches. Malgré les trottoirs salis par le passage de l'hiver, Flavie trouvait que la ville était belle pendant ce changement de saison.

Quand Flavie et Léo parvinrent devant le théâtre, ce dernier se rendit au guichet pour acheter les billets. Flavie entendit une voix derrière elle.

— Ah ben ! Si ce n'est pas Flavie Prévost !

Après s'être retournée, Flavie se retrouva nez à nez avec Georgina et Alma. Au même instant, Léo revint avec les billets en main.

— Ouais ! Tu es en excellente compagnie, Flavie. Tu ne nous présentes pas ?

Flavie aurait voulu éviter à Léo de compter quelqu'un d'aussi désagréable que Georgina parmi ses connaissances, mais elle était polie. Elle procéda donc aux présentations. Georgina et Alma eurent droit à : « Georgina Meunier et Alma Côté, deux collègues. » Léo avait deviné que les deux jeunes femmes n'étaient pas des amies de Flavie ; c'est pourquoi il n'insista pas pour qu'elles s'assoient en leur compagnie. Flavie et Léo entrèrent dans le théâtre, laissant les deux jeunes femmes faire la queue pour se procurer des billets.

— En te voyant l'air, Flavie, j'ai pensé que tu ne voulais pas t'asseoir avec ces deux-là…

— Non, en effet. Merci ! Disons que nous n'avons aucun point en commun, elles et moi.

— Ça arrive ces choses-là !

Léo et sa compagne s'installèrent confortablement dans la salle de cinéma, et attendirent le début du film. Quand Flavie tourna la tête, elle se rendit compte que Georgina et Alma avaient choisi les deux places derrière Léo et elle. Georgina lui fit un signe de la main avant de lui adresser un sourire moqueur. Flavie se retourna en prenant une grande respiration. « Décidément, celle-là n'a qu'un but dans la vie : gâcher le plaisir des autres. » Georgina se pencha vers Flavie comme le projecteur commençait à diffuser les premières bandes-annonces montrant ce que le gouvernement avait accompli depuis la dernière année.

— Je pensais, Flavie, que Clément et toi vous vous fréquentiez de façon sérieuse. Je suis contente de voir que tu es en excellente compagnie ce soir. Bon film !

Georgina reprit sa place, un sourire de satisfaction sur le visage. Alma avait jeté un regard désapprobateur à Flavie, mais avait gardé le silence. Piquée au vif, cette dernière essayait de se contenir. Qu'est-ce que Georgina insinuait ? Qu'elle sortait avec quelqu'un d'autre et trompait Clément ? Elle considérait les deux hommes comme des amis et elle n'envisageait pas autre chose pour l'heure. Léo, qui avait entendu Georgina, attendait des explications. Flavie lui souffla : « Clément est un médecin et un ami », juste avant que le film commence.

Malgré le froid causé par les propos de Georgina, le reste de la soirée se déroula bien. Katharine Hepburn était flamboyante dans son rôle de Phœbe Throssel, une jeune femme qui se faisait passer pour sa nièce afin de reconquérir le cœur d'un homme parti pour la guerre. Flavie voyait pour la première fois un film dans sa version originale anglaise. Malgré le faible vocabulaire d'anglais qu'elle possédait, elle réussit à saisir la ligne directrice de l'intrigue.

Flavie n'aurait pu dire si c'était à cause des paroles de Georgina ou de la pluie qui tombait sur la ville, mais elle trouva Léo distant à la sortie du cinéma. Il la raccompagna à l'hôpital et la remercia d'avoir accepté de passer la soirée avec lui.

— J'espère que tu trouveras le temps de m'appeler, Flavie, entre deux rendez-vous avec ce Clément…

— C'est un ami seulement, Léo. Georgina est mesquine et prend plaisir à blesser les autres.

— Je pensais que notre relation devenait de plus en plus sérieuse, Flavie.

La jeune femme demeura silencieuse quelques secondes. Elle se plaisait bien en compagnie de Léo, mais elle ne savait pas vraiment ce qu'il attendait en retour.

— Je suis bien en ta compagnie, Léo.

— Je m'attendais à un peu plus. Je ne pensais pas qu'il y avait quelqu'un d'autre dans ta vie.

— Clément n'est pas vraiment « dans ma vie », comme tu dis. C'est un collègue que je considère comme un ami.

— Ça me rassure un peu, bien que je me doute que tu passes sûrement beaucoup de temps en sa compagnie dans le cadre de ton travail. Je détesterais l'idée de savoir que tu te tournes vers lui à mon détriment. J'aime de plus en plus être avec toi et je crois possible que nous ayons un avenir ensemble, tous les deux.

Flavie aimait bien l'attention que Léo lui portait quand elle le voyait, mais elle n'avait pas encore réfléchi à un quelconque avenir avec lui ou avec Clément. Pourquoi les choses devaient-elles être si compliquées ? Sans rien ajouter, Léo l'embrassa, puis il sauta dans l'autobus qui le ramènerait chez lui. Flavie le regarda partir en rageant intérieurement contre Georgina. La vipère avait pris plaisir à gâcher sa soirée avec Léo. Elle était toujours là pour semer la zizanie. Elle ne la laisserait donc jamais tranquille ?

* * *

Sœur Désuète avait fièrement annoncé aux élèves que, grâce à son intervention, l'hospitalière en chef, sœur Larivière, leur avait accordé à toutes un congé, allant du Jeudi saint au lundi de Pâques inclusivement. Plusieurs doutaient que l'idée soit venue de sœur Désilets, mais aucune étudiante ne prit le risque de passer une remarque. Pour une fois que la religieuse était de bonne humeur, personne ne voulait gâcher cet instant. En retournant à sa chambre, Flavie demanda à Simone et à Évelina ce qu'elles feraient durant ce congé.

Évelina s'empressa de répondre pour les deux.

— Bah ! Simone en profitera sûrement pour réviser ses notes de cours. Moi, je vais essayer de la sortir un peu d'ici. Pourquoi ?

— Si je vous demande ça, les filles, c'est que j'ai eu une idée. Ça vous dirait de vous joindre à moi ? Ma mère et ma grand-mère seraient certainement heureuses de rencontrer enfin mes deux meilleures amies.

— On ne veut pas déranger, Flavie, déclara Simone avant qu'Évelina n'intervienne.

— Pff ! Voyons donc, Flavie, tu me vois à la campagne ? répliqua Évelina en regardant sa manucure.

— Laissez-moi deux minutes, et je vous reviens.

Flavie sortit précipitamment pour aller téléphoner à sa mère. Pendant ce temps, Simone sermonna Évelina.

— Je sais à quel point tu me trouves casanière, mais quand même ! Flavie est généreuse de penser à nous inviter. C'est hors de question que je retourne à Saint-Calixte pour les vacances. Mon oncle et ma tante sont un peu comme ta mère. Ils préfèrent quand je me trouve loin d'eux.

— En fait, ma mère serait sûrement folle de joie de me voir, mais je ne veux pas lui procurer ce plaisir.

Flavie revint enthousiaste de son coup de téléphone.

— J'ai parlé à ma mère et elle nous attend. Antoine viendra nous chercher jeudi matin.

— Je ne sais pas, répondit Simone en hochant la tête.

— Moi et la campagne, vous savez… déclara Évelina.

— Batèche, les filles ! Ça changera et on a besoin d'un peu de repos avant les examens.

Simone décida pour Évelina et elle.

— Bon, OK, Flavie, tu nous as convaincues ! On passera le congé pascal à La Prairie. Moi, je ne veux surtout pas manquer ce spectacle : Évelina qui trait les vaches !

Flavie éclata de rire avec Simone. Évelina demeura pensive. Dans quoi venait-elle de s'engager ?

* * *

À la fin du cours de chirurgie, Flavie croisa Clément qui retirait son sarrau dans le vestiaire. Elle l'attendit dans le couloir. Elle ne lui avait pas reparlé depuis leur sortie en groupe. Quand il la vit, il se dirigea vers elle avec un air hésitant. Flavie s'en inquiéta.

— Je voulais juste savoir comment tu allais et si tu t'étais remis de cette soirée de danse infernale ! Il y a longtemps que nous nous sommes parlé.

— J'ai beaucoup d'études à faire pour mes examens de fin d'année. Je termine mon internat cette année ; je ne peux me permettre d'échouer.

— Je comprends. Peut-être qu'on pourrait aller prendre un café quand je serai de retour des vacances de Pâques ?

— Je ne sais pas trop comment te dire ça, Flavie, mais ça me surprendrait beaucoup que j'aie le temps.

Flavie se demandait ce qu'elle avait bien pu faire pour mériter la froideur du jeune homme. Le souvenir de Georgina lui revint. Celle-ci avait sûrement raconté à Clément qu'elle avait vu Flavie en bonne compagnie au cinéma. Ce dernier croyait peut-être qu'elle fréquentait Léo. Flavie aurait voulu tirer la situation au clair, mais Georgina arriva sur ces entrefaites. La chipie prit le bras de Clément.

— C'est gentil de m'avoir attendu, docteur Langlois. Vous m'accompagnez à la salle à manger? J'ai quelques minutes avant de devoir retourner auprès des patients.

Clément dit à Georgina de lui réserver une place et qu'il irait la rejoindre plus tard. Georgina partit d'un pas léger en direction de la salle à manger. Flavie resta là, silencieuse.

— Georgina m'a appris pour ton fiancé. Je suis très heureux pour toi. Toutefois, j'aurais aimé que tu m'informes de tes fiançailles. Je pensais que nous étions des amis, Flavie.

Celle-ci accusa le coup et ne put masquer son profond étonnement.

— J'imagine que la parole de Georgina vaut plus que la mienne, Clément? Je ne suis absolument pas fiancée, et Léo n'est qu'un ami. Mais même si j'essayais de prouver quoi que ce soit, ton idée est faite. En tout cas, je m'excuse de t'avoir importuné. Je te souhaite de très belles vacances de Pâques.

Flavie tourna les talons et s'éloigna à toute vitesse. Elle rageait intérieurement: à cause de Georgina, elle avait perdu l'amitié de Clément et elle avait altéré sa relation avec Léo. Elle ne savait pas auquel des deux elle tenait le plus, mais elle savait qu'elle appréciait leur affection et les caractères fort différents des deux hommes. Pour lors, c'était seulement leur l'amitié qu'elle désirait, mais Georgina avait pris un malin plaisir à venir semer la pagaille dans sa vie. «J'ai vraiment besoin de prendre des vacances. Ça me fera tellement de bien de prendre du recul.»

* * *

Évelina essayait en vain de terminer ses bagages. Flavie et Simone la pressaient de boucler sa malle.

— Antoine sera là d'une minute à l'autre. Il faudrait vraiment y aller, Évelina.

— Minute, Flavie! Je ne sais juste pas ce qu'il faut que j'apporte pour mon séjour à la campagne.

— Quand même, Évelina! N'aie pas peur, on ne te demandera pas de ramasser de la bouse de vache!

— Ben, je veux être prête à toute éventualité.

Simone la poussa et se dépêcha de fermer la valise.

— Tu seras ben correcte avec ta dizaine de robes et tes bas assortis. On sera parties seulement quatre jours, Évelina! On dirait que tu te prépares pour un séjour de deux semaines. Et puis, Flavie peut sûrement nous prêter des bottes pour aller traire les vaches.

— Arrêtez donc de m'énerver avec ça! Si je vous disais que je n'ai jamais quitté Montréal, vous me croiriez?

— Mets-en! s'exclama Simone. C'est tellement évident, en plus! Allez, viens-t'en. Le frère de Flavie doit nous attendre avec sa charrette de foin en bas!

— Une charrette de foin?

— Ben non, Évelina! C'est une blague! Mon frère est plus civilisé que ça, quand même! Il a emprunté la Ford de notre voisin.

— Ah!

Évelina avait pâli en entendant Simone parler d'une charrette. Elle s'était vue traverser en carriole le pont Jacques-Cartier; cette vision lui avait donné des sueurs froides. La vue de la Ford devant l'hôpital et d'Antoine qui en descendait pour s'occuper des valises la rassura. Le jeune homme ne portait pas d'*overall* comme elle se l'était imaginé et encore moins un chapeau de paille, et il ne se promenait pas avec un brin d'herbe à la bouche. Il était vêtu normalement comme un citoyen de Montréal. Flavie fit brièvement les présentations. La poignée de main ferme et calleuse d'Antoine prouvait qu'il cultivait la terre.

Durant le trajet vers La Prairie, Flavie fit le récit des dernières semaines passées à Montréal à son frère. Simone et Évelina, qui occupaient le siège derrière, prenaient plaisir à regarder défiler le paysage. Simone interrogea Antoine sur son travail et sur ses projets de fromagerie, dont Flavie lui avait parlé. Seule Évelina demeurait silencieuse en voyant la ville s'éloigner derrière elle. La jeune femme n'avait pas menti quand elle avait dit n'être jamais sortie de sa ville. Elle n'avait jamais traversé le fleuve qui entoure l'île de Montréal. En voyant les maisons s'espacer les unes des autres et en contemplant les grandes étendues de champs bruns attendant d'être semés, Évelina avait été surprise de constater la beauté du décor qui défilait.

Après avoir roulé un certain temps, Antoine arrêta la voiture devant une petite maison en brique dans le fond d'un rang. Flavie se précipita sur le balcon, où sa mère et sa grand-mère l'attendaient. Antoine descendit tranquillement du véhicule et ouvrit la portière aux deux amies de sa sœur en leur souhaitant la bienvenue à La Prairie. Simone sortit la première, suivie d'Évelina qui tenait son sac à main serré contre elle. Flavie fit les présentations en prenant ses amies par le bras. Bernadette salua poliment les deux jeunes femmes et Delvina les embrassa sur les joues.

— Enfin, on rencontre les deux amies de notre Flavie ! s'exclama l'aïeule. Soyez les bienvenues, mesdemoiselles. Antoine ira porter vos valises dans la grande chambre du haut. Ta mère et moi avons pensé, Flavie, que vous aimeriez être toutes les trois ensemble.

— Quelle bonne idée vous avez eue ! Comme ça, on ne sera pas trop dépaysées !

— Vous avez sûrement deux ou trois choses à vous raconter ! Allez vous installer, les filles. On vous attend en bas pour jaser un peu.

Flavie conduisit ses invitées dans la grande chambre qui leur avait été assignée. Elle avait rarement dormi dans celle-ci, seulement lors de fêtes de Noël avec quelques cousines. Cette pièce était habituellement réservée aux nombreux invités qui venaient séjourner dans la maison familiale. Le reste du temps, elle servait d'espace de rangement à cause de la grosse armoire disposée dans un coin. Un lit double et un lit simple meublaient également la chambre. Évelina déposa sa valise et inspecta les lieux. La pièce était bien éclairée et le ménage avait été fait depuis peu ; on pouvait encore sentir les effluves de produits ménagers. La jeune femme observa par la fenêtre la vaste étendue de terre qui attendait les semailles.

— Wow ! Tout ça est à vous ? s'écria-t-elle.

— Oui. C'est là qu'Antoine fait pousser le fourrage qui sert à nourrir les vaches pendant l'hiver.

— Vous semez tout ça ? C'est impressionnant !

— Tu n'as pas fini d'être impressionnée, Évelina ! la taquina Simone. Je gage que tu n'as jamais vu une vache de près de ta vie…

— Euh… au marché quelquefois… OK, les filles ! Je suis ignorante en la matière, mais bon, vous avouerez que ce n'est pas nécessaire de tout connaître sur les vaches quand on habite en ville.

— On est ici pour se reposer avant les examens de fin d'année, déclara Flavie, et c'est ce que nous ferons. Ma grand-mère nous attend en bas. Je vous propose une petite visite guidée après, si ça vous tente.

Flavie sortit, suivie de Simone. Évelina s'admira dans le miroir avant de rejoindre ses deux amies. En bas, elles s'installèrent à la table de la cuisine pour faire plus ample connaissance avec la mère et la grand-mère de Flavie. Mal à l'aise en présence des deux amies de sa sœur, Antoine était retourné à l'étable pour s'occuper des bêtes. Une délicieuse odeur de soupe montait du chaudron dont Bernadette remuait de temps en temps le contenu sur le poêle. Le voyage avait creusé l'appétit des trois jeunes femmes. Le dîner était passé depuis un bon moment, et il faudrait attendre au souper pour pouvoir déguster la soupe.

— Vous devez avoir l'estomac dans les talons ? s'enquit Delvina.

En bonne hôtesse, elle déposa un bloc de fromage frais au centre de la table. Bernadette lança à sa mère un regard désapprobateur.

— Je sais, ma fille, qu'on est en plein carême, déclara Delvina, et qu'on doit faire maigre et jeûne. Mais ce n'est pas tous les jours qu'on reçoit la visite de demoiselles de la ville. Elles ne pourront pas tenir jusqu'au souper, c'est certain. Allez, Bernadette, va chercher du pain pour manger avec le fromage. Tu ne voudrais pas que de futures infirmières meurent de faim, quand même ?

Bernadette s'exécuta. Après tout, le carême s'achevait ; ce n'était sûrement pas une faute de nourrir des estomacs affamés. Flavie passa la meule à Simone et à Évelina, puis elle se servit un morceau de fromage. Les trois jeunes femmes mordirent à belles dents dans cette collation improvisée. Delvina les regarda se délecter, fière de la production de fromage de son petit-fils.

Flavie sourit à sa grand-mère. Sa jovialité lui avait beaucoup manqué depuis son installation à Montréal. Elle adorait sa vie en ville, mais se retrouver dans la maison familiale en compagnie de Simone et d'Évelina lui procurait un grand sentiment de réconfort. Elle se promettait bien de dormir tard le lendemain matin pour combler le manque de sommeil des dernières semaines. Elle observa quelques minutes sa grand-mère. Très attentionnée, celle-ci écoutait Simone lui raconter sa vie d'institutrice. Les deux femmes s'étaient trouvé un point commun, et elles comparaient les enfants d'aujourd'hui à ceux du temps où Delvina enseignait dans une école de rang.

— Ils sont beaucoup moins disciplinés que dans mon jeune temps. Je vous comprends, Simone, d'avoir voulu changer de profession. Enseigner aujourd'hui est une affaire de vocation, pour sûr !

Bernadette était venue s'asseoir à la table et s'était laissée tenter, elle aussi, par le fromage. Elle avait déposé devant les jeunes femmes des tasses et une théière. Se versant un thé, elle prit quelques instants pour se reposer de sa journée. Écoutant à moitié Delvina et Simone parler de l'enseignement, Bernadette demanda à Évelina ce que faisaient ses parents comme métier.

Évelina, embarrassée, mentionna qu'elle n'avait jamais connu son père.

— Il est mort avant ma naissance et ma mère m'a très peu parlé de lui. Ma mère est rentière et je ne la vois pas souvent. Elle habite aussi à Montréal.

— Évelina est une vraie citadine, expliqua Flavie. Elle nous a avoué qu'elle n'avait jamais quitté la ville avant aujourd'hui. C'est elle qui nous fait découvrir Montréal.

— Parlant de Montréal… Flavie, tu as rendu visite à Victor la semaine dernière. Comment allait-il ?

— Il est en très grande forme. On a beaucoup discuté. J'apprends à connaître mon parrain.

— Comme si tu ne le connaissais pas déjà ! répliqua Bernadette.

— Ce n'est pas en voyant quelqu'un une ou deux fois par année qu'on apprend à le connaître, maman.

— Et de quoi avez-vous parlé, si ce n'est pas trop indiscret ?

— De toutes sortes de choses. Ça faisait un petit bout de temps que je voulais lui demander de me parler de papa.

Bernadette avala sa gorgée de thé de travers ; elle toussa pour libérer sa gorge du liquide brûlant. Reprenant son souffle, elle interrogea Flavie.

— Nous en avons parlé souvent toutes les deux. Que voulais-tu savoir de plus ?

— Les années qu'il a passées à la guerre m'ont toujours intriguée.

— Et Victor t'en a parlé ?

— Un peu. Il est évident que les souvenirs rattachés à la guerre lui sont douloureux. J'ai peine à imaginer toutes les atrocités qu'il a vues là-bas. Le père d'un collègue y est allé en tant que chirurgien, et lui non plus n'aime pas raconter ce qui s'est passé là-bas.

Flavie avait hésité en utilisant le mot « collègue » pour désigner Clément. Elle aurait voulu dire qu'il était son ami, mais sa dernière conversation avec lui avait semé le doute dans son esprit. Elle n'avait pas eu le temps de tirer les choses au clair à cause de la maudite Georgina qui était toujours fourrée partout. Flavie avait besoin de ces vacances à La Prairie pour se remettre les idées en place. Elle aurait peut-être la chance d'aborder le sujet avec sa grand-mère. Delvina donnait habituellement de judicieux conseils.

Flavie ne s'était pas rendu compte que sa mère avait pâli à la mention de son désir d'en savoir plus sur son père. Simone, en revanche, l'avait remarqué. Après la collation, Delvina « expulsa » les jeunes femmes de sa cuisine pour qu'elle puisse terminer de préparer le repas et, surtout, parce qu'elle refusait leur aide. « Sortez prendre l'air un peu, mesdemoiselles, et laissez-moi à mes chaudrons ! »

Simone attendit d'être à l'extérieur pour mentionner à Flavie ce dont elle s'était aperçue à propos de Bernadette.

— Ta mère est devenue pâle comme si elle cherchait à cacher quelque chose.

— Je ne pense pas qu'elle me cache quoi que ce soit. Ces souvenirs sont douloureux pour elle. À la mort de mon père, elle s'est retrouvée démunie. Sans ma grand-mère, je ne sais pas ce que nous serions devenus.

— Tu as sans doute raison. Bon, tu nous les montres, maintenant, ces belles vaches ?

Évelina contempla la robe en cotonnade un peu trop légère qu'elle avait mise pour être à l'aise. Elle aurait voulu aller se changer, mais elle ne savait pas trop quoi mettre pour visiter une étable. Ses souliers de cuir verni ne convenaient certainement pas non plus, mais elle n'avait pas envie que Simone et Flavie se moquent d'elle. « Bah ! Au pire, j'en achèterai d'autres, c'est tout ! » Flavie poussa la porte de l'étable. Aussitôt, une odeur de fumier et d'animaux envahit l'air environnant.

Évelina se boucha le nez avec la main.

— Ark ! C'est ça, l'odeur de la campagne ? J'aime encore mieux celle de l'essence des voitures.

— Tu vas t'habituer, Évelina, la taquina Flavie.

— Je ne pense pas, non.

— Je me suis bien habituée, moi, à l'odeur de la ville !

Devant le ridicule de la situation, Évelina retira sa main. Puis, elle s'efforça de respirer le moins possible. Antoine, qui était au fond de l'étable, vint à la rencontre du trio. Évelina détailla les bêtes qui ruminaient inlassablement leur foin.

— Elles sont brunes ! Je pensais que les vaches laitières étaient toujours blanches avec des taches noires.

— Ce sont des vaches canadiennes, expliqua Antoine. C'est la première race qui a été introduite en Amérique du Nord. Elles donnent une très bonne quantité de lait.

— Vous m'en direz tant ! Eh ben ! On en apprend tous les jours !

Évelina essaya de se montrer intéressée par les propos d'Antoine. Mais tout ce qui lui importait pour lors était d'éviter de se faire renifler par les gros mufles humides des vaches. Elle pensa aussi à ses souliers et à l'odeur que prendraient ses vêtements.

— Vous voulez voir les veaux? proposa Antoine.

Évelina allait répondre que non car elle préférait sortir au plus vite, mais Simone et Flavie acquiescèrent avant de suivre Antoine au fond de l'étable. Évelina se sentait mal à l'aise devant la grosseur des bêtes. Marchant à petits pas pour éviter de se faire frapper par les queues des vaches qui remuaient pour chasser les mouches, Évelina balayait de la main les insectes qui lui tournaient autour de la tête. Elle essaya de ne pas perdre de vue ses deux amies.

Flavie enjamba la clôture du parc où se trouvaient les quatre veaux.

— Oh! Comme ils sont mignons, Antoine!

Mignons? Évelina n'aurait su dire si elle trouvait ces bêtes-là belles. En tout cas, les veaux ressemblaient en tout point à leur énorme mère. Mais devant les grands yeux bruns qui la fixaient, elle s'attendrit un peu. Simone avait rejoint Flavie et cajolait les veaux, elle aussi. Elle fit signe à Évelina.

— Approche-toi, Évelina. Ils ne te mangeront pas!

— Euh... je ne sais pas trop... Je préfère rester ici. Mais ne vous gênez pas pour catiner, mesdemoiselles!

Antoine sourit en voyant le regard apeuré qu'Évelina promenait autour d'elle. Décidément, l'amie de Flavie était une vraie fille de la ville. Il l'avait trouvée fort élégante quand elle s'était installée dans la Ford de monsieur Beaudoin. Ses ongles manucurés, sa coiffure et son rouge à lèvres l'avaient charmé. Il voyait peu de jeunes femmes aussi coquettes aux soirées paroissiales. Évelina devait être frigorifiée avec sa petite robe de coton. Il lui tendit sa veste en laine, qu'elle refusa en premier lieu mais qu'elle finit par accepter d'un air gêné. Un chaton de la dernière portée de la chatte vint se frôler contre les jambes de la jeune femme. Évelina recula, puis, en voyant de quoi il s'agissait, se pencha pour prendre le petit animal.

— Hon ! Ça, c'est beaucoup plus mignon, à mon avis ! Il est minuscule !

— Il a quelques semaines seulement.

— Vous faites aussi l'élevage des chats ?

— Pour chasser les souris et la vermine qui trouvent refuge dans l'étable, les chats sont très utiles.

Évelina jeta un regard autour, en espérant qu'elle ne verrait pas poindre la vermine dont Antoine venait de mentionner la présence. Le chaton se blottit contre elle comme pour la rassurer. La jeune femme le caressa en regardant Flavie nourrir un des veaux avec un biberon.

— Vous faites ça très bien, garde Prévost, même si vous n'avez pas encore suivi votre cours en pédiatrie !

— Je suis habituée aux petits veaux, garde Richer. Vous voulez essayer ?

— Non, non, ça va aller. Je dois m'occuper d'un chaton, c'est assez.

Évelina se tourna vers Antoine. Elle lui dit qu'elle avait eu la chance de déguster un de ses fromages un peu plus tôt.

— Sérieusement, je n'ai jamais rien mangé d'aussi bon.

— Je pourrais vous faire visiter la laiterie et la fromagerie tout à l'heure, si vous voulez. Simone et Flavie aussi, vous êtes invitées. Tu n'as pas vu les changements que j'ai faits, Flavie. J'ai hâte de te montrer ça !

Évelina accepta l'invitation en songeant que, pour un jeudi soir, cela changeait d'une invitation à un cabaret. Comme s'il avait lu dans ses pensées, Antoine déclara :

— Vous n'avez pas besoin de revêtir vos plus belles robes pour sortir à la laiterie, les filles !

Évelina lui sourit. Elle aimait bien le sens de la répartie du jeune cultivateur. Ce dernier était direct, contrairement à tous les hommes qu'elle connaissait.

* * *

Après avoir mangé la soupe qui avait mijoté tout l'après-midi, les trois jeunes femmes suivirent Antoine jusqu'à la laiterie pour une visite guidée. Il leur montra les différents instruments, la baratte à beurre et la cuve où il mélangeait le lait avec de la présure pour fabriquer le fromage.

— C'est ce qu'on appelle le caillage. Après, on égoutte le caillé pour en retirer le petit lait. Une fois qu'il est bien égoutté, je place le fromage dans des moules et je procède au pressage. Puis, après le démoulage des fromages, on passe à l'étape de l'affinage – qui donne le secret du goût. Ces meules-là sont nettoyées et retournées tous les jours.

Antoine pointa une étagère dans un coin de la pièce. Les trois amies regardèrent les meules qui vieillissaient. Flavie était impressionnée par l'expertise de son frère. Ce qui, au début, avait commencé comme une simple expérience s'avérait de mieux en mieux structuré. Antoine voulait devenir fromager, et son rêve paraissait de jour en jour plus accessible. Ce dernier prit une meule et en coupa quelques morceaux qu'il tendit à son auditoire, comme pour prouver qu'il avait amélioré sa technique. Simone n'était pas friande des essais culinaires, et elle attendit le feu vert de ses amies. Flavie avait pris le morceau de fromage sans grande conviction. Elle avait goûté à maintes reprises les « essais » de son frère et elle n'était pas certaine que celui-ci serait concluant, car le fromage avait une drôle d'odeur.

Devant le scepticisme de ses amies et surtout parce qu'elle voulait impressionner le frère de Flavie, Évelina fut la première à goûter au fromage. Ses yeux s'écarquillèrent quand elle se délecta de toute la saveur qui avait envahi ses papilles.

— C'est succulent !

Devant la mine ébahie de leur amie, Simone et Flavie tentèrent l'expérience à leur tour.

— C'est vraiment bon, Antoine ! s'écria Flavie. Je suis fière de toi ! Ça n'a rien à voir avec ce que tu nous servais l'an dernier. Beurk !

— Celui-là a vieilli plusieurs mois. J'ai modifié ma technique d'affinage, et je dois reconnaître que cela donne de bons résultats. Je pense que mes fromages peuvent rivaliser avec les meilleurs cheddars canadiens.

— Assurément, le rassura Évelina.

Antoine s'empressa d'expliquer en long et en large à Évelina comment fabriquer le fromage, trop fier que l'amie de sa sœur s'intéresse à lui. Simone entraîna Flavie à l'extérieur, laissant Évelina en tête à tête avec Antoine. Elles s'arrêtèrent près de l'escalier de la maison. Après que chacune eut choisi une marche, elles s'installèrent pour discuter.

— C'était vraiment intéressant ce que ton frère racontait, mais je me suis rendu compte que je déteste vraiment ça, l'odeur du fromage. De toute façon, Évelina nous sera reconnaissante de l'avoir laissée seule en compagnie de ton frère. Elle adore être le centre d'attraction avec la gent masculine.

— Ouais ! Mais je dois dire que ça m'inquiète un peu. Évelina aime bien s'amuser avec les hommes et je n'ai vraiment pas envie qu'elle agisse ainsi avec Antoine.

— Ton frère est assez grand pour se défendre contre la « tigresse Évelina » ! Je comprends à présent que ta famille te manque. Tout le monde est adorable. J'aurais vraiment aimé avoir une grand-mère comme la tienne.

— J'ai beaucoup de chance, en effet. Mais toi, Simone, tu ne parles pas souvent de ta famille.

— Qu'y aurait-il à dire ? Mon oncle et ma tante m'ont recueillie quand mes parents sont morts. Oh ! Je sais qu'ils auraient très bien pu m'envoyer dans un orphelinat et qu'ils ont été généreux de ne pas le faire – comme ils se plaisaient si souvent à me le dire. Mais sincèrement, je pense parfois que j'aurais préféré me retrouver dans un orphelinat plutôt que de les entendre répéter qu'ils avaient eu pitié de moi et que je devais leur être reconnaissante de m'avoir accueillie sous leur toit.

Flavie ressentit toute l'amertume que son amie éprouvait face à son oncle et sa tante.

— Tu sais, Flavie, toute ma vie je me suis sentie comme une « indésirable ». J'ai cherché ma place en enseignant, mais ce n'était pas fait pour moi, éduquer les « morveux » du village. Mon désir n'était pas non plus de me marier avec le premier venu et de pondre des enfants. Il n'y a qu'à l'hôpital que je me sens bien. Je sais que je peux faire la différence pour quelqu'un. Cela me remplit de fierté d'avoir enfin trouvé ma place. J'ai aussi énormément de chance de vous avoir dans ma vie, Évelina et toi. Vous constituez ma vraie famille.

Flavie comprenait parfaitement ce que Simone voulait dire quand elle parlait d'avoir l'impression de faire une différence dans la vie de quelqu'un et d'être au bon endroit, au bon moment. Simone et Évelina étaient très chères à ses yeux – « Elles sont un peu comme les sœurs que je n'ai pas eues », avait-elle déclaré à Victor la dernière fois qu'elle l'avait vu. Toutes ces années pendant lesquelles Simone avait vécu chez son oncle, à Saint-Calixte, avaient dû paraître un enfer à la jeune femme. Flavie ne s'était jamais sentie « indésirable » comme son amie.

Elle se savait aimée et acceptée dans sa famille. Comme Simone l'avait dit, elle avait beaucoup de chance.

— Youhou ? Flavie, m'écoutes-tu ?

— Désolée, Simone, j'étais perdue dans mes pensées. De quoi me parlais-tu ?

— Je te demandais où tu en étais avec Léo et Clément.

Flavie réfléchit quelques secondes. Léo lui avait presque fait une scène de jalousie avant de disparaître dans un autobus et Clément, lui, avait agi avec elle comme si elle lui était étrangère. Flavie poussa un profond soupir.

— Ah ! Je ne le sais vraiment pas. Georgina s'est chargée de semer la pagaille dans mes relations avec les deux.

Flavie lui raconta l'épisode du cinéma et les discussions qu'elle avait eues avec les jeunes hommes, par la suite.

— La maudite Georgina est allée raconter qu'elle m'avait vue avec mon fiancé au cinéma et Clément l'a crue ! Je n'en suis pas encore là avec Léo, et j'ignore si ce sera le cas un jour. Pour le moment, je considère Léo et Clément comme des amis.

— Tu aurais dû tirer les choses au clair avec eux, Flavie.

— Je n'ai pas pu le faire avec Clément, Simone. Il s'est montré d'une telle indifférence et, en plus, il s'est empressé d'aller rejoindre Georgina dans la salle à manger.

— Ouf! Les hommes sont comme ça, Flavie. Ils s'attendent à beaucoup de notre part, et parfois, ils veulent s'engager un peu trop vite. Et si l'on paraît réticente, ils jettent rapidement leur dévolu sur quelqu'un d'autre.

— Quand même, Simone ! Je ne peux pas croire que Clément ait un faible pour Georgina.

— Bah ! On ne sait jamais ! Tu pourrais être surprise.

— Ah! C'est tellement compliqué, Simone! Tu as de la chance de ne pas te casser la tête avec ça.

— C'est ce que tu penses, Flavie…

— Hein? De qui parles-tu? J'en ai manqué un bout, moi, là.

— J'ai bien essayé d'arrêter de penser à lui depuis l'autre soir, mais j'en suis incapable.

— L'autre soir?

Flavie réalisa honteusement qu'elle s'était un peu trop préoccupée de sa propre personne, au point de ne pas remarquer que Simone avait des vues sur quelqu'un. Mais la jeune femme avait beau réfléchir, elle ne parvenait pas à deviner de qui Simone s'était entichée. Peut-être était-il question d'un des deux internes, Paul ou Alfred, qui s'étaient joints au groupe lors de la soirée de danse?

Simone croisa les bras.

— Tu ne trouves vraiment pas de qui il s'agit, Flavie?

Lui faisant un clin d'œil, Simone poursuivit:

— Rassure-toi, il ne s'agit pas de Clément! C'est Bastien Couture. Je le trouve pas mal de mon goût.

— Hein? Bastien? Voyons, Simone! Il est tellement méprisant envers les femmes.

— Et puis après? Il est beau et il danse comme un dieu. Je le trouve très séduisant et j'ai beaucoup pensé à lui depuis notre fameuse sortie. Tu es la première à qui j'en parle. Il m'a invitée plusieurs fois à danser, alors qu'il aurait très bien pu s'occuper exclusivement d'Évelina. Elle était la plus flamboyante de nous trois!

Flavie resta songeuse face aux révélations de Simone. Chaque fois qu'elle avait rencontré Bastien Couture, elle l'avait trouvé détestable et hautain. Simone avait suffisamment été rejetée dans sa vie ; Flavie n'accepterait pas que Bastien joue avec les sentiments de son amie. Regardant en direction de la laiterie, elle vit venir son frère et Évelina qui discutaient. Tous deux semblaient avoir beaucoup de plaisir ensemble.

Simone poussa Flavie du coude en pointant le couple qui venait dans leur direction.

— En tout cas, ces deux-là ont l'air de bien s'entendre ! J'ai peut-être ma chance avec Bastien !

* * *

Flavie ignorait si c'était le fait de se retrouver dans la maison familiale ou son après-midi passé au grand air, mais elle avait rapidement trouvé le sommeil ce soir-là. Elle avait essayé de rester éveillée pour écouter la discussion de Simone et d'Évelina qui partageaient le lit double à côté du sien, mais rapidement, elle avait perdu le fil de leurs propos. Elle avait ouvert les yeux au petit matin. Voyant que Simone et Évelina dormaient toujours, elle s'était dépêchée de s'habiller et était sortie sur la pointe des pieds.

Dans la cuisine, sa grand-mère s'affairait à préparer une pâte à crêpes.

— J'aime ça entendre tes pas dans l'escalier, ma belle Flavie. C'est ce qui m'a manqué le plus depuis ton départ. Les crêpes seront prêtes bientôt. J'imagine que tes deux amies dorment encore ?

— Elles dorment encore ben dur, grand-mère !

— Ah ! Cette jeunesse venue de la ville ! Va donc à l'étable me chercher un peu de lait pour que je puisse terminer ma recette. Antoine doit déjà y être.

Flavie embrassa sa grand-mère. Puis, elle prit sa vieille veste sur le crochet près de la porte d'entrée et sortit dans la fraîcheur du matin. Inspirant à pleins poumons l'odeur des herbes qui verdissaient sous la chaleur du soleil, elle traversa la cour pour aller rejoindre Antoine. Du plus loin qu'elle se souvînt, elle était toujours allée rejoindre son frère pendant qu'il trayait les vaches le matin. Elle s'asseyait près de lui et ils discutaient un peu avant de rentrer pour prendre leur petit-déjeuner. Ces moments d'intimité avec son frère aîné lui avaient manqué.

En l'entendant arriver, Antoine leva les yeux.

— Me semblait bien que tu viendrais me rejoindre ce matin, Flavie. Prends-toi un tabouret si ça te tente de m'aider.

Celle-ci s'installa et entreprit de traire une vache afin d'obtenir le lait dont avait besoin sa grand-mère. Elle adorait la quiétude de l'étable à l'aube, lors de la traite. Cela n'avait rien à voir avec la tournée des patients tous les matins, les toilettes à faire, la prise de signes vitaux, les changements de pansements, en plus des cours auxquels il fallait assister. Flavie poussa un soupir de satisfaction qui fit sourire Antoine.

— Le travail de la ferme, ça fait partie des vraies affaires ça, hein ?

— Ça ressource, en tout cas ! Ça fait tellement de bien de ne pas se faire pousser dans le dos comme à l'hôpital.

— Tes amies dorment encore ?

— Elles en profitent ! La grasse matinée, ça ne nous arrive pas tellement souvent ces temps-ci. Ça travaille fort dans un hôpital !

— Je n'en doute pas une minute, Flavie. Je ne sais pas comment tu fais. Voir des malades à cœur de journée…

— Ce que j'aime surtout, c'est les voir repartir chez eux en meilleure condition qu'à leur arrivée. C'est valorisant.

— Sûrement, mais je ne pense pas que je pourrais changer des pansements. J'ai toujours eu peur du sang, tu le sais.

— Je le sais depuis longtemps ! Un grand gaillard comme toi ! Ça m'a toujours impressionnée de voir que ce sont les plus forts qui sont souvent les plus « moumounes ».

— Tu n'es pas gênée, Flavie Prévost !

Antoine, qui se posta derrière elle, la poussa pour la faire tomber en bas de son tabouret. Mais Flavie parvint à rester assise.

— Ici, tu es à ta place, Antoine, et c'est ce qui compte. Ton fromage est vraiment délicieux. Tu as impressionné mes amies.

— J'aimerais bien épater encore davantage Évelina. Je n'ai jamais vu une fille aussi belle et raffinée.

— Vous sembliez bien vous entendre hier, en tout cas.

— Elle avait vraiment l'air intéressée par mon travail. J'ai pris plaisir à lui expliquer tout ce que je fais. Si tu pouvais lui parler de moi un peu, ça m'aiderait peut-être.

— Évelina est charmante. Mais je ne pense pas, Antoine, que ça marcherait entre vous deux.

— Qu'est-ce que tu en sais ?

Antoine s'était levé et avait haussé le ton. Flavie ne voulait pas fâcher son frère en le mettant en garde contre Évelina, mais elle ne voulait pas non plus qu'il fasse partie des « trophées » de celle-ci. Évelina voulait s'amuser avec les hommes, et Flavie refusait que son frère figure parmi ses éphémères conquêtes.

Elle expliqua simplement :

— Évelina n'est pas prête à se caser pour le moment. Je ne veux pas que tu te fasses des illusions à son sujet. C'est une bonne personne, j'en conviens ; après tout, elle est mon amie ! Mais pour le reste, elle a envie de s'amuser et de profiter de la vie.

— En tout cas, on verra bien, rétorqua-t-il sèchement.

Flavie posa sa main sur l'épaule d'Antoine. Elle déclara d'une voix douce :

— Antoine… Ne le prends pas mal. Je veux juste protéger mon grand frère comme tu m'as toujours protégée. Évelina est capable de briser des cœurs avec son charme. Je voulais juste que tu le saches, c'est tout.

— OK, je suis au courant maintenant. On peut changer de sujet ?

Flavie savait qu'elle avait blessé Antoine. Il s'était risqué à se confier, et elle s'était empressée d'anéantir ses espoirs. « Je n'aurais pas dû m'en mêler. Antoine est assez vieux pour savoir ce qu'il a à faire. De toute façon, je connais Évelina : elle ne lui apportera pas que chagrin et désolation, quand même ! » Flavie voulut s'excuser auprès de son frère, mais il était déjà sorti.

* * *

Après avoir apporté une cruche de lait à la cuisine, Flavie alla retrouver Évelina et Simone dans la chambre. Évelina examinait soigneusement le contenu de sa valise. Elle portait encore sa chemise de nuit, tandis que Simone achevait de boutonner sa robe. Cette dernière leva la tête en direction de Flavie.

— Tu t'es donc bien levée tôt, Flavie ! On pensait que tu en profiterais pour dormir un peu. C'est rare qu'on puisse le faire.

— J'étais probablement si excitée de me retrouver chez nous que je ne pouvais pas perdre une minute à dormir. Ma grand-mère nous attend en bas pour nous servir ses délicieuses crêpes. Évelina, tu comptes descendre habillée comme ça ?

— Non, quand même pas en chemise de nuit. Mais je ne trouve rien qui convienne à la vie sur une ferme. J'ai gelé ben dur hier avec ma petite robe en coton.

Flavie ouvrit son placard ; elle tendit à son amie une des robes qu'elle y avait laissées avant de partir pour Montréal. Évelina observa d'un œil critique la « robe de semaine », puis elle baissa la tête en signe de capitulation.

— Pff ! Je ne peux pas croire que je vais mettre un truc aussi démodé !

— Tu peux toujours porter tes petits trucs en coton et « geler ben dur », comme tu dis, la sermonna Simone. On ne suit pas la dernière mode à la campagne, mais au moins on est à l'aise dans nos vêtements. Déguédine, Évelina ! On a faim, nous autres !

Évelina passa la robe à carreaux. Elle détourna le regard en voyant son reflet dans le miroir.

— Il ne me manque que deux tresses et un chapeau de paille. Tant pis !

— Comme toujours, tu es resplendissante, Évelina ! Allez ! Les crêpes nous appellent !

* * *

Évelina, qui habituellement surveillait son alimentation, avala trois crêpes. Flavie et Simone s'amusèrent à ses dépens.

— Une chance qu'on ne reste que quelques jours, sinon on ne te reconnaîtrait plus après un mois. Tu as mangé autant que mon frère quand il travaille aux champs.

— Ouf ! Je suis pleine comme un boudin, moi ! Si on allait marcher un peu pour faire descendre toutes ces crêpes ?

— Justement, ma grand-mère veut que nous allions chercher des œufs au poulailler. Allez, mesdemoiselles les fermières, suivez-moi !

— Je vais aider ta grand-mère à préparer les légumes pour le ragoût de ce soir, déclara Simone. Allez-y, Évelina et toi. Ça sera une expérience enrichissante pour la « madame de la ville » !

Simone s'empara d'une carotte et commença à la peler. Évelina suivit Flavie jusqu'au poulailler. Croisant Antoine, elles le saluèrent. Le jeune homme complimenta Évelina.

— Ça te fait bien des vêtements de ferme, Évelina !

— Tu peux rire tant que tu veux, Antoine, ce n'est que temporaire. Je retrouverai mes belles robes dès que je serai de retour en ville.

— Je ne me moquais pas, bien au contraire. Bon, je vous laisse, mesdemoiselles. J'ai du travail.

Flavie poussa la porte du poulailler. Évelina observa les volatiles d'un œil suspicieux.

— Les poules vivent entassées comme ça ? Et puis, les œufs, ils sont où ?

Flavie lui désigna le pondoir dans un des coins de la pièce. Évelina prit délicatement les œufs et les déposa dans le panier dont elle s'était munie.

— Si ma mère me voyait avec mon petit panier d'œufs à la main, elle serait abasourdie. Et avec une robe à carreaux, en plus ! C'est de toute beauté !

— On ne sait jamais, Évelina. Peut-être que tu troqueras ton idée d'épouser un médecin contre celle de marier un fermier et de t'établir sur une terre !

— Franchement, Flavie ! Un fermier ! Pff ! Ce n'est pas tellement mon genre d'homme. Je dois par contre reconnaître que ton frère est quand même assez séduisant pour un fermier.

Flavie, qui venait de terminer de nettoyer le poulailler, décida d'expliquer ses tourments à Évelina.

— Peut-être que tu trouves mon frère séduisant, Évelina, mais j'espère que tu ne te t'amuseras pas avec lui.

Évelina posa sa main sur son cœur et répondit d'une voix outrée :

— M'amuser avec lui ? Franchement, Flavie ! Il est très gentil, mais jamais, au grand jamais, je ne m'amuserais à le faire souffrir. De toute façon, il doit être assez grand pour pouvoir se défendre contre la « méchante » Évelina, non ?

— C'est seulement qu'il a bien aimé ta compagnie hier soir. J'ai peur qu'il se soit fait des idées…

— Et voilà la petite sœur qui protège son grand frère ! Ne crains rien, Flavie !

Flavie regrettait un peu de s'être confiée à Évelina, mais au moins, les choses étaient claires désormais. Évelina aimait séduire, et son frère avait été conquis. Dans quelques jours, Flavie et ses compagnes rentreraient à Montréal et la vie reprendrait son cours. Son amie jetterait son dévolu sur un interne, et l'épisode Antoine et Évelina serait clos.

* * *

Après avoir assisté à la messe célébrant la résurrection du Christ et mangé le jambon et tous les plats servis à l'occasion de la fête de Pâques, les trois amies reprirent la direction de l'hôpital Notre-Dame. Antoine les déposa devant le bâtiment qui l'impressionnait chaque fois. Embrassant et serrant sa sœur contre son cœur, il lui souhaita une bonne fin d'année scolaire. Simone serra la main du jeune homme. Après avoir jeté un coup d'œil malicieux à Flavie, Évelina embrassa Antoine sur les joues et le remercia de les avoir raccompagnées. Flavie n'attacha aucune importance au geste de provocation d'Évelina. Elle savait bien que son amie oublierait rapidement Antoine, et que celui-ci comprendrait qu'Évelina n'était rien d'autre qu'un *flirt*.

Avant d'entrer dans l'hôpital, Flavie croisa Clément qui quittait l'édifice. Son cœur fit un bond. Elle aurait souhaité lui raconter les vacances qu'elle venait de passer dans sa famille.

Mais le souvenir amer de sa dernière rencontre avec le jeune homme refit surface. Prenant son courage à deux mains, elle souffla à l'interne :

— Non, ce n'est pas un nouveau fiancé qui vient de me reconduire, mais bel et bien mon frère.

Clément s'arrêta quelques instants et la dévisagea en silence. Flavie continua son chemin, fière de son audace. Sa grand-mère lui aurait sans doute dit : « Tu lui en as bouché un coin, ma fille ! » Simone et Évelina, qui marchaient devant elle, n'eurent pas connaissance de l'incident. Le sourire aux lèvres, Flavie suivit ses amies.

Les odeurs d'antiseptiques et de produits nettoyants avaient manqué à Flavie. Elle huma avec contentement le parfum de cire à plancher en se rendant à sa chambre. Les trois amies entreprirent de défaire leurs bagages. Évelina, qui avait remis une de ses robes seyantes, replaçait sa coiffure.

Sur un ton rassurant, elle déclara à Flavie :

— Ne t'en fais pas. J'ai eu une discussion hier avec ton frère. J'ai été franche : je lui ai dit de ne rien s'imaginer pour nous deux et que je n'étais pas prête pour une relation sérieuse. Il avait l'air un peu déçu, mais au moins, il sait à quoi s'attendre. De toute façon, c'est un médecin que je veux épouser. D'ailleurs, le beau docteur Couture est dans ma mire depuis un certain temps.

Évelina termina d'ajuster sa coiffure. Elle reporta ensuite son attention sur ses ongles ; ils avaient grandement besoin d'une manucure. Flavie croisa le regard affligé de Simone. De toute évidence, son amie réalisait qu'elle ne courait aucune chance avec Bastien si Évelina jetait son dévolu sur lui. En aucune façon, elle ne pourrait rivaliser avec Évelina.

# 12

Les quelques jours passés dans sa famille lors des vacances de Pâques avaient fait le plus grand bien à Flavie. Elle était rentrée à Montréal reposée et prête à entamer les dernières semaines de cours avant les examens. Elle repensa à la conversation qu'elle avait eue avec sa grand-mère, la veille de son retour à Montréal.

Flavie, qui ne parvenait pas à trouver le sommeil – probablement à cause des incessants bavardages d'Évelina et de Simone –, s'était rendue à la cuisine pour boire un verre de lait chaud. Delvina se berçait devant la fenêtre, les yeux perdus dans l'obscurité de la nuit. Flavie était heureuse de se trouver enfin seule avec sa grand-mère ; c'était la première fois depuis son arrivée. Le moment semblait idéal pour lui faire part de ses inquiétudes.

— Je reconnais toujours tes pas dans l'escalier, ma belle Flavie. Ne me dis pas que tu es comme ta grand-mère et que tes pensées t'empêchent de dormir ?

— Bah ! Je dirais plutôt que ce sont mes deux amies et leur « mémérage » qui m'empêchent de dormir. Elles en ont tellement à se raconter. On croirait que ça fait des jours qu'elles ne se sont pas vues.

— Tu n'as pas l'habitude, ma belle Flavie, de te laisser déranger par le bruit. Prends donc une chaise et viens me raconter ce qui te tracasse. Je doute que ce soit seulement tes amies qui troublent ton sommeil.

Flavie avait poussé un soupir. Elle ne pouvait absolument rien cacher à sa grand-mère. Delvina n'avait pas attendu que sa petite-fille lui dise de quoi il était question ; elle avait amorcé la discussion.

— Je dirais que lorsqu'une jeune femme de ton âge peine à s'endormir, c'est qu'il y a un homme derrière ses « jongleries ».

— Euh… En fait, grand-mère, c'est encore pire : il y en a deux.

Malgré la noirceur, Flavie avait cru voir sourire sa grand-mère.

— Deux ? Rien que ça ! Ce n'est déjà pas simple avec un ! Toi, ma belle Flavie, tu as décidé de te compliquer la vie comme il faut !

La jeune fille lui avait parlé de son amitié et de son rapprochement avec Clément.

— On passait vraiment du bon temps ensemble tous les deux. Il me traite sur un pied d'égalité, même si je ne suis qu'une simple étudiante infirmière. J'aime vraiment sa compagnie. Mais malheureusement, je pense que notre complicité est bel et bien morte avec l'arrivée de Georgina dans le décor. Celle-là, elle me tape royalement sur les nerfs ! Elle a passé l'année à nous chercher noise constamment, Simone, Évelina et moi.

— Peu importe où l'on se trouve, il y a toujours une mademoiselle je-sais-tout, Flavie. Moi, la mienne s'appelait Georgette. On a travaillé ensemble dans une école double du rang 3. Mais j'imagine que tu ne veux pas entendre parler de Georgette, ce soir…

« En effet, non, vraiment pas ! avait pensé Flavie. Grand-mère essaye toujours d'incorporer une de ses histoires à celle qu'on lui raconte. » Habituellement, ce détail ne la dérangeait pas, mais ce soir-là, elle n'en avait rien à faire de cette Georgette – même si elle devait être aussi détestable que Georgina.

Flavie avait poursuivi :

— Et puis, il y a Léo Gazaille. Je m'entends aussi très bien avec ce journaliste de *La Patrie*. Nous avons plusieurs points en commun et j'adore qu'il me fasse découvrir la ville. Grâce à lui, j'ai fait la connaissance d'un couple de restaurateurs chinois. D'ailleurs, madame Zheng est ton sosie version asiatique.

— Hum ! Mais si je comprends bien, Flavie, tu es prise entre deux feux. Tu aimes bien Clément et Léo, mais tu ne sais lequel choisir.

— C'est un peu ça. Je ne veux pas m'engager trop vite non plus. Je tiens à terminer mes études d'infirmière.

— Bonne nouvelle ! Dans ce cas, sois claire avec les deux jeunes hommes. Je ne pense pas que de dire la vérité pourrait te nuire.

— De toute façon, je pense que Clément s'est entiché de Georgina. Et je n'y peux rien.

— Ça ne règle quand même pas la question, n'est-ce pas, Flavie ? Parce que, je le devine, tu commençais sérieusement à t'attacher à lui.

— J'aime bien Léo, aussi…

— Mais probablement pas autant que Clément…

Delvina avait toujours eu le don de lire en elle comme dans un livre ouvert. Sa grand-mère avait mis le doigt sur ce qui la tracassait. Elle aimait beaucoup la compagnie de Léo, mais Clément prenait de plus en plus de place dans son cœur et dans son esprit. Peut-être à cause de leur rapprochement à la suite du décès de madame Pouliot ou tout simplement parce qu'elle avait l'impression qu'il la comprenait. L'arrivée de Georgina dans le décor compliquait tout. En voyant Clément avec elle, Flavie avait pris conscience qu'elle ne voulait pas perdre l'amitié et la complicité du jeune médecin. Mais si Clément était amoureux de Georgina, Flavie n'y pourrait rien.

— Tu vas devoir faire un choix, Flavie. Sois claire et honnête avec ces deux garçons.

— Je ne sais pas ce que je dois faire, grand-mère. Je tiens beaucoup à l'amitié de Léo et à Clément. J'ai peur de tout perdre en même temps.

— C'est pour ça que c'est important que tu sois franche. As-tu avoué à Clément les sentiments que tu ressens pour lui ?

— Je n'en ai pas eu le temps, malheureusement. Georgina s'est dépêchée de s'immiscer entre nous.

— Dans ce cas, parle en toute sincérité à Clément à ton retour.

— Je ne veux pas avoir l'air de la fille qui s'accroche.

— Au moins, dis-lui que son amitié te manque. Vous étiez amis bien avant que tu éprouves des sentiments pour lui.

Sa grand-mère avait certainement raison. Flavie était revenue de La Prairie avec la ferme intention de parler à Clément. Georgina avait profité des quelques jours d'absence de Flavie pour se rapprocher de lui. Flavie avait tenté ne pas se laisser influencer par la présence de Georgina, mais avait perdu tous ses moyens en les voyant tous les deux ensemble. Elle avait donc renoncé à se confier à Clément. La jeune fille devait désormais apprendre à vivre sans l'amitié de Clément. Étrangement, elle chérissait de plus en plus le jeune homme.

* * *

Simone essayait de se montrer indifférente aux allées et venues d'Évelina au bras de Bastien Couture. Elle n'était d'ailleurs pas la seule à observer Évelina et à en ressentir des pincements au cœur. Marcel Jobin considérait avec regret lui aussi le couple formé par la garde Richer et le docteur Couture. Flavie avait remarqué le regard triste du médecin quand ses yeux se posaient sur Évelina durant le cours d'anatomie. « Le pauvre homme fait peine à voir. Il s'était vraiment entiché d'Évelina. J'ai probablement ces yeux-là quand je regarde

Clément et Georgina. » Ne voulant pas se laisser abattre, Flavie passait ses temps libres dans la bibliothèque, à relire ses notes de cours. « Au moins, j'aurai de bonnes notes à mes examens. »

Cette assiduité à la bibliothèque ennuyait franchement Évelina, qui ne ménageait pas ses efforts pour sortir ses deux amies de leur « bibliothèque poussiéreuse ».

— Franchement, Flavie ! Je comprends que les examens commencent sérieusement à stresser tout le monde, mais est-ce que ça vaut la peine de s'enfermer dans la bibliothèque comme un moine copiste ? En tout cas, ne réserve rien pour vendredi prochain : on sort encore toutes les trois. Simone pourrait inviter Paul Choquette. Il me semble que tous les deux ont eu beaucoup de plaisir ensemble la dernière fois.

De toute évidence, Évelina semblait oublier que Simone avait passé la soirée à danser avec Bastien.

— Et toi, Flavie, pourquoi n'appellerais-tu pas Léo ? Je suis certaine qu'il se ferait un plaisir de t'accompagner.

Devant le peu d'enthousiasme de Simone et de Flavie, Évelina avait haussé le ton.

— *Come on,* les filles ! Une petite sortie, cela ne compromettra en rien vos examens de fin d'année.

Évelina avait sûrement raison. Flavie ne pouvait nier qu'une sortie lui ferait du bien et la détendrait un peu. La semaine suivante, elle commencerait ses cours pratiques dans la salle de chirurgie. Elle tenterait de téléphoner à Léo afin qu'il la rejoigne au club. Simone attendit d'être seule avec Flavie pour lui faire part de son ressentiment.

— Argh ! Elle m'énerve tellement parfois, celle-là ! Et si moi je n'ai pas envie d'aller là-bas avec Paul Choquette ? Évelina a tout organisé encore une fois et l'on doit se plier à ses caprices. J'ai bien envie de rester ici. Elle ne pourra pas m'emmener de force quand même ?

— Évelina est comme ça. Tu sais bien que nous ne la changerons pas, Simone !

— C'est encore une chance que je la considère comme mon amie et que je l'aime malgré tout.

— Elle veut seulement nous distraire.

— Ou me mettre dans la face qu'elle forme le couple idéal avec Bastien.

— Je ne pense pas qu'il y ait de mauvaises intentions derrière son invitation. Elle ne le sait même pas qu'il t'attire.

Simone hocha la tête. En effet, elle n'avait rien dit à Évelina sur son attirance pour Bastien. Comment celle-ci aurait-elle pu deviner ? Simone était très discrète à ce sujet.

— De toute façon, je n'ai aucune chance comparativement à la beauté éclatante d'Évelina.

— Il n'y a pas que ça qui compte dans la vie, Simone.

— Mais à première vue, oui ! Avoue-le, Flavie ! N'importe quel homme souhaite se pavaner avec une femme telle qu'Évelina à son bras.

Simone avait probablement raison. Clément s'était tourné vers Georgina, qui était plus grande et probablement plus charmante que Flavie, finalement. Chassant ses mauvaises pensées, Flavie s'était efforcée de s'encourager un peu. « Je suis quand même plus sympathique qu'elle et certainement plus dévouée avec mes patients. Je ne devrais rien avoir à lui envier. Franchement ! Si je suis assez bête pour être jalouse de Georgina Meunier, je ne vaux pas grand-chose ! »

* * *

Évelina entra dans le club au bras de Bastien. Elle rayonnait littéralement. Simone suivait avec Paul à ses côtés pendant que Flavie fermait le cortège de « Son Altesse Royale Évelina 1re ».

Elle se sentait comme une dame de compagnie derrière sa flamboyante amie. Cherchant Léo du regard dans la salle, elle constata, déçue, qu'il n'était pas encore arrivé. Elle s'installa à la table vide que le groupe avait dénichée et commanda un *rhum & Coke*. Évelina avait déjà entraîné Bastien sur la piste de danse. Après s'être excusée auprès de Flavie de la laisser seule, Simone avait suivi Paul. Mais la solitude de Flavie fut de courte durée. Georgina, qui l'avait repérée, s'approcha, Clément derrière elle.

— Ah ben ! Si ce n'est pas Flavie Prévost ! Est-ce qu'on peut se joindre à votre groupe ? Plus on est de fous, plus on rit !

Flavie lui désigna une chaise devant elle.

— Ne te gêne surtout pas, Georgina !

Visiblement mal à l'aise, Clément essaya de convaincre Georgina d'aller s'installer ailleurs. Mais cette dernière accepta l'invitation de Flavie et s'installa confortablement sur la chaise. Clément se plaça à ses côtés. Flavie détourna le regard, attendant désespérément l'arrivée de Léo, qui brillait toujours par son absence. « Il a vraiment bien choisi son moment pour me faire faux bond, celui-là », rageait-elle intérieurement.

Georgina engagea la conversation.

— Clément m'a parlé de cet endroit. C'est fabuleux ! Je n'y étais jamais venue. La musique est tellement entraînante, tu ne trouves pas, Flavie ? Dommage que tu ne sois pas accompagnée ce soir pour profiter pleinement du plancher de danse.

— Ah ! Mais j'attends quelqu'un, Georgina, rassure-toi ! Savais-tu que c'est aussi le docteur Langlois qui m'a fait découvrir ce merveilleux endroit ?

Georgina ne réagit pas, se contentant d'observer les danseurs. Évelina, qui avait vu que Flavie était en « bonne compagnie », revint vers la table accompagnée de Bastien.

— Mon Dieu! Georgina Meunier qui daigne nous faire l'honneur de sa présence! Faut croire qu'il n'y avait plus de tables disponibles!

Simone, qui venait d'arriver, se mordit les joues pour ne pas éclater de rire. Voyant la tension augmenter entre les deux jeunes femmes, Bastien crut bon de détendre l'atmosphère.

— On est ici pour s'amuser, Évelina. Alors, Clément et Georgina peuvent bien se joindre à nous. Viens, Clément, allons chercher quelque chose à boire pour ces deux jolies dames.

Clément suivit Bastien en silence, après avoir jeté un coup d'œil à Flavie. Georgina tendit la main à Évelina, attendant que celle-ci fasse de même.

— On pourrait faire une trêve, Évelina, si tu en as envie.

— Non! Je n'en ai pas envie!

— Comme tu es rancunière! Ça n'apporte jamais rien de cultiver le ressentiment, Évelina. Tu devrais le savoir.

— Je le sais parfaitement, Georgina. Tu nous as pourri la vie durant toute l'année, alors il n'est pas question que je fraternise avec toi. Tu peux rester assise à notre table, mais ne t'attends surtout pas à ce qu'on devienne copines. Tu accompagnes Clément, qui est un ami de Bastien, et c'est pour cette seule raison que je t'endure ce soir!

Clément et Bastien revinrent avec des verres qu'ils tendirent à Georgina et Évelina. Flavie observait les deux jeunes femmes qui se dévisageaient. Georgina prit la main de Clément en toisant Flavie avec un air de triomphe. Celui-ci retira lentement sa main et détourna le regard. En voyant la mine triste de Flavie, Évelina chercha des yeux Léo dans la salle. Dès qu'elle l'aperçut, elle se leva pour lui faire signe. Quand le journaliste arriva près de Flavie, celle-ci fit les présentations. Elle invita ensuite le jeune homme à s'asseoir près d'elle.

— Je suis vraiment désolé de mon retard, Flavie. Je me suis encore fait prendre à la dernière minute à devoir terminer un article. Tu vas dire que c'est ma principale excuse, mais je n'en ai pas d'autre.

— Pour te faire pardonner, Léo, allons danser !

Peu importait l'excuse qu'il aurait pu avoir, Flavie était heureuse que le jeune homme soit là, car elle n'en pouvait plus d'être assise à la même table que Clément et Georgina. Elle ne comprenait pas ce qu'elle avait pu faire pour que Clément l'ignore de cette façon, mais peu lui importait pour le moment. Elle avait envie de s'amuser. Heureusement, Léo s'avéra un excellent danseur.

Simone et Paul étaient retournés sur le plancher de danse pour profiter du rythme endiablé joué par l'orchestre. Évelina et Bastien les avaient rejoints. Seuls Clément et Georgina étaient restés à la table. Clément semblait absent, perdu dans ses pensées. De temps à autre, il reportait son attention vers Flavie et Léo qui évoluaient au centre de la salle. Georgina avait remarqué que son cavalier avait l'esprit ailleurs, ce qui commençait sérieusement à l'agacer. Elle prit Clément par le bras et l'obligea à la suivre docilement sur le plancher de danse.

Georgina s'efforçait de paraître heureuse au bras de Clément, mais Flavie savait qu'elle était folle de rage. Elle se réjouissait intérieurement que Georgina ne passe pas du bon temps en compagnie de Clément. « Elle l'a bien cherché, cette chipie qui se croit toujours supérieure aux autres. »

Léo et Flavie allèrent s'asseoir. Le journaliste offrit un autre verre de *rhum & Coke* à sa compagne.

— Ouf ! Il y a longtemps que je ne m'étais pas amusé comme ça, Flavie. Merci pour l'invitation. C'est la première fois que je viens ici et ce ne sera sûrement pas la dernière.

Bastien et Évelina vinrent les rejoindre. Évelina s'affala sur sa chaise.

— Ouch ! Je ne sens plus mes pieds. Ça m'apprendra à mettre mes souliers les plus chics pour venir danser. Clément et Georgina semblent follement s'amuser…

Évelina pointa le couple qui s'apprêtait à sortir du club. Georgina paraissait furieuse et Clément essayait de la rattraper. Bastien commenta :

— À mon avis, le couple formé par le docteur Langlois et la garde Meunier commence sérieusement à s'effriter ! De toute façon, je me demande ce que Clément peut bien lui trouver. Mais changeons de sujet. J'aimerais que vous me parliez un peu de votre métier, monsieur Gazaille. Je n'ai encore jamais eu l'occasion de discuter avec un journaliste.

— Nous ne sauvons pas des vies comme vous, les médecins, déclara le jeune homme. Mais nous voulons plus que tout informer les gens sur ce qui se passe dans le monde.

— Justement, vous devez certainement savoir ce qui a causé l'explosion du Hindenburg ? Plusieurs croient à la théorie du complot antinazi. Qu'est-ce que vous en pensez, Léo ?

— Messieurs, vous devrez nous excuser, intervint Évelina. Votre conversation, pourtant intéressante, ne nous empêchera pas de nous éclipser dans les toilettes, Flavie et moi, pour nous refaire une beauté.

Flavie suivit Évelina, trop heureuse de se soustraire aux arguments de Bastien concernant la thèse du complot. Évelina était contente de fuir une conversation qu'elle jugeait ennuyeuse.

— Pff ! On l'a échappé belle ! Quand Bastien se lance sur le sujet des nazis, nous en avons pour la soirée ! Les hommes parlent beaucoup trop de politique étrangère, ces temps-ci. Il reste très peu de place pour discuter des vrais sujets qui nous préoccupent !

Évelina entreprit d'apporter des retouches à son maquillage. Flavie s'esclaffa en voyant que parmi les « vrais sujets » d'Évelina figurait le maquillage.

— On devrait peut-être s'intéresser davantage à ce qui se passe en Europe, Évelina. Toute cette montée du fascisme n'augure rien de bon. La guerre pourrait se déclencher n'importe quand, tu sais.

— Taratata ! Que pouvons-nous y changer, de toute façon ? Et puis, tu ne vas pas me casser les oreilles avec ça, comme Bastien, j'espère ? Tout ce qui m'importe en ce moment, c'est le fait que le beau docteur Langlois n'avait d'yeux que pour toi ce soir, au grand malheur de Georgina. Je ne sais pas ce que tu as fait à Clément, mais il semble que Georgina n'ait pas réussi à te sortir de son esprit. En tout cas, un nouveau couple semble se former. Simone et Paul vont bien ensemble, je trouve.

Flavie n'aurait su dire si Paul et son amie formaient un beau couple, car elle savait que Simone était attirée par Bastien. Trop prise par ses diverses préoccupations – sorties mondaines, rouge à lèvres, manucure et toilettes sophistiquées –, Évelina n'avait pas remarqué que Simone se morfondait chaque fois qu'elle parlait de sa relation avec Bastien. Les « vous auriez dû entendre sa blague », « il est tellement charmant » ou « il me fait tellement rire » ne suscitaient aucun intérêt chez Simone et Flavie. Simone préférait faire la sourde oreille pour éviter d'avoir du chagrin, et Flavie avait toujours trouvé Bastien Couture insupportable et prétentieux. Elle écoutait poliment Évelina sans faire de commentaires.

Cette dernière, qui venait de terminer d'appliquer sa poudre, attendait que Flavie réagisse.

— C'est vraiment plaisant de discuter avec toi, Flavie. J'ai l'impression de faire un monologue.

— Hum ?

— Je te disais que c'était bien agréable que nous soyons toutes les trois accompagnées, ce soir. Léo est vraiment séduisant. S'il n'était pas journaliste…

— … tu tenterais ta chance, je sais. Bon, retournons-y. Simone doit nous chercher.

Flavie se demanda pourquoi elle fréquentait Évelina, dont le caractère était si différent du sien. «J'aime son insouciance et ses préoccupations futiles, il faut croire. Avec elle, la vie semble si simple!»

* * *

Le couronnement du roi George VI, le 12 mai, souleva les passions dans la ville de Montréal. Dans la plupart des foyers, on écouta à la radio l'émission retransmettant l'événement. Ceux qui ne possédaient pas le précieux appareil avaient pu s'en procurer un, vendu au rabais par certains commerçants quelques jours avant l'accession au trône. Pour les autres, moins fortunés, des haut-parleurs avaient été installés dans quelques parcs de la ville. Tous les magasins du centre-ville affichaient dans leurs vitrines des photos de la famille royale et arboraient des drapeaux sur leur devanture. Plusieurs commerces se vantaient même de vendre LE parfum utilisé par la reine, d'être les distributeurs de vêtements pour enfants aussi chics que ceux portés par les deux petites princesses, Élizabeth et Margaret. Montréal fêtait le nouveau souverain, et la pouponnière de l'hôpital Notre-Dame n'échappait pas à toute cette euphorie. Flavie avait compté cinq garçons qui porteraient dans leur nom de baptême le prénom George.

— Une saprée chance que le nouveau roi ne s'appelle pas Angelbert ou Wenceslas, se moqua Évelina.

— Probablement qu'en Allemagne, il y a beaucoup de petits Adolf qui voient le jour, commenta Flavie.

— Le monde est tellement peu original! Toujours à essayer de se conformer à la majorité et prêt à copier son voisin. Le nouveau roi est bien séduisant, mais de là à prénommer son enfant « George », il y a une marge.

— En plus, avant de prendre le trône, il se prénommait Albert. Il a changé pour George pour assurer une certaine continuité dans la monarchie.

— Oh là là ! Tu deviens aussi savante que Simone, Flavie ! J'imagine que tu as lu ça dans tes livres poussiéreux ?

Flavie préféra ne pas relever. De toute façon, Évelina aimait tourner en dérision le moindre propos plus sérieux que ce qu'on pouvait lire dans le dernier catalogue de chez Eaton.

— En attendant, il faudra être vigilante pour ne pas mélanger les nouveau-nés, déclara Flavie. Je plains les pauvres infirmières qui travaillent en obstétrique par les temps qui courent ! Je suis heureuse que dans notre cours, nous soyons rendues à l'étape d'assister un médecin au cours de chirurgie.

Évelina se contenta de hausser les épaules. Puis, elle ajusta sa coiffe avant de se diriger vers le bloc opératoire où aurait lieu le cours pratique de chirurgie. « Peut-être que le cours de chirurgie n'inquiète pas Évelina autant que moi. Ou, tout simplement, qu'elle préfère cacher sa peur. » Sa nervosité de se retrouver en salle d'opération ne venait pas du fait que Flavie craignait de ne pas donner les bons instruments au chirurgien, mais plutôt qu'elle devrait peut-être travailler avec Clément. Elle ne l'avait pas revu depuis leur rencontre dans la salle de danse et elle redoutait de se trouver en sa présence.

Le docteur Talbot, le chirurgien en chef, et une équipe d'anesthésistes attendaient les étudiantes infirmières. Le médecin avait divisé la classe en trois ; les deux autres groupes assisteraient à une autre chirurgie. Flavie s'était retrouvée dans le même groupe que Charlotte, Évelina, Simone, deux étudiantes de première année, Alma et Georgina. Après s'être désinfecté les mains et avoir enfilé un sarrau et un masque, les jeunes femmes avaient suivi le médecin dans la salle où aurait lieu la chirurgie. Le patient, un homme d'une cinquantaine d'années, devait se faire retirer une tumeur au foie.

La salle était silencieuse. Le docteur Talbot expliqua rapidement ce qu'il attendait des infirmières pendant la chirurgie. Il désigna du doigt Simone et Mireille, une des élèves de première année.

— Vous m'assisterez aujourd'hui. Je vous demande de porter une grande attention à tout ce que vous ferez. Des gestes précis et une concentration exemplaire sont ce que j'attends de vous, mesdemoiselles. Quant aux autres, observez attentivement le travail de vos consœurs, car votre tour viendra prochainement.

Flavie suivit minutieusement le déroulement de la chirurgie. Simone et Mireille se débrouillaient plutôt bien. Flavie perçut une lueur de fierté dans les yeux de Simone quand le docteur Talbot lui demanda une compresse; elle tenait déjà en main l'objet, prête à le remettre au médecin. Leur collaboration s'avérait sans faille. Flavie espérait se montrer aussi compétente que son amie quand son tour viendrait. Les autres étudiantes regardaient elles aussi avec beaucoup d'attention les échanges entre le chirurgien, l'anesthésiste et les étudiantes. Même Georgina, pour une fois, semblait prendre plaisir à ce qui se passait.

Flavie chercha Évelina des yeux pendant quelques secondes. Son amie se tenait en retrait. Malgré le masque que cette dernière portait, Flavie pouvait distinguer la pâleur de son visage. « Elle ne va pas bien du tout ! » La jeune femme eut tout juste le temps de se rendre auprès d'Évelina avant que celle-ci ne s'effondre près d'une petite table. Flavie la soutint du mieux qu'elle le put, aidée par Charlotte qui avait été témoin de la scène. Le groupe d'étudiantes se retourna. Le silence qui régnait dans la salle depuis le début de l'opération, sauf lors des interventions du docteur Talbot, se trouva perturbé. Devant l'émoi causé par l'évanouissement d'Évelina, le médecin demanda à ce que « l'étudiante qui troublait la quiétude de son travail » quitte la salle sur-le-champ.

Flavie et Charlotte réussirent de peine et de misère à sortir Évelina, lourde et le corps mou comme une poupée de chiffon. Simone, inquiète de l'état de son amie, fut rassurée par Flavie qui, d'un signe de tête, lui signifia que tout allait bien. Une fois dans le corridor, Charlotte laissa Flavie seule quelques secondes avec Évelina, le temps d'aller chercher un linge humide pour éponger le visage de la jeune femme évanouie. Flavie tapota les joues de son amie pour la réanimer. Elle entendit des pas qui venaient vers elle. Elle était heureuse que Charlotte revienne ; elle apportait peut-être des sels d'ammonium. Mais c'est Clément qui apparut près d'elle. Constatant l'état d'Évelina, il examina rapidement celle-ci.

— Elle s'est évanouie durant le cours de chirurgie. Nous l'avons sortie de la salle, Charlotte et moi.

Évelina reprenait peu à peu ses esprits. Un léger sourire se dessina sur son visage sans couleur en voyant Flavie et Clément penchés sur elle.

— Est-ce que je suis morte ?

— Non. Et encore une fois, tu as trouvé la bonne façon d'attirer l'attention ! Tu as fait une belle frousse à toute la classe de chirurgie. Le docteur Talbot nous a demandé de te sortir de la salle.

Charlotte revint avec un flacon de sels et une serviette mouillée. Voyant qu'Évelina avait repris des couleurs, elle s'informa de son état.

— Elle a seulement eu un petit malaise, je crois, expliqua Clément. Un peu de repos lui fera le plus grand bien. Flavie et moi la conduirons à sa chambre. Merci pour tout, Charlotte.

Clément tendit son calepin à Flavie et aida Évelina à se lever doucement. Voyant que la jeune femme était encore un peu faible, il alla chercher le fauteuil roulant qui traînait un peu plus loin dans le corridor. Avec un pincement au cœur, Flavie regarda le médecin prendre soin de son amie. « Aurait-il fait la même chose pour moi ? »

Flavie aida Évelina à s'asseoir. Elle se tourna ensuite vers Clément.

— Je peux très bien ramener moi même Évelina à sa chambre, docteur Langlois. Merci pour tout !

Clément resta coi. Mais avant que l'ascenseur n'arrive à l'étage, il alla rejoindre les jeunes femmes.

— Ça me fait plaisir de vous raccompagner toutes les deux, Flavie.

Cette dernière accepta son offre tout en s'efforçant de demeurer impassible. Durant le trajet jusqu'à la chambre, Clément questionna Évelina pour savoir si elle avait déjà vécu un malaise semblable. Il lui demanda comment elle se sentait à présent.

— Je vais franchement mieux. Je n'ai rien pu avaler ce matin, ce qui explique probablement que j'aie eu une faiblesse. Je ne sais pas comment vous faites pour rester des heures durant dans cette salle. On dirait qu'on manque d'air là-dedans.

— Le bloc opératoire de l'hôpital est un des plus modernes en Amérique du Nord, Évelina, déclara Clément. L'aération est optimisée pour les salles d'opération.

— Optimisée ou pas, j'avais l'impression d'être prise dans un étau.

Devant la chambre, Évelina se leva. Elle poussa la porte en remerciant Clément de l'avoir raccompagnée. Flavie voulut suivre son amie, mais celle-ci la rassura.

— Merci, Flavie, mais je peux rester seule. Je vais me reposer un peu et descendre manger quelque chose quand je serai remise de mes émotions. On se voit tout à l'heure. Annonce la bonne nouvelle à tout le monde : Évelina n'est pas morte !

Quand Flavie se retourna, elle vit que le médecin l'attendait. La jeune femme comprit alors qu'Évelina avait voulu qu'elle se retrouve en tête à tête avec Clément.

— Je peux te raccompagner au sixième étage, Flavie. La chirurgie ne doit pas être terminée et, avec de la chance, tu ne manqueras pas tout le cours du docteur Talbot.

— Je connais le chemin, Clément. Je peux très bien m'y rendre seule.

Clément ne broncha pas. Il resta devant elle, la forçant à passer près de lui. Il prit le bras de Flavie quand elle arriva à sa hauteur.

— Je veux te parler depuis plusieurs jours. Je ne sais pas trop ce qui s'est passé pour que nous soyons fâchés tous les deux.

« Georgina a réussi à te convaincre que je suis fiancée à Léo, et tu l'as crue », aurait voulu lui dire Flavie. Mais elle resta silencieuse. Clément poursuivit :

— Une chose est certaine : ton amitié me manque beaucoup.

— Je croyais que tu étais comblé par la présence de Georgina.

— Nous avons rompu. Nous sommes trop différents, elle et moi. À vrai dire, je n'ai pas arrêté de penser à toi depuis les derniers jours. Je ne connais pas tes sentiments relativement à ce Léo ni où tu en es avec lui…

— Nous sommes amis, lui et moi. Il n'y a rien de plus pour le moment.

— J'ai peut-être une chance, alors ?

Flavie tressaillit. « Je ne vais pas m'évanouir bêtement comme Évelina, quand même ! » Elle prit une profonde respiration avant de répondre.

— Ton amitié m'a aussi beaucoup manqué, dernièrement. Mais je ne suis pas encore prête à fréquenter quelqu'un assidûment.

— Je suis prêt à t'attendre le temps qu'il faudra, Flavie, si tu me dis seulement que tu partages les mêmes sentiments que moi.

— Si je t'avoue que chaque fois que je te voyais avec Georgina, cela me virait le cœur à l'envers, alors tu as ta réponse.

Clément s'approcha de Flavie. Après avoir pris soin de regarder de tous les côtés pour s'assurer qu'ils étaient seuls, il embrassa doucement la jeune femme. Flavie lui rendit son étreinte. Elle attendait ce moment depuis tellement longtemps ! Elle aurait souhaité que ce moment dure plus longtemps, mais en entendant des pas qui venaient au bout du couloir, Clément recula. Sœur Désuète avançait d'un pas décidé. Elle vint rejoindre Flavie.

— Que faites-vous ici en si bonne compagnie, mademoiselle Prévost ? Ne devriez-vous pas vous trouver dans la salle de chirurgie ?

Clément répondit à la place de Flavie.

— La garde Prévost a raccompagné sa collègue qui ne se sentait pas bien, ma sœur.

— J'imagine qu'il est ici question de mademoiselle Richer.

— Elle n'avait rien avalé ce matin, ma sœur, et elle s'est sentie mal, expliqua Clément. La garde Prévost l'a ramenée à la demande du docteur Talbot. Je m'assurerai que mademoiselle retourne bien en classe. Excusez-nous.

— Elle a intérêt à s'y rendre sans tarder.

Clément prit le bras de Flavie et l'entraîna vers l'ascenseur en lui murmurant :

— J'ai ordre de te ramener sur-le-champ à ton cours. Et ne t'oppose pas à mon autorité !

Flavie se mordit les joues pour ne pas éclater de rire. Elle capitula sans résister.

* * *

Bastien se dépêcha de venir prendre des nouvelles d'Évelina. Tout le monde ne parlait que de l'étudiante qui s'était évanouie durant le cours du docteur Talbot. Flavie se surprenait toujours de la vitesse à laquelle les rumeurs et les nouvelles circulaient à l'intérieur de l'hôpital. Après avoir englouti un grand bol de soupe avec du pain, Évelina semblait se porter beaucoup mieux que quelques heures auparavant. Elle trouva même l'énergie de se quereller avec Georgina, qui ne se gêna pas pour clamer haut et fort « qu'une infirmière qui perd connaissance à la vue du sang n'a pas sa place dans un hôpital ».

Flavie et Simone durent retenir leur amie de sauter sur Georgina. Celle-ci blêmit et tourna rapidement les talons.

— Qu'est-ce qu'elle en sait, elle, si j'ai peur du sang ? Elle est complètement idiote, celle-là, et personne ne le lui a jamais dit. Non mais, quand même !

Évelina, la mine boudeuse, se rassit après le départ de Georgina. Bastien lui proposa de la ramener à sa chambre afin qu'elle prenne du repos. Elle quitta la salle à manger, accrochée au bras de Bastien qui était aux petits soins avec elle.

Simone hocha la tête.

— De toute évidence, elle va mieux ! Je la soupçonne de faire semblant d'être encore un peu faiblarde pour que Bastien s'occupe d'elle.

— Elle n'en menait pas large tout à l'heure quand nous l'avons sortie de la salle d'opération.

— Peut-être bien, mais je pense que Georgina a mis le doigt sur la vérité. Évelina a vraiment peur du sang. Elle devra faire attention parce que si elle s'évanouit devant chaque blessé ensanglanté qui se présente, elle pourrait être renvoyée.

— Hein ? Tu penses ?

— Sœur Désuète prendra un malin plaisir à la surveiller de près, en tout cas.

Flavie espérait que Simone avait tort. Celle-ci alla porter son plateau et celui de Flavie sur le chariot de vaisselle sale. Simone était de garde pour la soirée dans la salle d'urgence. Les deux amies s'en retournèrent vaquer à leurs occupations. Évelina avait obtenu un congé ce soir-là et Flavie avait proposé de la remplacer auprès de ses patients.

Flavie prépara les plateaux et les distribua dans la grande salle du deuxième étage qui comptait 16 lits. Flavie se promenait d'un patient à l'autre pour donner des verres d'eau, aider un malade à ouvrir un contenant, apporter une deuxième serviette à un monsieur capricieux qui se plaignait que « l'autre infirmière, en plus d'être jolie, était plus efficace ». Flavie ne releva pas le commentaire. « Il y aura toujours des patients grognons comme monsieur Richard, alors aussi bien m'habituer. Rien n'est jamais parfait pour eux. »

Flavie ramassait les plateaux quand Simone entra en trombe dans la chambre. Cette dernière demanda à son amie de la suivre dans le couloir, car elle voulait lui parler.

— Une dame vient d'arriver par ambulance. Les brancardiers m'ont dit qu'elle a été blessée dans un accident. Elle ne parle pas un mot de français.

— Et ?

— Je pense qu'il s'agit de ta « grand-mère chinoise ». Va vérifier ; si c'est bien elle, ça la calmera peut-être de te voir parce qu'elle est très agitée. En attendant, je prendrai ta place.

Le cœur de Flavie ne fit qu'un bond. Elle espérait que Simone se trompait et qu'il ne s'agissait pas de madame Zheng. Elle se précipita au sous-sol où se trouvait l'entrée des ambulances. En approchant de la salle d'examen où la patiente avait été conduite, Flavie entendit les cris et les gémissements d'une femme en pleine panique. On ne comprenait pas ce qu'elle disait, mais elle avait peur, de toute évidence. Un médecin et deux infirmières essayaient de la calmer en lui disant que tout irait bien, mais la pauvre femme semblait ne rien comprendre. Flavie entrebâilla le rideau. En voyant enfin un visage familier, madame Zheng se tranquillisa et éclata en sanglots. Sous le regard interrogateur du médecin et des infirmières, Flavie prit la main de la patiente.

Le médecin expliqua à Flavie que madame Zheng devait subir une opération à cause d'une mauvaise fracture de la jambe. La patiente attendait avec des yeux implorants que Flavie traduise les paroles du médecin, mais la jeune femme en était incapable. Lui faisant signe d'attendre quelques minutes, Flavie sortit pour téléphoner à Léo. Soulagée d'entendre la voix du journaliste à l'autre bout du combiné, elle lui expliqua la situation. Léo lui dit qu'il irait prévenir monsieur Zheng et qu'il l'emmènerait ensuite voir sa femme.

Quand Flavie revint dans la salle d'urgence, madame Zheng somnolait. La patiente fut conduite en salle d'opération. Flavie resta pour attendre l'arrivée de Léo et de monsieur Zheng. Elle espérait que tout se passerait bien pour la femme qu'elle avait prise en affection dès sa première visite au restaurant.

Une demi-heure plus tard, Léo entra en trombe dans la salle d'attente avec un monsieur Zheng en état de panique derrière lui. Ce dernier ne cessait de crier : « Où elle est ? Où est ma femme ? » Flavie s'empressa de le rassurer.

— Votre femme est entre de bonnes mains, monsieur Zheng. Elle a eu beaucoup de chance lors de l'accident. Elle n'a subi qu'une fracture à la jambe, que le médecin essaye d'arranger en ce moment.

Quelque peu rasséréné, monsieur Zheng s'assit près de Flavie. Léo prit place près de lui. Après avoir posé une main sur l'épaule du vieil homme, il déclara d'une voix douce :

— Ne vous inquiétez pas, monsieur Zheng, tout se passera bien. Flavie a dit que votre femme devrait s'en tirer et vous pouvez lui faire confiance.

— Elle s'est tellement débattue, monsieur Zheng, qu'elle a même frappé un brancardier ! raconta Flavie. Imaginez la scène !

Monsieur Zheng éclata de rire, exhibant du même coup une rangée de dents manquantes.

— Ça ne me surprend pas ! Elle peut être très « mauvaise » parfois ! Merci, mademoiselle, de vous être occupée d'elle.

Flavie alla voir si personne n'avait besoin d'elle aux urgences, étant donné qu'elle remplaçait actuellement Simone. Léo vint la rejoindre.

— Merci de m'avoir prévenu, Flavie. Le pauvre homme était inquiet quand il a constaté que sa femme ne revenait pas. En me voyant arriver au restaurant, il a tout de suite su qu'il était arrivé quelque chose de grave. Madame Zheng a eu beaucoup de chance de bénéficier de tes bons soins !

— Ce n'est rien. Je n'ai fait que la rassurer, c'est tout.

— C'est déjà beaucoup. Je suis content de t'avoir rencontrée ce soir. Je comprends que tu sois très occupée par les temps qui courent. Mais j'aimerais beaucoup que l'on se voie plus souvent tous les deux.

Flavie hoqueta de surprise. Ainsi, Léo voulait qu'ils se fréquentent plus assidûment. Pour toute réponse, elle se contenta d'esquisser un sourire, espérant qu'il changerait de sujet. Même si elle flottait sur un nuage depuis qu'elle avait avoué ses sentiments à Clément, Flavie n'était pas prête à dire à Léo qu'elle souhaitait interrompre leur relation…

# 13

Léo lui avait téléphoné à plusieurs reprises après leur dernière rencontre. Flavie n'avait pas trouvé le courage de le rappeler. Elle se sentait coupable de ne pas avoir été capable de lui annoncer qu'elle n'avait pas envie de pousser leur relation plus loin et qu'elle souhaitait qu'ils restent simplement amis. «Je me doute bien qu'il s'attend à quelque chose de plus avec moi. Il sera tellement malheureux d'apprendre que ses sentiments ne sont pas partagés.» Sa relation avec Clément se bâtissait lentement. Flavie lui était reconnaissante qu'il ne cherche pas à précipiter les choses. Ils se voyaient de temps en temps, et ils aimaient tous les deux que les choses aillent à un rythme lent. Même si Évelina, Simone et elle n'avaient pas passé de pacte, Flavie aurait quand même eu à cœur de réussir ses études pour avoir un diplôme en main avant de passer à autre chose.

Georgina avait mal réagi à sa rupture avec Clément, et elle en avait gardé rancune à Flavie. Elle déchargeait son fiel contre elle à la moindre occasion. Mais Flavie la laissait faire. «De toute façon, personne ne fait attention à ce qu'une langue sale comme la sienne raconte.» Évelina avait essayé de rabattre le caquet à Georgina plusieurs fois, mais sans succès; la chipie persistait à gâcher l'existence des trois amies. Elle les surveillait de près, prête à les dénoncer à la moindre incartade. Elle rapportait ce qu'elle avait découvert à sœur Désuète, qui prenait un malin plaisir à convoquer les trois jeunes femmes à son bureau. C'était surtout Simone qui faisait les frais de la surveillance assidue de Georgina. Chaque fois qu'elle était convoquée au bureau de la religieuse, Simone en ressortait ébranlée. «Mademoiselle Lafond, on m'a dit que vos patients avaient reçu leur plateau un peu tard et que la nourriture était presque froide. Veillez à ce que ceci ne se reproduise plus.» «Mademoiselle Lafond, le patient dans la chambre numéro 214 s'est plaint de votre mauvais service. N'oubliez pas que vous êtes en première année et que vous pouvez encore être renvoyée à tout moment. » Évelina avait essayé de consoler son amie. De plus, la jeune femme avait averti Georgina que si elle n'arrêtait pas de jouer à l'espionne, elle en paierait les conséquences. Georgina s'était contentée de faire l'innocente, comme si ce que sœur Désuète apprenait sur le compte d'Évelina, de Simone et de Flavie ne relevait pas de ses commérages. Elle avait réagi avec une mine offusquée aux accusations. « Moi, je serais capable de rapporter vos faits et gestes à sœur Désilets ? Vous me surestimez, les filles ! »

Un jour, Évelina lui glissa simplement quelques mots à l'oreille. Georgina pâlit avant de se sauver à toutes jambes.

Simone et Flavie questionnèrent leur amie sur sa stratégie pour se débarrasser de Georgina.

— Je ne vais quand même pas vous révéler mes atouts, mesdemoiselles ! On est débarrassées d'elle et c'est ce qui compte. Elle devrait nous ficher la paix jusqu'à la fin de l'année.

— Évelina, Flavie et moi aimerions vraiment savoir ce que tu lui as dit pour qu'elle arrête de nous surveiller.

— Je lui ai mentionné que je savais que son père n'avait peut-être pas acquis sa fortune aussi honnêtement qu'elle semble le croire, et que ce serait vraiment dommage que tout le monde l'apprenne dans l'hôpital. Vous savez à quelle vitesse les rumeurs circulent dans notre bel établissement de santé…

À partir de ce moment-là, Georgina se tint tranquille et sœur Désuète arrêta de convoquer à tout moment les trois amies. Simone était beaucoup plus détendue lorsqu'elle s'occupait de ses patients, ne se sentant plus observée.

La relation entre Bastien et Évelina, que Simone avait pendant un moment qualifiée d'amourette, devenait de plus en plus sérieuse. Mais Simone n'avait pas encore accepté le fait que le médecin était le cavalier de son amie et qu'il ne lui accordait aucun intérêt. Flavie voyait bien que Simone était affectée par la situation. Elle essayait de lui changer les idées de toutes sortes de façons.

L'occasion se présenta quand Victor invita Flavie à souper ainsi que ses amies. Mais Simone déclina l'offre, prétextant qu'elle voulait relire ses notes. Quant à Évelina, elle répondit qu'elle travaillait, et elle n'essaya même pas de se faire remplacer. « Tant pis ! J'irai seule. » Flavie essaya de cacher sa déception. Arthur vint l'attendre devant l'hôpital comme d'habitude. « Si Clément n'avait pas été de garde, il m'aurait sans doute accompagnée. Victor aimerait sûrement le connaître. » Flavie se laissa conduire sans grand enthousiasme jusqu'à l'imposante demeure de la rue Hartland. Elle avait hâte de revoir son oncle, mais elle aurait vraiment aimé que ses deux amies soient là.

Victor l'accueillit chaleureusement et la conduisit dans la bibliothèque pour prendre l'apéritif. En entrant dans la pièce, Flavie se demanda pourquoi les lumières étaient tamisées. Au moment où elle allait poser la question à son parrain, elle entendit clamer « Joyeux anniversaire ! » par une foule enthousiaste. Les lumières se rallumèrent. Flavie se retrouva devant sa mère, son frère, Simone, Évelina et Clément ; tous s'étaient réunis avec la complicité de Victor pour célébrer l'anniversaire de Flavie quelques jours à l'avance.

La jeune femme prit une grande respiration pour essayer de reprendre ses esprits. Évelina la prit dans ses bras.

— Pensais-tu vraiment que j'aurais préféré travailler plutôt que de venir à un souper à Outremont ? C'est très mal me connaître, Flavie Prévost ! Toutefois, l'alibi de Simone de réviser ses notes aurait pu être vrai !

— On sait fort bien que le choix entre mondanités et travail n'est pas tellement difficile à faire pour toi, Évelina ! répondit ironiquement Simone.

Flavie fit le tour des invités pour les remercier d'être là. Sa mère la rassura sur la santé de sa grand-mère.

— Elle est toujours aussi pleine d'énergie et elle t'envoie ses meilleurs vœux. Ça ne lui disait rien du tout de venir « s'épivarder » dans la grande ville, comme elle dit. Mais Antoine et moi n'aurions manqué cette fête pour rien au monde.

En voyant que Clément se tenait en retrait, Flavie s'empressa de le présenter à son frère et à sa mère. Quelques instants après, Victor réclama l'attention de tous les invités.

— Et si l'on passait maintenant à table ? Ces demoiselles ont un couvre-feu à respecter. Je ne voudrais pas être la cause d'une punition quelconque.

Victor invita tout le monde à prendre place autour de la table. Flavie était comblée par la présence de toutes les personnes importantes de sa vie. Elle savait que sa grand-mère était en pensée avec eux. Delvina n'aimait pas quitter son cher La Prairie. Même pour voir sa petite-fille, elle n'aurait pas fait ce sacrifice, car elle détestait cordialement Montréal.

Clément était parfaitement à l'aise avec la mère de Flavie. Assise à sa gauche, Bernadette discutait avec lui sur sa pratique. Elle semblait impressionnée de converser avec un médecin, un futur chirurgien de surcroît. De temps à autre, Flavie jetait un regard au jeune homme pour lui signifier qu'il pouvait mettre un terme à sa conversation avec sa mère s'il le désirait. Chaque fois, Clément lui faisait un clin d'œil. Il montrait une réelle patience avec sa mère, qui pouvait parfois être accaparante. « Je suis certaine qu'elle finira par lui parler de ses maux de dos. » Effectivement, un peu plus tard, Bernadette se pencha vers Clément.

— J'ai tellement mal aux reins depuis un petit moment. Peut-être pourriez-vous me prescrire quelque chose, docteur Langlois ?

— Malheureusement, je n'ai pas mon carnet de prescriptions avec moi, madame Prévost. Mais si vous passez à l'hôpital demain avant votre retour à La Prairie, il me fera plaisir de vous donner quelque chose pour soulager votre douleur.

— Je ne pourrai pas, car nous retournons à La Prairie ce soir. Antoine doit rentrer pour s'occuper de ses vaches. Je continuerai de me frictionner matin et soir avec de la pommade. Ça fonctionne quand même assez bien.

Flavie dut se retenir pour ne pas éclater de rire. Sa mère ne changerait jamais ! Elle avait toujours été prévisible. Flavie savait que si Bernadette avait su qu'elle pourrait parler à un médecin durant le souper, elle lui aurait demandé d'apporter sa trousse pour avoir droit à un examen. Mais Flavie aimait sa mère malgré ses petits travers. Celle-ci avait toujours été disponible pour son frère et elle. Cela n'avait certainement pas toujours été facile pour Bernadette de s'occuper seule de ses deux enfants.

Antoine, de son côté, était en bonne compagnie ; assis entre Évelina et Simone, il n'aurait pu être plus heureux. Évelina riait à gorge déployée de ses plaisanteries. Simone observait la scène silencieusement. Flavie avait croisé à quelques reprises son air découragé qui signifiait : « Évelina a réussi encore une fois à attirer toute l'attention sur elle. »

Au moment de servir le gâteau de fête, Victor demanda le silence.

— Je voudrais souhaiter le plus merveilleux des anniversaires à ma filleule. Que tous tes vœux les plus chers se réalisent, ma chère Flavie ! Je suis vraiment très heureux que tu étudies à Montréal. C'est un réel plaisir pour moi que nous puissions nous rapprocher tous les deux. Je suis content de pouvoir rattraper le temps perdu.

Tous levèrent leur verre pour porter un toast en l'honneur de Flavie. Pendant le discours de Victor, Simone avait perçu le sourcillement de Bernadette quand ce dernier avait dit qu'il était heureux de pouvoir rattraper le temps perdu. Heureuse que son anniversaire soit souligné de cette façon, Flavie ne remarqua pas la mine soucieuse de sa mère. Simone se promit d'en parler à Flavie quand elles seraient de retour à l'hôpital.

* * *

La soirée se termina avec quelques digestifs sirotés tranquillement dans les fauteuils confortables de la bibliothèque. Flavie ouvrit alors les présents qui lui étaient destinés. Simone lui offrit un petit coffret à bijoux qu'Évelina s'était chargée de garnir d'un magnifique collier et de boucles d'oreilles assorties. Sa mère et son frère avaient opté pour un cadeau plus pratique : une valise. Clément lui remit un paquet contenant une petite bouteille d'eau de parfum. Il lui avoua candidement qu'il avait demandé à sa mère de le conseiller sur le choix de la fragrance. Après la distribution des cadeaux, Victor tendit à Flavie un écrin : celui-ci renfermait un collier de perles.

— Ce bijou appartenait à ma mère. Comme je n'ai pas d'enfants, c'est à toi, ma filleule, qu'il revient.

Flavie toucha les perles du bout des doigts. Elle était honorée que Victor ait décidé de lui offrir le collier reçu en héritage de sa mère. Remerciant tout le monde pour cette belle soirée, Flavie regarda l'heure avec tristesse.

— On devrait rentrer toutes les trois si l'on ne veut pas dépasser le couvre-feu. Sinon, on se fera passer un savon.

Bernadette et Antoine aussi devaient rentrer. Après les salutations et les embrassades, Simone, Évelina et Flavie suivirent Clément et Antoine à l'extérieur, laissant Bernadette seule quelques instants avec Victor. Antoine et Clément s'entendaient bien. Ils avaient beaucoup discuté ensemble et ils s'étaient trouvé plusieurs points en commun. Lorsqu'il embrassa sa sœur, Antoine lui fit promettre d'emmener Clément à La Prairie pour que celui-ci puisse visiter sa fromagerie.

En montant dans l'automobile du père de Clément, Flavie se rendit compte qu'elle avait oublié sa veste à l'intérieur de la maison. Elle se dépêcha d'aller chercher le vêtement pour ne pas retarder tout le groupe.

En entrant en trombe dans la maison, Flavie surprit une conversation houleuse entre son parrain et sa mère. Le timbre de voix de celle-ci prouvait qu'elle était vraiment contrariée. Bernadette reprochait à Victor le cadeau qu'il avait offert à Flavie.

— Comme si ce n'était pas assez, ton petit discours, Victor Desaulniers ! Il a fallu en plus que tu en rajoutes en lui offrant le collier de ta mère. Que va-t-elle penser ?

— Calme-toi, Bernadette. Flavie ne pensera rien du tout. Nous nous sommes vus à quelques reprises au cours des derniers mois, alors c'est normal que nous nous soyons rapprochés. Elle habite à Montréal, dois-je te le rappeler ?

— Si j'avais su, jamais je ne lui aurais suggéré de te rendre visite. Je regrette tellement ! Tu as vraiment exagéré. Cette fois, je ne pourrai pas te pardonner.

— Tu ne m'as jamais vraiment laissé de chance, n'est-ce pas, Bernadette ? Et tu ne le feras jamais.

Flavie entendit les pas de sa mère ; celle-ci venait dans sa direction. Elle s'empara rapidement de sa veste et s'éclipsa par la porte de côté, par où elle était entrée. La jeune femme s'interrogeait : qu'avait bien pu faire Victor pour mettre Bernadette dans un pareil état ?

* * *

Flavie n'était pas parvenue à trouver le sommeil ; elle n'avait cessé de se retourner dans son lit. Ce n'était pas le fait d'avoir bu du café qui l'empêchait de dormir, mais plutôt la conversation qu'elle avait surprise entre sa mère et Victor. Elle essayait d'analyser ce qu'elle avait entendu. Elle n'arrivait pas à comprendre pourquoi sa mère paraissait si ébranlée. Victor ne lui avait offert qu'un bijou, après tout. Quel mal y avait-il là-dedans ? Bernadette avait tendance à réagir promptement. Encore une fois, elle s'était probablement emportée pour rien. « Personne ne pourra la changer, c'est sa nature. » Mais Flavie trouvait tout de même curieux que sa mère ait piqué une telle colère contre son parrain.

Sa relation avec Léo aussi la tracassait. À son retour de chez Victor, Flavie avait trouvé un message lui indiquant qu'un certain monsieur Gazaille avait tenté de la joindre et laissé le message de le rappeler le plus rapidement possible. Croyant qu'il s'agissait d'une urgence, Flavie lui avait téléphoné. Léo voulait seulement l'inviter à souper le lendemain. Flavie avait accepté, résolue à tirer les choses au clair avec lui. Elle redoutait cette rencontre, mais elle ne pouvait repousser indéfiniment le moment de vérité. «Je ne peux plus continuer à jouer sur deux tableaux comme ça. J'ai envie d'approfondir ma relation avec Clément et, pour ça, il est important que Léo sache qu'il ne peut rien espérer de moi. »

Ne parvenant pas à trouver le sommeil, Flavie décida de se lever. Un livre à la main, elle se rendit dans la salle de repos. Elle s'installa confortablement dans un des fauteuils. Elle avait pris l'habitude de lire quand, plus jeune, elle ne parvenait pas à s'endormir. Flavie essaya d'oublier ce qui la tracassait en lisant, mais sa mère et Victor revenaient sans cesse la hanter. En entendant le plancher craquer, elle retint son souffle. « Ah non ! Je vais me faire sermonner encore une fois, c'est certain ! » Elle allait se lever et éteindre quand elle vit Simone qui avançait vers elle.

— Toi non plus, tu n'arrives pas à dormir à ce que je vois, déclara Flavie.

— Eh non ! C'est probablement à cause du café et du repas copieux que j'ai pris chez ton oncle.

— Ah ! Moi, c'est pour d'autres raisons que je ne dors pas. Je dois aller souper avec Léo demain.

— Et j'imagine que tu as décidé de lui parler de Clément ? Je ne voulais pas te dire quoi faire, Flavie, mais tu as pris la bonne décision. C'est difficile d'aimer quelqu'un qui ne partage pas nos sentiments, mais le mensonge est encore pire.

— Je le sais, Simone. C'est pour ça que j'ai accepté de rencontrer Léo. Je ne sais pas trop où me mènera mon histoire avec Clément, mais j'ai envie de laisser une chance à cette relation. Il n'est pas pressé – et moi non plus, d'ailleurs. Et puis, je n'ai pas envie de briser notre pacte !

— Je ne suis pas partie pour ça non plus…

— Avec Paul Choquette, ce n'est pas sérieux ?

— Bah ! Pas vraiment. C'est un bon ami, mais contrairement à toi avec Clément, je n'ai pas envie de laisser une chance à cette relation.

Flavie se doutait que l'attirance de son amie pour Bastien y était pour quelque chose. Simone était encore éprise de lui, c'était évident.

Simone soupira :

— Celle de nous trois qui risque le plus de briser le pacte, c'est Évelina.

— Je ne pense pas que ce soit sérieux à ce point avec Bastien.

— C'est ça qui me fait le plus mal, je crois. Je sais qu'Évelina laissera tomber Bastien à la première occasion ; elle s'amuse avec lui. D'ailleurs, je lui en veux pour ça.

— Je comprends parfaitement comment tu dois te sentir.

— Je suis un peu jalouse d'Évelina, en fait. Je me sens tellement terne à côté d'elle. Elle obtient tout ce qu'elle veut. En plus, elle a Bastien à ses pieds, et sans avoir eu à fournir le moindre effort pour ça.

Simone croisa les bras, puis conclut :

— Je devrais la détester, mais j'en suis incapable. Je tiens beaucoup à elle.

— On forme vraiment un beau trio toutes les trois !

— C'est sans doute ce qui est le plus important, bien avant les fréquentations des soupirants !

Flavie décida de se confier à son amie. Elle lui résuma la conversation qu'elle avait surprise entre sa mère et Victor.

— Je ne comprends pas la réaction de ma mère. Elle a souvent tendance à exagérer, mais là elle était furieuse contre lui ! Il me semble qu'il n'y a pas lieu de faire tout un plat avec un simple collier de perles.

— J'ai remarqué que le discours de Victor l'avait contrariée. Ta mère est devenue blanche comme un drap quand ton parrain a parlé de se rapprocher de toi et de rattraper le temps perdu.

— Ma mère a toujours été un peu possessive avec Antoine et moi.

— J'ai l'impression que c'est plus grave, Flavie. Je trouve ça vraiment étrange. As-tu déjà pensé que Victor pourrait être ton père ?

Flavie resta bouche bée. Il lui était déjà arrivé de le souhaiter quand elle était plus petite, lorsque son parrain venait la voir et lui offrait quelques cadeaux. Plus récemment, en lui rendant visite, elle s'était dit que la relation père-fille devait ressembler à celle qu'elle vivait avec lui. Mais jamais elle n'avait eu de soupçons sur la possible paternité de Victor. Pourquoi sa mère lui aurait-elle caché une chose pareille et lui aurait-elle fait croire qu'Edmond était son père ?

Voyant que son amie était troublée, Simone enchaîna :

— Je ne voulais pas semer le doute en te disant ça, Flavie. C'est seulement que les propos et la réaction de ta mère me paraissent étonnants.

— Moi aussi, cela me surprend. J'essaierai d'en parler avec Victor la prochaine fois que j'irai le voir. Il a toujours été honnête avec moi ; il acceptera probablement de me dire pourquoi ma mère a réagi de cette façon. Ce n'est peut-être pas ce qu'on pense, finalement.

— Peut-être bien. En tout cas, on devrait essayer d'aller dormir toutes les deux. Sinon, demain on aura des valises sous les yeux !

Flavie se demandait comment elle parviendrait à trouver le sommeil avec les soupçons qui grandissaient dans son esprit.

* * *

Flavie s'était endormie quelques heures avant le lever du soleil. Elle essaya de camoufler les cernes sous ses yeux avec un peu de poudre empruntée à Évelina. « La journée va être longue ! » songea-t-elle en bâillant devant le miroir. Elle avait repensé à sa conversation avec Simone et elle était parvenue à trouver le sommeil après s'être promis de tirer les choses au clair lors de sa prochaine visite chez son parrain.

La jeune femme croisa Clément en se rendant au cours dispensé par sœur Désuète. Il la salua et lui demanda si elle avait bien dormi.

— Pas tellement. Et j'imagine que si tu me le demandes, c'est parce que la poudre d'Évelina n'a pas bien rempli sa fonction, elle qui promet d'effacer le regard fatigué des dames !

— Non, la poudre a bien fait son travail. Je m'informais simplement. Je commence mes examens bientôt et je dors très mal ces temps-ci.

— Ça doit être dans l'air! Moi aussi, j'ai mal dormi.

— J'ai très hâte d'avoir terminé ma spécialisation. Je pourrai ensuite me consacrer à mon travail et je pourrai également passer plus de temps avec toi. Cela m'a fait plaisir de rencontrer ta famille à ce souper d'anniversaire.

Il ne manquait que ma grand-mère. De toute façon, tu devrais faire sa connaissance cet été. Mon frère tient mordicus à te faire visiter ses installations.

— C'est certain que je te rendrai visite à La Prairie. Bon, je te laisse aller à ton cours. Bonne journée, Flavie!

Clément l'embrassa rapidement avant de partir dans la direction opposée. Flavie le suivit des yeux, puis elle se dépêcha de se rendre dans la salle de cours. Elle s'installa à sa table, sortit son crayon et son cahier de notes; elle était prête à recevoir la théorie de sœur Désuète. Le cours de ce jour-là portait sur la psychologie du patient. Habituellement attentive durant les cours, Flavie se perdit dans ses pensées en plus de somnoler sur son carnet de notes. Il n'en fallut pas plus pour que sœur Désuète traverse la classe et frappe de toutes ses forces avec un livre sur le bureau de Flavie, ce qui provoqua un vacarme assourdissant.

Flavie se réveilla en sursaut et recula sur sa chaise en voyant le regard colérique et les lèvres pincées de la religieuse.

— Alors, mademoiselle Prévost! On préfère dormir plutôt que d'écouter mon cours? Peut-être que vos sorties mondaines vous empêchent de vous concentrer sur la matière?

Flavie n'eut pas le temps de répondre. Sœur Désuète se retourna et s'adressa à toute la classe.

— Vos cours, mesdemoiselles, sont mille fois plus importants que toutes les soirées frivoles passées à vous amuser. Une infirmière se doit d'être attentive vingt-quatre heures sur vingt-quatre. N'oubliez pas que vous pouvez être recalées à vos examens. Je ne veux plus voir d'étudiantes dormir en classe, est-ce bien clair ? Si vous ressentez le besoin de dormir, couchez-vous plus tôt au lieu d'aller vous dévergonder en ville !

* * *

— Sœur Désuète n'a pas eu sa leçon la dernière fois qu'elle a surpris quelqu'un en frappant sur un bureau, déclara Évelina après le cours. De toute évidence, elle a oublié qu'à cette occasion, elle s'est retrouvée sans sa précieuse « capine » ! Tu as mieux réagi que moi, Flavie !

— Elle m'a vraiment fait faire tout un saut ! Et puis, je ne dormais même pas ! J'ai seulement cogné un petit clou !

— Ah ! Mademoiselle Prévost, se moqua Évelina en imitant sœur Désuète, vous devriez annuler votre sortie avec monsieur Gazaille ce soir. Une bonne infirmière demeure cloîtrée dans sa chambre et attend la moindre urgence. Elle ne va jamais au restaurant avec un charmant jeune homme. Décidément, je ne comprendrai jamais rien aux jeunes femmes modernes !

La plaisanterie d'Évelina ne fit pas rire Flavie. Elle était beaucoup trop préoccupée par son rendez-vous avec Léo. «J'aimerais mieux rester ici. ». Elle termina de se coiffer et essaya de sourire à son reflet dans le miroir, sans y parvenir. Évelina lui posa une main sur l'épaule. Elle savait que son amie s'apprêtait à annoncer à Léo qu'elle ne voulait qu'une relation amicale avec lui.

— Ça se passera bien, Flavie. Tu entres dans le restaurant, tu lui dis que, lui et toi, ce n'est pas possible, puis tu t'en vas !

Flavie esquissa un léger sourire ; Évelina avait le chic pour simplifier les choses. Toutefois, elle se voyait très mal lancer son message avant de partir comme si de rien n'était. Évelina, elle, en serait capable, Flavie n'en doutait pas un instant.

Regardant l'heure, Flavie se pressa d'aller rejoindre Léo au restaurant de monsieur Zheng. Le jeune homme, attablé, se leva à son arrivée et l'embrassa. Flavie écourta l'embrassade en déposant ses gants sur la table et en s'asseyant. Monsieur Zheng vint la saluer et lui donner quelques nouvelles de sa femme qui était encore en convalescence chez eux pour quelques jours.

— Elle devrait être aux cuisines à la fin de la semaine. Elle n'en peut plus de me voir travailler seul. Je pense que ce qui l'exaspère le plus, c'est que je suis capable de faire ses fameux *dim sum* ! Elle a peur que je n'aie plus besoin d'elle pour travailler avec moi !

Léo et monsieur Zheng discutèrent quelques minutes, puis le vieil homme retourna à ses fourneaux. Léo prit la main de Flavie.

— Ouf ! J'ai cru qu'il ne nous laisserait jamais seuls ! On aurait pu aller dans un autre restaurant ce soir, mais celui-ci est symbolique pour nous deux, je trouve. Nous sommes venus souvent manger ici, et c'est ici que j'ai envie de te faire la grande demande, Flavie.

Léo sortit une petite boîte de sa poche. Flavie retint son souffle. Elle prit la boîte que Léo lui tendait et l'ouvrit rapidement, avant de la refermer aussitôt. Sans Clément dans sa vie, elle aurait peut-être accepté cette demande en mariage. Mais à présent, elle connaissait les sentiments du jeune médecin et elle savait qu'elle n'était pas prête à se marier. Clément et elle n'avaient pas encore fait de projets et, pour le moment, elle était satisfaite de leur relation. Elle déposa devant elle la petite boîte en essayant de retenir ses larmes.

— Je ne peux pas accepter, Léo. Je ne veux pas me marier.

Léo s'était reculé sur sa chaise. Fixant Flavie, il attendait des explications. Ravalant ses larmes, la jeune femme dit d'une voix à peine audible :

— Je ne suis pas prête pour le mariage, Léo.

— Et si je te disais que je peux t'attendre, Flavie, est-ce que cela changerait ta décision ?

— Non.

— C'est ce médecin, n'est-ce pas ?

— En fait, c'est plus compliqué que ça, Léo. J'ai beaucoup réfléchi au cours des dernières semaines. Je ne pense pas pouvoir te considérer autrement que comme un ami précieux. La seule chose que je souhaite pour le moment, c'est de terminer mes études en soins infirmiers.

Léo remit la boîte dans sa poche. Se passant la main dans les cheveux, il déclara :

— J'ai l'air d'un vrai fou maintenant ! Je pensais sincèrement que tu éprouvais les mêmes sentiments que moi, Flavie.

— Je suis bien avec toi, nous avons beaucoup de points en commun. Mais je ne recherche pas autre chose présentement.

— Au moins, tu as le mérite d'être honnête. Je vais arrêter d'imaginer ce que serait ma vie à tes côtés.

Flavie perçut de l'amertume dans les propos de Léo. Elle comprenait parfaitement comment il devait se sentir en cet instant.

— Je n'ai pas voulu te blesser, Léo.

Monsieur Zheng apporta l'assiette de *dim sum* avec sa bonne humeur habituelle. Afin de s'assurer qu'il ne manquait rien au bonheur de ses clients, il parcourut la table des yeux et retourna ensuite aux cuisines. Flavie et Léo fixaient tous les deux les boulettes de pâte. Léo manipula ses baguettes et saisit un *dim sum*, le trempa dans la sauce épicée et l'engloutit en deux secondes.

— Je ne vais quand même pas mourir de faim en plus ! Sers-toi, Flavie. Ça m'attriste beaucoup que tu ne partages pas mes sentiments, mais je m'en remettrai, c'est certain ! Qui sait, je devrai peut-être me faire hospitaliser de nouveau à un moment donné et une autre belle infirmière s'occupera de moi.

Heureusement, Léo n'était pas furieux contre elle ; il semblait triste de la tournure des événements et de l'échec de sa demande en mariage. Se forçant à manger pour être polie, Flavie dégusta un *dim sum* en retenant ses larmes. Elle savait qu'elle avait blessé Léo, et jamais elle n'aurait voulu lui causer du chagrin. Avait-elle pris la bonne décision en refusant de s'engager avec lui ? « Il a toujours été gentil et prévenant avec moi. Si jamais Clément ne se décide pas à demander ma main, je finirai vieille fille. Infirmière diplômée, mais vieille fille quand même ! »

* * *

Évelina et Simone attendaient Flavie. Assises toutes deux sur leur lit, elles sursautèrent quand leur amie poussa la porte. Simone laissa celle-ci retirer son chapeau et sa veste, puis elle attendit que Flavie se décide à raconter comment s'était passée sa soirée avec Léo. Impatiente, Évelina demanda :

— Pis ? Lui as-tu parlé ?

— Je n'ai malheureusement pas eu le choix quand il a sorti la boîte contenant la bague qu'il voulait m'offrir avec sa demande en mariage.

— Il t'a fait la grande demande ? *Oh my God!* Il a dû déchanter en apprenant la raison pour laquelle tu avais accepté de souper avec lui.

— Je lui ai expliqué calmement que je n'étais pas prête pour le mariage et que je préférais le garder comme ami.

— Crac ! Le cœur brisé en mille miettes !

— Tu n'exagères pas un peu, Évelina ? intervint Simone. Et puis, laisse donc Flavie parler.

— Ça s'est relativement bien passé. Nous avons terminé notre repas et il est venu me reconduire. Il m'a laissée devant l'hôpital en me souhaitant bonne chance pour mes examens.

— Tu lui as parlé de Clément ?

— Pourquoi aurais-je fait une telle chose ? Pour le moment, je ne peux pas dire que Clément et moi soyons officiellement ensemble. De toute façon, s'il me demandait de l'épouser, je refuserais.

— Tu crois vraiment à notre pacte ?

— Je veux terminer mes études, un point c'est tout.

— Bon, voilà que mademoiselle Prévost est prête à se retrouver vieille fille pour devenir infirmière !

— Eh bien, dans ce cas, on sera deux ! répliqua Simone. Pour le moment, ma seule préoccupation est de réussir mes examens.

— Paul Choquette, c'est un bon parti, Simone ! s'exclama Évelina. Vous allez bien ensemble, je trouve.

Simone jeta un regard qui en disait long à Flavie.

— Et je suppose que toi, Évelina, tu es déjà casée avec Bastien ?

— Je m'amuse, et c'est la seule chose qui m'intéresse pour le moment.

— Ben évidemment que c'est la seule chose qui t'importe et non pas les examens qui s'en viennent ! s'exclama Simone. Le contraire m'aurait tellement étonnée ! En tout cas, Évelina, Flavie et moi, on t'avertit : pas question que tu copies sur nous pendant les examens.

— Je ne compte pas là-dessus non plus. Je me suis toujours débrouillée et je continuerai à le faire !

# 14

Simone et Flavie passaient tout leur temps libre à la bibliothèque. Dès que leur tournée de patients était terminée, elles prenaient livres et cahiers de notes et se dépêchaient de se retrouver à une des tables près de la fenêtre. Évelina se moquait de leur assiduité.

— Si vous aimez ça vous enfermer dans un endroit qui sent les vieux papiers moisis et où il fait sombre comme dans l'antre d'un loup, libre à vous. Mais vous êtes beaucoup trop sérieuses, mes deux amies ! On peut très bien étudier dans le parc juste en face.

— On ne veut pas se laisser distraire, Évelina, mais étudier.

— Pff ! Dans ce cas, vous avez choisi la bonne place : il n'y a aucune distraction dans votre vieille bibliothèque puante ! En tout cas, moi je sors prendre l'air et un peu de soleil avant qu'il ne se couche. Étudiez bien, mes deux rats de bibliothèque préférés !

Avant de sortir, Évelina prit son nouveau chapeau et son carnet de notes. Simone soupira.

— Tant mieux pour elle si elle est capable d'étudier dans le parc. Moi, j'ai besoin de toute ma concentration pour le faire, et je n'y parviendrais pas avec tous les bruits ambiants de voitures et d'autobus. En plus, il y a les enfants qui courent et crient en jouant à toutes sortes de jeux stupides.

— On voit que tu adores les enfants ! Ça doit venir de tes longues années d'enseignement !

— Tu peux bien te moquer, Flavie Prévost ! Tu parles comme Évelina !

— On dirait que tu n'as jamais été jeune, Simone.

— Je n'ai pas eu cette chance, non. Très jeune, j'avais des corvées à faire et très peu de temps pour m'amuser. Parlant de corvées, nos livres nous attendent pour étudier la composition du sang.

Flavie suivit Simone. À la bibliothèque, leur table habituelle était occupée. Les deux jeunes femmes s'installèrent plus loin.

— J'aimais bien cette place-là, moi, bredouilla Flavie. Avec la fenêtre tout près, on avait un peu de lumière et l'impression d'être à l'extérieur.

— On pourrait presque croire qu'Évelina a tout arrangé pour qu'on se retrouve dans un coin sombre et poussiéreux. Ça sent les examens à plein nez ! Habituellement, nous sommes seules ici à cette heure. Il faut croire qu'il n'y a pas que nos consœurs qui stressent avec les examens. Même les médecins révisent leurs notes ces temps-ci.

Simone avait dit cela en désignant le fond de la bibliothèque, où Bastien et Clément étaient plongés dans leurs livres. Se sentant observé, Clément leva les yeux. Puis, il poussa Bastien du coude avant de ramasser ses affaires et de se diriger vers Simone et Flavie. Cette dernière se poussa pour faire une place à Clément qui déposa une pile de livres à côté d'elle. Bastien s'installa de l'autre côté, tout près de Simone.

— Ma belle Évelina n'est pas venue avec vous ?

— Madame n'aime pas les bibliothèques ; dans ces endroits, ça sent trop le « renfermé » à son goût ! ironisa Simone. Elle préfère aller au parc en face pour réviser ses notes.

— Et je la comprends ! Si je viens étudier ici, c'est à cause de Clément qui me force à m'y cloîtrer !

— Je ne t'ai jamais obligé à venir avec moi, Bastien Couture. Tu es assez grand pour savoir ce que tu as à faire ! Avoue qu'on est quand même en agréable compagnie.

Bastien acquiesça en jetant un regard en direction de Simone. Celle-ci réajusta ses lunettes pour camoufler ses joues qui s'empourpraient. Ils étudièrent tous les quatre jusqu'à ce que la religieuse qui s'occupait de la bibliothèque leur annonce qu'il était l'heure de fermer. Bastien salua Flavie et Simone et il s'en alla. Clément proposa de raccompagner les jeunes femmes jusqu'à l'ascenseur. Simone décida de prendre l'escalier afin de laisser les amoureux en tête à tête.

Dès que Flavie et lui se retrouvèrent seuls, Clément déclara :

— Je termine très bientôt mon internat, Flavie. Il y a une soirée pour souligner la fin de nos études en médecine. Je me demandais si tu voulais m'y accompagner.

— Avec grand plaisir, si je parviens à survivre à tous mes examens !

— Je ne suis pas inquiet pour toi, tu réussiras haut la main. J'ai entendu dire par plusieurs médecins et étudiants qui ont travaillé avec toi que tu es une des meilleures élèves en première année. Je ne te retiendrai pas plus longtemps, car tu dois tomber de fatigue comme moi. Bonne nuit, Flavie !

— Bonne nuit, Clément, et merci pour tes encouragements.

Clément déposa un baiser sur la joue de sa compagne. Il partit dans la même direction que Bastien. Flavie le suivit des yeux.

* * *

L'examen pratique du cours de sœur Désuète débuta le lendemain. Bien qu'elles aient accompli d'innombrables fois tous ces gestes de routine avec les patients, le fait d'être observées et notées rendait les étudiantes de première année extrêmement nerveuses. Elles auraient à effectuer la toilette complète de patients alités, à faire des lits et à s'assurer du confort des malades. Les lèvres pincées, sœur Désuète tenait fermement son carnet pour noter chacune des élèves. Évelina fut la première à passer l'examen pendant que ses consœurs attendaient dans la classe en relisant, avec anxiété, leurs notes.

— C'est complètement idiot de s'énerver avec cet examen-là. On fait la toilette des patients depuis le début de notre cours, déclara Simone d'une voix rassurante. Il n'y a pas de quoi paniquer, à mon avis.

— J'ai peur d'oublier quelques trucs, avoua Flavie. Sœur Désuète ne nous fera pas de cadeaux si l'on omet ne serait-ce qu'un détail sans importance.

— En tout cas, Évelina n'avait pas l'air trop nerveuse. J'imagine que ça se passera bien.

— Évelina ne le montre pas quand elle est nerveuse, Simone. Tu devrais le savoir.

— Je le sais bien, Flavie. Je l'ai entendue se retourner dans son lit toute la nuit.

Quand Évelina revint, elle envoya une autre élève se faire évaluer, à la demande de sœur Désuète. Flavie, curieuse, s'informa du déroulement de l'examen.

— Bah ! répondit Évelina. Je pense que tout s'est bien passé. J'ai seulement oublié de nettoyer le matelas quand j'ai changé le lit. Vous auriez dû voir l'air satisfait de sœur Désuète quand elle m'a prise en défaut. C'est ben simple, je pense que pour la première fois de ma vie, je l'ai vue sourire !

Georgina se rapprocha des trois amies.

— Et puis, mesdemoiselles ? Prêtes pour les examens ? J'espère pour vous que ça ira bien.

— Et comment, Georgina ! s'exclama Simone d'un ton suffisant. Flavie et moi, nous avons étudié et nous croyons en notre succès.

— Tant mieux ! Je trouverais ça tellement triste que vous ne soyez plus parmi nous l'an prochain !

— C'est certain que tu n'aurais plus personne à surveiller constamment ni de magouilles à mettre au point pour nous tomber sur les nerfs ! ajouta Évelina avec ironie. Mais pour le moment, mes amies ont besoin de toute leur concentration pour se préparer pour leur examen. Alors, si tu veux bien nous excuser, ma chère...

Évelina leva la main pour signifier à Georgina de s'éloigner. Celle-ci retourna auprès d'Alma en attendant que sœur Désuète la demande.

— Bon débarras ! grogna Évelina. Elle est tellement garce, celle-là ! Mais on ne sait jamais : c'est peut-être elle qui coulera ses examens. Elle a vraiment le don de me taper sur les nerfs ! Toujours là, à nous espionner...

— Elle le fait exprès, Évelina, et tu mords chaque fois à l'hameçon.

— Je le sais trop, Simone. Mais c'est plus fort que moi : je perds toutes mes bonnes résolutions quand Georgina s'adresse à moi. Quelle plaie, cette fille !

Laissant ses deux amies discuter, Flavie relut ses notes pour la énième fois. « Tout ira bien. Je m'inquiète encore pour rien, comme d'habitude. Toutes les fois que j'ai fait la toilette de mes patients, ça s'est toujours bien passé. Je n'ai qu'à faire comme si sœur Désuète n'était pas là pour m'évaluer. » Flavie prit une grande respiration après avoir entendu son nom. Évelina leva les pouces pour l'encourager et Simone lui fit un sourire réconfortant.

* * *

Sœur Désuète n'avait rien eu à dire, car le travail de Flavie avait été impeccable. En prime, la patiente – une femme dont Flavie s'était déjà occupée auparavant – avait couvert la jeune femme de compliments. Madame Demers n'avait pas arrêté de vanter les mérites de Flavie à la religieuse.

— La garde Prévost est si prévenante ! Et puis, j'en connais très peu qui travaillent aussi bien qu'elle. Elle prend le temps de nous écouter et elle s'occupe de nous avec beaucoup de douceur.

En sortant, Flavie remercia madame Demers, à l'insu de sœur Désuète. Évidemment, les éloges faits par la patiente contribueraient à lui valoir une meilleure note. Évelina la félicita quand elle apprit que l'examen s'était bien passé. Puis, elle ne put s'empêcher de plaisanter :

— Je garderai ton truc en réserve pour l'an prochain : il faut soudoyer un patient avant l'examen pratique. C'est noté !

— Flavie n'a soudoyé personne, c'est simplement sa gentillesse qui lui a rapporté ! protesta Simone. Tu devrais te rappeler cela, Évelina : ce n'est pas donné à tout le monde de recevoir des compliments de la part des patients.

— Mais je suis gentille ! Voyons donc, Simone, tu me sous-estimes ! Je hais le « torchonnage », tu le sais déjà, mais je m'occupe très bien de mes patients.

— Je te taquine, voyons ! Sous tes allures un peu « fofolles », tu es un cœur sur deux pattes, Évelina. On le sait, Flavie et moi.

Évelina resta silencieuse. Pendant quelques secondes, Flavie avait cru voir poindre l'ombre d'une larme dans le regard de son amie. Évelina se frotta délicatement les yeux pour ne pas altérer son maquillage. Ensuite, pour changer de sujet, elle invita ses amies à se joindre à elle pour le dîner.

— Ouf ! J'ai une faim de loup ! Il m'a creusé l'appétit, cet examen ! Allez, mesdemoiselles, venez manger le bon « ragoût-sans-goût » ainsi que le « pain frais sec » concocté par les cuisinières de l'hôpital Notre-Dame !

* * *

Le lendemain, l'examen d'anatomie commença tout de suite après le petit-déjeuner. Plusieurs étudiantes n'avaient pas mieux dormi que la veille. Certaines avaient révisé jusqu'aux petites heures du matin ; c'est donc les traits tirés qu'elles se présentèrent dans la classe d'anatomie. Voulant détendre l'atmosphère, le docteur Jobin fit quelques plaisanteries comme d'habitude.

— J'espère bien, mesdemoiselles, que vous avez étudié suffisamment, car je serai sans pitié ! Ne vous attendez pas à ce que notre bon Siméon, le squelette dans le placard, vous vienne en aide ! Bonne chance à vous toutes !

En recevant la pile de feuilles constituant l'examen, Flavie prit une grande respiration. Puis, elle commença à lire les questions. « Je n'ai aucune raison de m'inquiéter. Le cours d'anatomie a été mon préféré et j'ai étudié suffisamment pour être confiante. » Jetant un coup d'œil en direction de Simone, elle décela la même confiance chez son amie. Bien adossée dans sa chaise, cette dernière lisait calmement les premières questions. Avant de commencer à répondre au questionnaire, Flavie rencontra le regard d'Évelina, qui semblait dans un état différent du sien. Celle-ci mâchouillait son crayon en jetant des yeux inquiets sur sa copie. Après avoir croisé le regard encourageant de Flavie, Évelina commença à écrire.

Pendant une heure et demie, Flavie dut répondre à des questions concernant les systèmes respiratoire et digestif, le système cardiocirculatoire, les différentes structures des os et des organes. En remplissant le questionnaire, elle constatait la quantité de notions qu'elle avait apprises durant sa première année à l'hôpital. Pendant toute la durée de l'examen, le docteur Jobin resta assis derrière son bureau ; il surveilla attentivement ses élèves afin qu'aucune ne copie sur sa voisine. Sœur Désuète avait été explicite lorsqu'elle avait exposé le déroulement des examens aux étudiantes. Les professeurs étaient tenus de surveiller attentivement leurs étudiantes durant toute la durée des examens, et ils avaient le droit d'expulser une élève surprise à tricher.

Le docteur Jobin avait profité de la période d'examen pour observer Évelina pendant de longues minutes. La jeune femme lui manquait certainement, car Flavie avait vu passer une lueur de nostalgie dans son regard.

Le médecin jeta un œil à sa montre, puis il annonça :

— C'est terminé, mesdemoiselles ! Déposez vos crayons et venez me remettre vos questionnaires immédiatement.

Plusieurs étudiantes poussèrent un soupir. Certaines n'avaient pas encore fini l'examen, et Flavie entendait encore le bruit des crayons griffonnant le papier. Évelina était du nombre ; elle remplissait les feuilles à la hâte. Le docteur Jobin se mit à circuler dans la classe pour récupérer les questionnaires des retardataires. Il adressa son plus beau sourire à Évelina tout en s'emparant de son examen. Puis, le médecin s'éloigna, laissant la jeune femme avec le crayon encore à la main.

Les étudiantes disposaient du reste de l'avant-midi comme période libre. Ensuite, elles devraient apporter le dîner aux patients et, l'après-midi, elles entreprendraient la tournée des malades. Flavie, Simone et Évelina décidèrent d'aller prendre l'air dans le parc La Fontaine.

— Rien de mieux qu'un peu d'air pour s'oxygéner le cerveau, déclara Simone. Ce n'est pas écrit dans les livres, mais on le sait quand même ! ajouta-t-elle en s'étirant sur un banc du parc. Comment vous en êtes-vous tirées, les filles, avec l'examen d'anatomie ? Pour moi, tout s'est bien passé.

— Pas trop mal, je pense, répondit avec confiance Flavie. J'ai lu attentivement toutes les questions, et j'ai pris mon temps pour répondre. J'ai même eu le temps de réviser quelques questions plus ambiguës.

— Vous êtes bien chanceuses vous deux ! Tant mieux pour vous si vous avez réussi. Moi, je n'ai pas eu le temps de répondre à toutes les questions. J'espère que Marcel aura pitié de moi en corrigeant…

— Oups ! s'exclama Simone. Je ne veux pas te décourager, Évelina, mais d'après moi, ce ne sont pas les médecins qui corrigent.

— Dans ce cas, mon chien est mort ! Je vais certainement couler l'examen et devoir tout recommencer l'an prochain ou m'inscrire en secrétariat ! En tout cas ! Tant pis, il est trop tard maintenant.

— Ne désespère pas, tu réussiras peut-être quand même, tenta de la rassurer Flavie.

— Bof ! C'était à moi de passer toutes mes heures libres dans la bibliothèque à étudier et à m'arracher les yeux sur mes notes de cours, plutôt que de profiter pleinement de la vie !

Flavie se retint pour ne pas éclater de rire devant le ton faussement découragé d'Évelina. Simone en profita pour sermonner un peu son amie.

— En tout cas, il reste encore quelques examens où tu peux te reprendre. Si le cœur t'en dit, viens nous rejoindre dans notre caverne du savoir. On ne sait jamais : peut-être que tu pourrais y prendre plaisir !

— Ben oui, certain ! Mais ne vous attendez pas trop à me voir dans votre bibliothèque puante et poussiéreuse !

* * *

En arrivant à la bibliothèque, Flavie et Simone croisèrent Clément et Bastien qui, eux, venaient d'en sortir. Clément s'informa à propos de l'examen d'anatomie qui avait eu lieu le matin.

— Vous l'avez certainement réussi, commenta Clément. Habituellement, si on est attentif en classe et qu'on étudie un peu, on s'en tire bien. Nous achevons nos examens, Bastien et moi, et n'en sommes pas fâchés. On s'attend toujours au pire et, souvent, on s'en fait pour rien. Bonne soirée, mesdemoiselles !

Clément alla rejoindre Bastien qui l'attendait près de l'ascenseur. Sans doute intimidé par la présence de Simone, il n'avait pas embrassé Flavie – qui le regrettait. Mettant cette omission sur le compte de la nervosité, Flavie n'en tint pas rigueur à son amoureux. « Il est aussi stressé que moi avec tous ces examens à réussir. »

Retrouvant, à leur grand bonheur, leur table habituelle, Simone et Flavie s'installèrent avec leurs livres et leurs notes pour préparer l'examen de bactériologie du lendemain.

— Plusieurs étudiantes de deuxième et troisième années m'ont prévenue que le docteur Bourque est très pointilleux dans ses questions, indiqua Simone. On devra être prêtes, ma petite Flavie, car il paraît que l'examen d'anatomie est du gâteau comparativement à celui de bactériologie. En plus, il y a un examen pratique ; le docteur Bourque veut s'assurer que nous sommes capables de nous servir du stérilisateur.

— Je ne sais pas comment Évelina s'en tirera, cette fois.

— Probablement mieux qu'on pense…

Flavie ne comprit pas le sens de la réponse de Simone. Elle regarda son amie pour lui signifier qu'elle attendait la suite de sa phrase. Simone pointa l'index vers Évelina qui venait de pousser la porte de la bibliothèque et qui cherchait des yeux ses compagnes. Les ayant repérées, la jeune femme vint se joindre à elles. Simone ouvrit la bouche pour dire quelque chose, mais Évelina leva la main.

— Pas de commentaires, s'il te plaît ! J'ai paniqué un peu ce matin. Je pense m'en être bien tirée, mais je ne suis pas certaine que cela se passera aussi bien avec l'examen de bactériologie. Alors, je veux mettre toutes les chances de mon côté.

— La cigale ayant chanté tout l'été, se trouva fort dépourvue quand la bise fut venue…

— Ben oui, ben oui ! Je suis une cigale et vous êtes des fourmis, et pis après ? Je sais que vous êtes charitables et que vous m'aiderez afin que je n'échoue pas à ce maudit examen.

— Et que comptes-tu faire ? Nous soudoyer ?

— Arrête de te moquer de moi, Simone ! Qu'est-ce que tu veux entendre ? Que vous avez eu raison d'étudier autant, Flavie et toi ? Eh bien je vous l'accorde ! Profitez-en, car c'est très très rare que j'avoue mes torts !

— On le sait !

— Bon, je pense que tu m'as assez agacée, Simone. On peut passer à autre chose ? J'ai déjà perdu beaucoup de temps et je veux être prête pour mon examen de demain. Alors, au boulot !

Évelina s'installa près de Flavie et ouvrit son cahier de notes. Les trois amies firent leur révision en se taquinant de temps à autre. La soirée passa rapidement. Évelina fournit de grands efforts afin de comprendre les explications que Simone et Flavie lui donnèrent patiemment.

— Tu devrais bien t'en tirer demain, et ce, grâce à nous, se vanta Simone.

— Je vous en dois une, les filles, c'est sûr ! On fait vraiment une belle équipe toutes les trois, vous ne trouvez pas ?

— Tu as raison, approuva Flavie. Toutes les trois, on se soutient. Simone fait des farces et t'agace, mais elle serait bien embêtée si tu étais obligée de recommencer la première année ou d'abandonner le cours d'infirmière. Tu nous manquerais beaucoup trop.

— Effectivement! Et puis, qui vous défendrait contre la « méchante » Georgina? Qui vous aiderait à vous maquiller quand vous avez des sorties et, surtout, qui vous conseillerait dans le choix de vos vêtements?

— Que ferions-nous sans toi, Évelina?

— Vous feriez dur, les filles!

* * *

Évelina termina son examen de bactériologie. Elle sortit de la salle de classe et alla rejoindre ses amies qui l'attendaient dans la salle de repos.

— Tadam! s'écria-t-elle. Ça s'est réellement bien passé. J'ai pris le temps de relire chacune des questions. Et je devrais m'en tirer sans peine lors de l'examen pratique, avec les stérilisateurs. Si l'on sortait pour fêter ça?

— Je ne voudrais pas avoir l'air plate, mais il faut réviser quelques trucs, Évelina.

— Tu es vraiment rabat-joie, Simone! Non mais, est-ce qu'on peut penser à autre chose qu'aux examens qu'il nous reste à faire?

— Simone a raison, Évelina. On doit étudier encore un peu.

— Bon, une autre qui s'en mêle! Je pensais, Flavie, que tu étais un peu moins raisonnable que Simone. Mais je me suis trompée, il faut croire!

Flavie s'amusa de la remarque d'Évelina, dont le sens de l'exagération la surprenait toujours. La jeune femme n'avait passé qu'une soirée à étudier, et depuis, elle n'arrêtait pas de parler du calvaire qu'elle avait soi-disant vécu. « Vous êtes bonnes, les filles, d'étudier sans relâche depuis le début de l'année! Je ne sais pas comment vous faites! J'ai bien cru devenir folle, enfermée dans cette bibliothèque! »

Flavie proposa de faire une pause avant de reprendre les « pénibles heures d'étude ».

— Et si on allait manger au restaurant de monsieur Zheng avant d'aller à la bibliothèque ? suggéra-t-elle. Ça vous dit ?

— N'importe quoi plutôt que d'aller m'enfermer tout de suite là-bas !

Pour sa part, Simone fit jurer à Flavie qu'elles reviendraient sitôt le repas terminé.

— On ne peut se permettre de perdre du temps là-bas.

— Tu verras, ce sont les meilleurs mets chinois que tu auras mangés de ta vie.

— Ce seront les meilleurs parce que Simone n'a jamais mangé ça, des mets chinois !

— Bon, c'est mon tour, astheure ! On va y aller tout de suite si on veut revenir !

Les trois amies se dirigèrent vers l'entrée principale de l'hôpital. Évelina fut interceptée par Bastien qui était venu vers elle en courant presque. Flavie et Simone décidèrent d'attendre leur amie à l'extérieur, laissant le couple seul. Il ne fallut que quelques minutes avant qu'Évelina vienne les rejoindre, furieuse. Elle fulminait :

— Monsieur trouve qu'on ne se voit plus beaucoup et il ne comprend pas que je préfère sortir manger avec mes deux amies plutôt qu'avec lui ! Figurez-vous qu'il m'a fait une scène en plein milieu de l'hôpital ? Il pense vraiment que je lui appartiens ! Je n'en reviens pas !

— Calme-toi, Évelina, et profite de notre pause, lui recommanda Flavie.

— Que je me calme ? Non mais, il exagère ! On n'est pas mariés à ce que je sache et je n'ai pas besoin de sa permission pour aller où je veux. Franchement ! Personne n'a le droit de me dicter ma conduite, et encore moins monsieur le docteur Bastien Couture !

— Eh bien, si tu deviens « madame docteur Couture », tu auras des comptes à rendre, observa Simone.

— Ce n'est pas encore fait, ce mariage-là. Et puis, l'exclusivité, ça commence sérieusement à m'ennuyer. J'ai hâte de voir d'autres visages dans l'hôpital. L'arrivée de nouveaux internes à l'automne me fera un bien fou !

Ni Flavie ni Simone ne trouvèrent rien à répliquer. Elles demeurèrent silencieuses durant tout le trajet en tramway. Simone se réjouissait en silence ; elle aurait peut-être sa chance avec Bastien si Évelina rompait avec lui. Quand les jeunes femmes descendirent du tramway et marchèrent la courte distance les séparant du restaurant, Évelina semblait de meilleure humeur. Flavie s'arrêta devant le restaurant de monsieur Zheng. Avant de pénétrer à l'intérieur, elle vérifia par une fenêtre que Léo ne s'y trouvait pas. Elle avait pensé à la dernière minute qu'elle pourrait le croiser et elle n'avait pas envie de le voir.

Lorsque les jeunes femmes entrèrent dans le restaurant, la clochette de la porte retentit pour avertir monsieur Zheng de l'arrivée d'un client. Flavie et ses amies s'installèrent à une table en attendant que le traditionnel thé soit servi. Simone parcourut la pièce du regard.

— Wow ! Tu avais raison, Flavie. C'est vraiment exotique comme endroit.

— Bof ! déclara Évelina. Ce ne sont que des bibelots chinois et quelques babioles.

Elle n'était nullement impressionnée par l'endroit. Flavie soupçonnait que son amie était encore fâchée contre Bastien.

— C'est certain que le décor ne charme pas tout le monde, commenta Flavie. Mais tu vas voir, Simone. La nourriture est excellente ici.

Monsieur Zheng arriva avec son calepin. Après avoir salué les trois jeunes femmes, il ajouta :

— Je suis surpris de vous voir ici, mademoiselle Flavie. Monsieur Léo m'a dit que vous ne viendriez probablement plus maintenant que vous n'êtes plus ensemble. Tant mieux si ma nourriture vous a manqué ! C'est tellement triste que vous ayez laissé tomber monsieur Léo comme ça ! Je l'ai vu il y a quelques jours et il n'en menait pas large. Il a le cœur brisé, le pauvre garçon.

Flavie serra les lèvres. Elle ne savait pas si monsieur Zheng exagérait pour qu'elle se sente coupable ou s'il racontait la vérité. Léo lui avait souvent dit que le couple de Chinois l'avait pris en affection et qu'ils le considéraient presque comme leur fils. Flavie comprenait que les Zheng prennent la défense de Léo même s'ils n'étaient pas vraiment au courant des faits. Quand Flavie l'avait laissé après leur dernier repas ensemble, Léo paraissait déçu, tout au plus. Il ne semblait pas avoir le cœur brisé ainsi que monsieur Zheng venait de le prétendre. Ce dernier continua son discours tout en versant le thé dans les tasses.

— Ma femme a quitté plus tôt cet après-midi pour aller se reposer. C'est dommage qu'elle vous ait manquée, mademoiselle Flavie. Elle aurait certainement aimé vous voir. Je vous sers la même chose que d'habitude ?

— Oui, monsieur Zheng, pour mes amies et moi. C'est la première fois qu'Évelina et Simone goûteront à votre cuisine traditionnelle.

Flavie fit un geste de la main en direction de ses amies.

— Dans ce cas, je vous offre la soupe en prime avec les *dim sum*. Les amis de mes amis sont aussi mes amis. Vous vous êtes tellement bien occupée de ma femme, mademoiselle

Flavie, que je ne peux pas vous en vouloir d'avoir fait de la peine à monsieur Léo.

Monsieur Zheng retourna aux cuisines. Évelina se moqua de Flavie.

— Ah ben ! Tu nous avais dit que la rupture avec Léo s'était bien passée. Tu as omis de nous dire que le pauvre a eu le cœur brisé. Crac ! Comme ça !

— Monsieur Zheng exagère. Léo ne l'avait pas si mal pris ; il semblait simplement déçu. Je pense que monsieur Zheng a un parti pris, c'est tout !

— Ouais ! Le service est rapide ici !

Monsieur Zheng revenait, les mains chargées de bols de soupe fumants. Il déposa un bol devant chacune des clientes. Il repartit en leur criant de son accent chantant : « Bon appétit ! » Évelina se saisit de sa cuillère de porcelaine et remua la soupe avant d'y goûter. Simone observa le contenu de son bol durant quelques secondes avant d'y tremper sa cuillère. Flavie surveillait son amie du coin de l'œil. Simone réagissait de la même manière qu'elle-même lorsqu'elle avait goûté aux mets chinois pour la première fois. Pendant quelques instants, les pensées de Flavie vagabondèrent. Elle songea à Léo. Elle se sentait coupable, même si elle avait fait ce qu'il fallait. « J'ai écouté mon cœur et j'ai été honnête avec lui. » Mais après avoir entendu monsieur Zheng, elle doutait à présent que Léo ait si bien pris la nouvelle. Le vieil homme s'était montré poli avec elle, mais elle avait senti le reproche dans sa voix. Flavie n'était plus certaine d'avoir eu une bonne idée en invitant ses amies ici. Mais en voyant Simone se régaler de sa soupe, ses doutes s'envolèrent.

— Pas mauvaise du tout, cette soupe ! s'écria Évelina. Qui aurait pu croire qu'une fille de La Prairie ferait découvrir un restaurant chinois à une vraie de vraie Montréalaise ?

Monsieur Zheng apporta l'assiette de *dim sum* et repartit avec les bols vides. Simone se pencha au-dessus de l'assiette pour humer les arômes qui s'en dégageaient. Tenant fermement ses baguettes, Évelina réussit à saisir un *dim sum*. Simone s'empressa de l'imiter.

— C'est vraiment trop bon, Flavie ! s'exclama-t-elle. J'adore !

— Bah ! Ce ne sont que des boulettes de pâte ! Pas besoin d'en faire tout un plat ! répondit Évelina en poussant sur un *dim sum* avec ses baguettes.

— Je ne peux pas croire, Flavie, que tu aies attendu aussi longtemps avant de nous faire découvrir cet endroit.

— Elle était beaucoup trop occupée à « briser le cœur » de monsieur Léo.

Flavie ne riposta pas à la plaisanterie d'Évelina. Simone jeta un regard incendiaire à celle-ci avant de rassurer Flavie.

— Tu as fait pour le mieux, Flavie, en te montrant honnête avec Léo. Et puis, tu ne l'as quand même pas planté là comme une vieille chaussette.

Saisissant l'allusion de Simone, Évelina tenta de se justifier.

— Je n'ai pas dit que je suis prête à « planter là » Bastien. Je commence à en avoir assez de sa manie de surveiller ce que je fais et où je vais, c'est tout.

— Si le chapeau te fait, Évelina…

— Eh bien non justement ! Le chapeau ne me va pas du tout ! Pour le moment, je m'amuse bien avec Bastien. Quand ce ne sera plus le cas, il le saura bien assez vite.

Flavie et Simone n'en doutaient pas un seul instant.

* * *

Soulagée d'avoir terminé son dernier examen, Flavie subissait désormais l'attente des résultats. Elle avait reçu une invitation de Victor qui les conviait, ses deux amies et elle, à un souper au très chic Ritz-Carlton pour célébrer la fin de leur première année d'études. Flavie n'avait pas revu Victor depuis qu'elle avait été témoin de l'altercation entre sa mère et lui. Elle ne savait pas si elle aurait la chance d'aborder la question avec son parrain. Mais si l'occasion se présentait, elle tenterait d'en avoir le cœur net.

Arthur était venu chercher les jeunes femmes pour les conduire à l'hôtel-restaurant où les attendait Victor. Évelina avait veillé à ce que chacune étrenne une nouvelle robe pour l'occasion. La température plus clémente du mois de juin permettait de porter des robes en coton, au grand bonheur d'Évelina.

— Nos courbes sont davantage mises en valeur avec ce tissu plutôt qu'avec les robes en lainage. Vivement le temps plus chaud ! Je n'en pouvais plus de ces longues robes qui se boutonnent jusqu'au poignet ! Et que dire de la super tenue de la bonne infirmière ? C'est presque aussi insupportable que l'uniforme des Sœurs grises ! Je ne comprends pas Charlotte, qui a décidé de devenir religieuse et de porter ces trucs pour le reste de sa vie !

— Devenir religieuse n'est pas une affaire de vêtements, Évelina, la réprimanda Simone avec une pointe d'exaspération dans la voix.

— Je le sais bien, Simone, mais je ne peux pas m'empêcher d'y penser.

Évelina examina sa tenue.

— Peut-être que j'aurais dû mettre une robe un peu plus colorée ?

— Il ne faut pas oublier, Évelina, qu'il s'agit d'un souper en compagnie de mon parrain.

— C'est vrai que nous n'allons pas festoyer dans un club, mais une bonne infirmière est toujours prête à tout !

Évelina prenait un grand plaisir à imiter la voix de sœur Désuète. Flavie se doutait bien que l'habituel « une bonne infirmière est toujours prête à tout » de sœur Désuète ne comprenait pas la rencontre de la gent masculine.

Le serveur escorta le trio jusqu'à la table de Victor. Celui-ci se leva à l'arrivée de ses invitées. Flavie avait mis le collier de perles que son parrain lui avait offert pour son anniversaire. Ce dernier esquissa un sourire en le remarquant.

— Ça me touche beaucoup, Flavie. Ma mère serait tellement fière de savoir qu'une aussi jolie jeune femme porte son précieux bijou. Levons nos verres, mesdemoiselles, pour souligner le succès de votre première année d'études !

— On ne connaîtra les résultats que la semaine prochaine, oncle Victor.

— J'ai confiance en vous trois. Vous avez travaillé fort durant toute l'année, alors il n'y a aucune raison pour que vous n'ayez pas réussi.

Le souper se déroula agréablement. Victor parla de choses et d'autres et s'informa des projets estivaux des trois jeunes femmes. Simone s'était portée volontaire pour demeurer à l'hôpital et continuer d'y travailler. Quant Victor lui demanda si sa famille lui manquerait, elle répondit franchement.

— Bof ! Mon oncle et ma tante ne m'attendent pas vraiment. Bien entendu, ils aimeraient sûrement que j'aille faire mon tour à Saint-Calixte dans le temps des foins pour les aider. Mais qu'ils n'y comptent pas trop. Je préfère de loin m'occuper des malades qui en ont besoin à l'hôpital.

Évelina répondit simplement que Flavie l'avait invitée à séjourner à La Prairie.

— Je ne sais pas combien de temps je tiendrai à la campagne, car je préfère de beaucoup la ville, mais la famille de Flavie est tellement accueillante. J'irai certainement aussi rendre visite à ma chère mère qui se languit de me voir. Sinon, je resterai peut-être à l'hôpital pour travailler, comme Simone.

Étonnée, Flavie se tourna vers Évelina.

— Hein ? Tu m'avais dit que tu n'avais vraiment pas envie de travailler cet été et que tu préférais prendre un peu de vacances.

— Il n'y a que les fous qui ne changent pas d'idée ! Je ne sais pas trop. Tant qu'à ne rien faire du tout, aussi bien aider les gens.

— Je ne te savais pas si altruiste, chère Évelina, se moqua Simone.

— Tu serais surprise, mon amie !

— Je me doute bien qu'un certain docteur Couture n'est sûrement pas étranger à cette décision.

Évelina ne répondit pas, mais Flavie comprit que Simone avait vu juste. Victor profita de la mention du docteur Couture pour s'informer de Clément qu'il avait eu la chance de rencontrer lors du souper d'anniversaire.

— Tu vas peut-être me trouver indiscret, Flavie, mais qu'en est-il de vous deux ?

— Nous sommes de bons amis. Ni lui ni moi ne voulons nous engager sérieusement pour le moment.

— Vous faites bien ; après tout, rien ne presse. Vous avez tout votre temps pour vous connaître.

Victor se perdit pendant quelques secondes dans ses pensées. Flavie se demanda ce qui le tracassait. Sachant que ce n'était pas le bon moment pour le questionner, elle lui demanda simplement :

— Je ne sais même pas si mes parents se connaissaient depuis longtemps avant de se marier.

— Ta mère a travaillé dans une usine. C'est là que ton père et moi l'avons rencontrée. Après quelques mois de fréquentations, Bernadette et Edmond ont décidé de se marier. Ça me surprend que tu ne sois pas au courant de cela ; ta mère t'en a sûrement déjà parlé.

— Comme tu le sais déjà, elle m'a très peu parlé de mon père. Ce que je connais de lui m'a été principalement raconté par toi, et ce, dernièrement. Il y a comme un mystère qui entoure la vie de mon père.

Victor n'eut aucune réaction. Il déposa sa serviette de table et répondit avec détachement.

— Un jour, peut-être, ta mère se décidera à t'en dire plus, Flavie. Cette décision ne m'appartient pas. Mais n'oublie pas que Bernadette a eu beaucoup de chagrin à la mort de ton père. C'est encore difficile pour elle de parler d'Edmond.

La réponse de Victor laissa Flavie perplexe. Il y avait si longtemps qu'Edmond était décédé qu'elle comprenait mal que sa mère puisse être encore dévastée par la douleur au point de refuser de parler de lui. Simone, qui était au courant des doutes de son amie, avait écouté attentivement la réponse de Victor ; celle-ci ne la satisfit pas plus que Flavie. Évelina, quant à elle, était beaucoup trop occupée à faire de l'œil au serveur pour remarquer quoi que ce soit. Flavie reconnaissait le « mode séduction » de son amie : Évelina se trémoussait sur sa chaise quand le serveur arrivait près de la table et elle riait de façon exagérée. Flavie ne comprenait pas que, chaque fois, malgré son jeu outrancier, les hommes tombent dans le panneau. « Je ne peux pas croire qu'ils sont aussi naïfs ! Ça me surprendra toujours ! »

Après le repas, Victor raccompagna les trois jeunes femmes à l'hôpital. Elles le remercièrent pour l'excellente soirée. Flavie resta quelques minutes seule avec Victor dans l'espoir de pouvoir lui poser quelques questions.

— Flavie, je t'ai déjà raconté tout ce que je sais à propos de ton père. Si tu as d'autres questions, ta mère me semble être la personne la mieux placée pour y répondre.

— Je compte lui en parler quand j'irai à La Prairie. J'ai seulement pensé que mon parrain serait honnête envers moi et ne me cacherait rien d'important.

Victor détourna le regard quelques instants avant de signifier à Flavie qu'il devait repartir.

— Tes amies t'attendent et je ne voudrais pas te retarder davantage.

Flavie referma la portière et franchit les quelques marches qui menaient à la grande porte de la façade de l'hôpital. Victor la suivit des yeux jusqu'à ce qu'elle disparaisse dans le hall.

* * *

— Je lui ai donc dit que je préférais que nous soyons amis, car, pour le moment, je ne voulais m'engager avec personne.

Simone avait utilisé les conseils qu'elle avait donnés à Flavie. Elle avait mis les choses au clair avec Paul, qui devenait de plus en plus insistant. Recroquevillée dans un fauteuil de la salle de repos, Flavie écoutait à moitié ce que son amie lui racontait. Perdue dans ses pensées, elle se demandait jusqu'où irait son histoire avec Clément. Elle n'avait pas vu le jeune homme depuis quelques jours. Toutes les fois où ils étaient ensemble, il agissait comme un ami, tout au plus. Elle ne voulait pas s'engager sérieusement, elle non plus, mais le fréquenter à titre de petite amie lui aurait quand même plu. Il s'était beaucoup plus affiché avec Georgina. « Et moi qui espérais que les choses seraient simples… Léo m'offrait tout ce que j'attends de Clément et, pourtant, je l'ai repoussé. Je commence à être aussi compliquée qu'Évelina avec son Bastien. »

Simone poussa un soupir.

— Je t'ennuie avec mes histoires, c'est évident.

— Mais non. Ta rupture avec Paul me ramène à ce que j'ai dit à Léo. Et aussi à Clément, qui semble prendre ses distances depuis quelque temps.

— Ils sont très pris, messieurs les docteurs, par les temps qui courent.

— C'est probablement à cause de ça. Et je pensais aussi à ma mère. Je commence à avoir vraiment hâte de me retrouver à La Prairie pour lui parler face à face. Je veux savoir qui est mon père ; c'est important pour moi.

Simone approuva en hochant la tête. Elle s'apprêtait à dire à Flavie qu'elle avait raison d'exiger des réponses quand Évelina arriva en trombe dans la pièce.

— Je pense que tu devrais me suivre, Flavie. Ton parrain a été conduit d'urgence à l'hôpital. J'ai rencontré son chauffeur dans un des corridors en bas et il m'a demandé de te prévenir. En ce moment, Victor est aux soins intensifs. Il a subi une crise cardiaque. Les médecins pensent qu'il s'en tirera, mais Arthur veut absolument que tu te rendes à son chevet.

Flavie saisit sa coiffe à la hâte et se précipita vers l'ascenseur. Elle descendit au sixième étage, là où les patients recevaient les soins d'urgence après avoir été stabilisés quelques étages plus bas. Son parrain n'y était plus. Comme son état était stable, on avait envoyé Victor au quatrième étage, dans une des chambres de luxe. Le cœur battant et le souffle court, Flavie n'attendit pas que l'ascenseur revienne. Elle emprunta l'escalier. Elle avait failli perdre son parrain, cet homme qu'elle considérait presque comme un père, et rien ni personne ne pourrait l'empêcher de se rendre à son chevet.

Arthur se tenait devant la porte de la chambre. Dès qu'il aperçut Flavie, il vint à sa rencontre.

— Votre oncle est dans un état stable, d'après les médecins. Il m'a fait une belle frousse quand il s'est effondré. Il a beaucoup de chance, car il devrait s'en tirer sans séquelles.

Flavie ne savait pas quoi dire à Arthur. Tout ce qu'elle voulait pour lors, c'était voir Victor. Elle murmura un simple « merci » au chauffeur de son parrain avant de s'approcher de la porte de la chambre. En tournant la poignée, elle se rendit compte que ses mains tremblaient. Victor s'était assoupi. Flavie s'installa sur une chaise près du lit. Elle resta ainsi de longues minutes avant de se décider à lui prendre la main. Le doute que Simone avait instillé dans son esprit en lui disant que Victor était peut-être son père lui revint à l'esprit. Elle avait failli perdre son parrain sans connaître la vérité. Elle observa ce dernier. La pâleur de son visage la troublait. Elle l'avait toujours connu souriant. Le voir dans cet état lui fit monter les larmes aux yeux.

Arthur vint lui dire qu'il quittait l'hôpital pour quelques heures, mais qu'il serait de retour pour prendre la relève un peu plus tard. L'infirmière qui s'occupait de Victor était venue prendre ses signes vitaux et était repartie. Flavie resta longtemps au chevet de Victor. Celui-ci dormait sous l'effet de puissants sédatifs, mais Flavie voulait être près de lui à son réveil.

Simone et Évelina vinrent prendre des nouvelles. Elles proposèrent à Flavie de veiller sur son parrain le temps qu'elle aille se reposer, mais la jeune femme déclina leur offre.

— Je veux rester près de lui et attendre son réveil.

— Ça n'a pas de bon sens, Flavie, protesta Simone. Et s'il dort pendant trois jours ?

— Je verrai. Pour le moment, ma place est ici.

Simone et Évelina la quittèrent quelques minutes plus tard. Flavie pressa la main de son parrain. « Il faut qu'il sache que je suis près de lui. Je commence à peine à le connaître mieux. » Comme s'il avait lu dans ses pensées, Victor ouvrit lentement les yeux, l'air hagard. Il sourit péniblement à Flavie, puis il déglutit avec difficulté. La jeune femme lui versa un verre d'eau, qu'elle lui tendit après avoir pris soin d'y mettre une paille. Victor avala quelques gorgées et se détendit. Flavie sortit quelques instants pour prévenir l'infirmière de garde que son patient venait de se réveiller. Elle s'empressa de retourner auprès de Victor.

— Le médecin viendra t'examiner. Tu as eu beaucoup de chance. Arthur t'a conduit immédiatement à l'hôpital.

— J'ai eu très peur, Flavie, quand j'ai ressenti cette douleur. Tout ce dont je me souviens, c'est que lorsque je me suis levé pour avertir Arthur, je me suis effondré. Il y a longtemps que tu es là ?

— Quelques heures. Je voulais être près de toi à ton réveil.

— J'ai beaucoup de chance d'avoir la meilleure garde-malade à mon chevet.

Le médecin arriva. Il posa quelques questions à Victor pour savoir comment il se sentait. Flavie avait vu ce médecin à quelques reprises dans l'hôpital, mais sans véritablement le côtoyer. Il examina Victor et, après avoir consulté le dossier, il déclara :

— Vous avez eu beaucoup de chance, monsieur Desaulniers, car vous ne garderez probablement aucune séquelle de votre mésaventure. Mais vous devrez faire attention à vous à l'avenir. Je vais vous laisser vous reposer en bonne compagnie. Prenez le temps de vous reposer aussi, mademoiselle.

Après les salutations d'usage, le médecin partit.

— J'ai vraiment eu peur, oncle Victor.

— Moi aussi, Flavie. J'essaierai de suivre les conseils du médecin et de prendre soin de moi davantage. J'ai encore de belles années à vivre et je veux te voir avec ton diplôme d'infirmière dans les mains.

— Si tu ne m'avais pas poussée autant, je ne serais peut-être pas ici. Ma mère ne voulait pas que je vienne m'installer à Montréal. Je pense qu'elle n'apprécie pas le fait que je me rapproche de toi. Je ne comprends pas pourquoi, d'ailleurs.

— Bernadette a ses raisons.

Victor demeura songeur. Il ferma les yeux et inspira profondément. Une larme se forma au coin de son œil et roula sur l'oreiller.

— J'ai juré pendant toutes ces années de garder le secret, mais je me rends compte que j'aurais pu mourir sans que tu l'apprennes jamais, Flavie. C'est insupportable de t'avoir à mes côtés alors que tu ignores la vérité.

— Tu es mon père, n'est-ce pas ?

Victor ouvrit les yeux ; il ne s'attendait visiblement pas à ce que Flavie lui jette en plein visage le secret qui le liait à Bernadette depuis toutes ces années. En voyant la réaction de Victor, Flavie sut qu'elle avait frappé dans le mille. Elle s'adossa dans sa chaise, attendant des explications qui ne vinrent pas. Elle décida de passer à l'attaque.

— Pourquoi ne m'avoir rien dit ? Pourquoi m'a-t-on fait croire qu'Edmond était mon père ?

— J'avais promis à ta mère de ne rien dire.

— Je ne comprends pas pourquoi elle m'a menti de la sorte.

— Bernadette avait ses raisons. C'est à elle de te les confier.

Des sentiments contradictoires tenaillaient Flavie. Elle était furieuse d'avoir été laissée dans l'ignorance toutes ces années. Elle était en colère contre sa mère et contre son « parrain-père-oncle » ; elle ne savait plus comment qualifier Victor. Quand elle se leva, ce dernier lui prit la main.

— Crois-moi, Flavie, j'ai eu souvent envie de te révéler la vérité. Mais je me suis contenté de te voir grandir à distance. Tu ne dois pas en vouloir à ta mère ; Bernadette a fait ce qu'elle croyait être le mieux pour toi. Prends le temps d'encaisser la nouvelle avant de faire quoi que ce soit.

Flavie lâcha la main de Victor. Puis, elle quitta la chambre.

# 15

Flavie était parvenue à encaisser le choc, et elle avait essayé de pardonner à Victor ce silence qu'il avait gardé pendant si longtemps. Elle en voulait à sa mère ; elle attendait impatiemment les vacances pour que Bernadette lui raconte enfin toute la vérité. Antoine était son demi-frère, et visiblement, lui aussi ignorait qu'ils n'avaient pas le même père. Victor refusait de raconter les circonstances de sa naissance. Il s'était contenté de lui dire qu'il avait beaucoup aimé sa mère et qu'il espérait encore, même après toutes ces années, qu'elle reviendrait vers lui un jour.

Flavie prenait l'air dans le parc La Fontaine en compagnie de Simone. Elle venait d'aller rendre visite à Victor, comme elle le faisait pratiquement tous les jours depuis son hospitalisation. Et elle se promettait de venir le voir plus souvent lorsqu'il retournerait chez lui. « On a tellement de temps à rattraper tous les deux, Flavie », lui avait-il dit.

La jeune fille avait commencé à préparer ses affaires. Quelques jours plus tard, Antoine viendrait la chercher pour la ramener à La Prairie pour l'été. La jeune femme appréhendait le moment où elle parlerait à sa mère, mais elle voulait absolument régler la question une fois pour toutes. Quelques jours après l'entrée de Victor à l'hôpital, elle avait téléphoné à Bernadette pour lui annoncer la nouvelle, en omettant de lui dire qu'elle savait tout. « Je réglerai ça avec elle pendant les vacances, car j'ai trop peur de m'emporter au téléphone. » Sa mère avait paru inquiète, mais Flavie l'avait rassurée sur l'état de santé de son « parrain ».

Flavie s'étira pendant quelques secondes sur le banc de parc avant de féliciter Simone pour son sixième sens. Celle-ci avait soupçonné bien avant elle que Victor était son père.

— J'ai un don pour ça, je pense.

— Je ne comprends pas ma mère, Simone. Pourquoi m'a-t-elle caché la vérité ? J'aurais aimé connaître davantage Victor. Je me promets bien de rattraper le temps perdu.

— Attends les explications de ta mère avant de lui en vouloir.

Flavie était impressionnée par la sagesse de son amie. Simone était si raisonnable et si sage. Flavie se demandait si elle parviendrait à lui ressembler un jour quand Évelina arriva. Celle-ci se laissa tomber sur le banc en face de ses amies.

— Ouf! Devinez quoi ? Les résultats des examens sont affichés. Mais je n'ai pas eu le courage d'aller voir mes notes.

— Toi pourtant si curieuse de nature !

— J'ai « la chienne » d'avoir coulé mes examens, les filles…

— Ben voyons, Évelina, tu vas probablement être agréablement surprise de tes notes, tenta de la rassurer Flavie. Allons-y ensemble. À trois, on ne peut pas manquer de courage ! On est là pour se soutenir, pas vrai ?

Flavie en avait eu la preuve quand elle était revenue de la chambre de Victor après avoir appris qu'il était son père. Simone et Évelina avaient vu à quel point cette nouvelle avait bouleversé leur amie ; elles lui avaient offert tout le réconfort possible. Évelina lui avait dit qu'elle l'enviait, car elle-même n'avait pas eu la chance de connaître son père.

— Ma mère n'a jamais voulu me dire qui est mon père. J'ai essayé pendant longtemps de le savoir, puis j'ai lâché prise. Pendant mon enfance ; ma mère a toujours assuré mon confort. La présence d'un père ne m'a pas vraiment manqué. Toi, Flavie, tu as eu la chance de grandir avec l'idée que ton père était un héros mort à Vimy. Et maintenant, tu apprends que ton vrai père est vivant. Profites-en !

Simone avait conseillé à Flavie d'attendre de connaître la version de sa mère.

— Ne saute pas trop vite aux conclusions, Flavie, sinon ça risque de gâcher tes dernières semaines ici. Profite du fait que Victor est dans l'hôpital pour lui rendre visite souvent et nouer des liens solides avec lui.

Évelina se leva péniblement de son banc. Elle suivit ses deux amies qui s'en allaient prendre connaissance des résultats des examens. Plusieurs étudiantes, aussi nerveuses les unes que les autres, se bousculaient devant l'affiche qui annonçait officiellement qui serait de retour à la fin du mois d'août pour entreprendre la deuxième année du cours. Évelina se tenait en retrait ; elle avait mandaté Flavie de lui rapporter ses notes.

— Si j'échoue, je ne veux pas le savoir. Ne dis rien et je comprendrai. Je réfléchirai ensuite à ce que je devrais faire. Peut-être que je me résoudrai à marier Bastien, ce qui me consolerait de l'humiliation d'avoir été rejetée de l'école. Après tout, j'aurais atteint mon but : épouser un médecin !

Rassurée par ses propres notes, Flavie alla chercher celles d'Évelina. Lorsqu'elle revint, elle lança à son amie :

— Oublie ta robe de mariée, Évelina. Tu restes avec nous !

* * *

Pour la première fois depuis qu'elles étudiaient à l'hôpital, les étudiantes reçurent des félicitations de sœur Désuète. Celle-ci s'adressa à elles en souriant. Ce sourire, qui ressemblait plus à une grimace, fit planer un moment de silence dans la classe.

— Bravo, mesdemoiselles. Je vous annonce qu'aucune d'entre vous n'a été recalée. Vous pouvez être fières des efforts que vous avez déployés durant toute l'année. Bien entendu, si ce n'avait été de mon soutien et de celui de vos professeurs, les résultats auraient peut-être été fort différents.

Évelina grommela assez fort pour que Flavie et Simone l'entendent.

— Évidemment que le mérite de notre réussite lui revient. À croire que c'est elle qui s'est enfermée dans une bibliothèque pendant des heures et des heures !

Sœur Désuète poursuivit.

— Si la première année en a été une d'initiation et relativement tranquille...

Flavie pensa aux erreurs sans gravité qu'elle avait commises, etttttt notamment à l'histoire des dentiers. Elle songea à la supervision assidue de Suzelle Pelletier, l'infirmière de troisième année qui attendait patiemment qu'elle commette une erreur pour la rapporter à la supérieure. Flavie s'était tenue sur ses gardes pendant de longs mois car elle se méfiait de Suzelle. Et puis, il y avait eu sa rencontre avec Robin Arsenault, ce garçon enjoué malgré ses conditions de vie difficiles. Elle eut une pensée pour Violette Pouliot qui avait rendu son dernier souffle en sa présence, ce qui l'avait confrontée pour la première fois à la mort.

— ... la seconde sera beaucoup plus exigeante pour vous, mesdemoiselles. Vous devrez intervenir davantage auprès de vos patients. Si vous avez trouvé le moyen de vous amuser cette année, attendez-vous que ce soit différent à partir de la fin août. Je n'attendrai rien de moins que la perfection de votre part. Prévoyez moins de sorties mondaines, car vous travaillerez encore plus fort durant la prochaine année. Vous apprendrez que lorsqu'on souhaite devenir infirmière, il faut être prête à faire de vrais sacrifices. Encore une fois, je suis convaincue que le dévouement des religieuses est incontestable en comparaison à mademoiselle tout-le-monde qui veut devenir infirmière. C'est à vous de me prouver que j'ai tort de penser ainsi.

Évelina poussa un soupir et ferma les yeux. Georgina écoutait attentivement les conseils de sœur Désuète comme si cette dernière s'apprêtait à révéler un secret d'État. Elle hochait constamment la tête en signe d'assentiment. « Elle fait tout pour s'attirer la sympathie de sœur Désuète, pensa Flavie en voyant son manège. Georgina joue quand même bien son jeu, car la religieuse la laisse tranquille contrairement à nous trois. »

Après le petit discours de sœur Désuète, les élèves purent prendre congé. La religieuse, « dans son immense bonté », leur souhaita un bel été et leur conseilla de profiter de ce repos pour se préparer à la prochaine année qui serait « harassante au plus haut point ».

* * *

Après avoir quitté sœur Désuète, Évelina – suivie de près par Flavie et Simone –, s'empressa de se changer pour aller faire les boutiques à la recherche de la parfaite robe de soirée. Les trois jeunes femmes avaient été invitées à la soirée donnée en l'honneur des internes finissants. Évelina accompagnerait Bastien et Flavie s'y rendrait au bras de Clément. Simone escorterait Paul, qui l'avait invitée « en amie ». En marchant en direction de la rue Sainte-Catherine, Simone annonça à ses amies que cette soirée ne lui disait plus rien. Elle avait hésité au départ, puis à cause de l'insistance d'Évelina, elle avait fini par accepter l'invitation de Paul. À présent, elle n'était plus certaine de sa décision.

— Ah non ! Tu ne vas pas encore recommencer avec ça ? *Come on*, Simone ! Qu'est-ce que tu as de mieux à faire que d'aller à cette super soirée ! Je connais des infirmières qui seraient prêtes à tuer pour pouvoir y assister !

— Bof ! Moi, les sorties mondaines…

— Ben oui, ben oui, on le sait que madame aime mieux lire ou compter les fleurs de la tapisserie de la salle de repos. Mais pour une fois, Simone, fais un effort !

— Évelina a raison, renchérit Flavie. Une fois n'est pas coutume, Simone. Et on devrait bien s'amuser.

— Je n'ai rien à me mettre…

— Ce n'est pas une raison suffisante, la coupa Évelina. On va faire les boutiques et t'acheter la plus belle robe de Montréal. On éblouira tout le monde à cette soirée !

— Parle pour toi…

Simone prit un air renfrogné. Flavie termina de la convaincre en lui disant :

— On a terminé nos examens et on a réussi avec brio. Alors, pourquoi ne pas s'amuser un peu ? On l'a bien mérité, je pense. Et puis, je dois l'avouer, c'est quand même amusant de faire les boutiques avec Évelina. Elle a tellement de goût !

Évelina pointa la devanture du magasin Eaton. « On trouvera quelque chose là, j'en suis certaine ! » Entraînant ses deux amies à sa suite, elle franchit les portes tournantes du grand magasin et se dirigea vers l'ascenseur. Victor avait donné une somme d'argent importante à Flavie pour faire ses emplettes quand elle lui avait annoncé qu'elle était invitée à la soirée de remise des diplômes des internes. Victor était rentré chez lui en convalescence et Flavie avait promis de lui rendre visite avant de partir pour La Prairie. Elle avait mis en veilleuse, dans ses pensées, la discussion qu'elle aurait avec sa mère à son retour à la maison, préférant consacrer ses dernières journées à Montréal à s'amuser en compagnie de Simone et d'Évelina. « J'ai tout l'été pour régler cette affaire-là. Pourquoi gâcher mes dernières journées avec mes amies en me tracassant avec ça ? »

Flavie constatait qu'à la suite de sa première année passée à Montréal, elle était plus sage et s'inquiétait moins qu'auparavant. Son amitié avec Évelina et Simone y était pour quelque chose. En côtoyant Évelina, Flavie avait appris à prendre les choses avec plus de légèreté. Simone, pour sa part, lui avait montré qu'il fallait toujours attendre un peu avant d'imaginer le pire.

Grâce à ses deux amies, elle pouvait désormais considérer avec plus de désinvolture les événements de sa vie.

Après avoir sélectionné des robes, Flavie, Simone et Évelina passèrent dans les cabines d'essayage. Évelina sortit la première avec sa robe de soie écarlate. Flavie avait opté pour une robe saphir un peu plus sobre. Les deux amies attendaient impatiemment que Simone daigne sortir de la cabine. Quand elle fit son apparition, Évelina poussa un cri d'exclamation.

— Wow ! Tu es splendide, Simone !

La robe à volants que la jeune femme avait choisie avait paru très quelconque sur le cintre. Évelina avait même dit que cette robe passerait inaperçue dans la foule. Mais elle devait reconnaître que la coupe classique du vêtement habillait à ravir Simone.

— Bon ! Même si cette robe est noire et sobre, elle te va à merveille. Avec quelques accessoires colorés, tu seras fantastique.

Flavie s'admirait dans la glace en songeant que la couleur saphir lui allait plutôt bien. « Avec le collier de perles que Victor m'a offert, ça sera fabuleux. » Elle n'arrivait pas à appeler Victor « papa » ; ce mot sonnait étrangement à ses oreilles, et elle ignorait si elle parviendrait à le nommer ainsi un jour. Après tout, il avait été son oncle et son parrain pendant de nombreuses années. Cela expliquait sans doute pourquoi il lui était si difficile de le considérer comme son père. Simone lui avait conseillé de prendre son temps pour s'habituer à cette transition. Flavie avait choisi de suivre la recommandation de son amie.

En sortant du magasin avec leurs sacs de souliers et les boîtes contenant leurs robes, les trois jeunes femmes se retrouvèrent nez à nez avec Georgina et Alma qui franchissaient les portes du magasin. Georgina les toisa du regard.

— À ce que je peux voir, vous aussi vous avez été invitées à la soirée des médecins. Je pense que je vais devoir changer de magasin. Je n'ai pas envie de me retrouver avec la même robe qu'une de vous trois. Ce serait honteux !

— Encore faudrait-il que tu en trouves une à ta taille, maugréa Évelina.

Georgina se tourna vers Évelina.

— Je n'ai pas compris ce que tu as dit. Pourrais-tu répéter, s'il te plaît ?

— Je t'ai souhaité un bon magasinage. Nous avons eu la chance de trouver trois véritables petites merveilles de robes. J'espère que tu en trouveras une à ton goût.

Évelina, Simone et Flavie reprirent leur chemin sans remarquer que Georgina les suivait du regard. Évelina brisa le silence.

— Je me demande bien qui cette vipère de Georgina accompagne. Y a-t-il un homme capable de la supporter une soirée complète ?

* * *

La salle de bal de l'hôtel Windsor avait été décorée pour l'occasion. Plusieurs tables avaient été placées autour du plancher de danse et les serveurs circulaient allégrement autour de celles-ci pour distribuer des boissons de toutes sortes. Flavie se tenait fièrement au bras de Clément. Elle cherchait des yeux la table occupée par Évelina et Bastien qui étaient arrivés un peu plus tôt. Simone et Paul s'y trouvaient déjà ainsi qu'Alfred Mousseau, un ami de Paul, accompagné de Georgina. Délibérément, Évelina tournait le dos à Georgina. Flavie pouvait voir l'agacement de son amie : Évelina pinçait les lèvres et roulait des yeux à chacun des commentaires de Georgina. Lorsqu'il aperçut cette dernière, Clément ralentit le pas.

— Nous ne sommes pas obligés de nous asseoir avec elle si ça te dérange, Flavie.

— Ne t'en fais pas, Clément. Georgina ne parviendra pas à gâcher cette soirée, c'est certain. Et puis, de toute façon, c'est de l'histoire ancienne vous deux, n'est-ce pas ?

— En fait, il n'y a jamais vraiment eu d'histoire. Nous sommes sortis quelques fois ensemble, sans plus. Elle aurait voulu un peu plus pour nous deux, mais je ne voulais pas m'engager avec elle. Et puis, ça me consolait d'être avec elle quand tu fréquentais ton journaliste.

Flavie n'avait jamais considéré Léo comme « son » journaliste, mais plutôt comme un simple ami. Elle avait relevé la pointe de jalousie dans le ton de Clément, mais elle n'avait pas envie d'en faire état. La jeune femme avait besoin d'une soirée parfaite pour oublier que, dernièrement, elle avait appris que celui qu'elle avait toujours considéré comme son parrain et un ami de la famille n'était nul autre que son père. Flavie s'était retenue d'en parler à Clément. Les seules qui connaissaient le secret qui avait régi son existence étaient ses amies Simone et Évelina. Elle ne voulait pas annoncer officiellement la nouvelle avant d'avoir parlé avec sa mère.

Évelina fit signe à Clément et Flavie de s'approcher. Elle invita son amie à s'asseoir entre Simone et elle. Évelina roula des yeux quand Georgina salua Flavie.

— Quelle belle surprise ! Flavie qui se joint à nous ! Le trio est réuni !

Évelina grommela entre ses dents : « On restera un trio et ne t'avise surtout pas d'essayer de le transformer en quatuor. » Bastien lui donna un petit coup de coude en lui signifiant du regard qu'il serait agréable pour tous qu'elle cesse d'en rajouter. Évelina haussa les épaules et conserva son sourire malgré l'avertissement silencieux de Bastien.

Quand tous les invités eurent pris place aux tables, les professeurs firent leur entrée. Ils s'installèrent à la table d'honneur, dressée dans le fond de la pièce. Flavie sentit Évelina tressaillir à la vue du docteur Jobin. Le médecin portait un smoking pour l'occasion et, pendant quelques instants, Évelina le détailla des pieds à la tête. Bastien se rendit compte de l'intérêt de sa compagne pour le médecin; il prit la main d'Évelina pour lui rappeler que c'était lui qu'elle accompagnait à cette soirée. Évelina retira sa main et détourna le regard. Le maître de cérémonie présenta tour à tour chacun des professeurs et félicita les élèves finissants de l'année 1936-1937.

— Les hôpitaux de la région seront choyés de vous compter parmi leur personnel. La Faculté de médecine de l'Université de Montréal est fière de ses finissants. Vous êtes, messieurs, les garants de la santé des citoyens de cette province.

Flavie remarqua qu'une seule femme se trouvait parmi les finissants, ce que le maître de cérémonie ne souligna pas. Apparemment, le fait qu'une femme ait réussi à se frayer un chemin parmi tous les hommes qui étudiaient la médecine n'était pas digne de mention. La jeune collègue de Clément et des autres finissants ne parut pas s'en formaliser; pendant toute la durée de ses études, elle avait probablement vécu une situation analogue.

Une fois les diplômes remis aux finissants, le repas fut servi. Flavie constata qu'elle n'était pas la seule à être affamée; seul le bruit des ustensiles et de quelques conversations se fit entendre dans la salle pendant toute la durée du repas. Quand les tables furent débarrassées, l'orchestre s'installa pour agrémenter la soirée. On invita les convives à sortir quelques minutes, le temps de réaménager la salle. Évelina entraîna ses deux amies vers la salle de bains pour rafraîchir leur maquillage.

— Oh! Je n'en pouvais plus, moi! Bastien me surveille comme un gardien de prison. Il commence sérieusement à m'embêter.

— Il faut dire que personne n'a manqué ton observation en règle du docteur Jobin, la sermonna Simone.

— Ben quoi ? J'ai rarement vu les professeurs aussi élégants. Même le docteur Bourque était sur son trente-et-un. Ça change de leurs traditionnelles blouses blanches, vous ne trouvez pas ? L'habit, le nœud papillon et les cheveux coiffés, je ne peux pas résister à ça, moi !

— Tu devrais quand même faire attention quand tu es avec Bastien, lui conseilla Flavie. Il pourrait mal le prendre que tu regardes d'autres hommes.

— Il peut regarder qui il veut, lui. Je ne suis pas jalouse. Et puis, il m'ennuie.

Georgina poussa la porte de la salle de bains et se dirigea vers les trois amies.

— Il me semblait bien que je vous trouverais ici ! La salle est prête et vos cavaliers vous attendent !

Évelina termina d'appliquer son rouge à lèvres. Après avoir passé en revue sa tenue et sa coiffure, elle sortit sans commenter les propos de Georgina.

— Pourquoi elle est comme ça avec moi ? J'essaye pourtant d'être gentille avec elle.

— Peut-être parce que tu commences seulement à être gentille, déclara Simone. Nous sommes à la fin de l'année, Georgina, dois-je te le rappeler ?

— Je n'ai jamais vu ça, autant de rancune ! Ça n'a pas de bon sens, les filles.

— On n'a rien en commun avec toi, Georgina, déclara Flavie. Et nous n'avons pas envie de tisser des liens non plus.

— On sait bien ! Mademoiselle vient de trouver son véritable père, qui est riche de surcroît. Alors elle pense qu'elle est au-dessus de nous toutes !

Flavie pâlit. Simone questionna Georgina pour savoir d'où elle tenait ses informations.

— L'hôpital Notre-Dame est comme un gros village. Ici, les nouvelles circulent vite, vous devriez le savoir ! D'après ton air, Flavie, il est clair que les rumeurs sont fondées. Ainsi, on a une bâtarde comme consœur ! Je ne sais pas si le pauvre Clément est au courant, mais quelqu'un devrait l'informer rapidement. Il sera peut-être déçu quand il apprendra la nouvelle, Flavie.

— Et après, tu te demandes pourquoi on ne veut rien savoir de toi, Georgina !

Le poing brandi, Simone s'approcha de Georgina. Flavie, se ressaisissant, prit le poing de Simone dans ses mains. Puis, elle chuchota à son amie :

— Ça ne vaut pas la peine d'embarquer dans son petit jeu, Simone. Tu sais bien que tout ce que Georgina veut, c'est nous provoquer. Ensuite, elle pourra se faire plaindre. Elle prétendra qu'elle est incomprise et qu'elle ne mérite pas d'être traitée de la sorte.

Flavie se tourna vers Georgina.

— J'avoue que j'ai été tentée ce soir d'essayer de te comprendre, mais décidément, ta vie doit être d'une grande tristesse pour que tu te préoccupes autant de l'existence des autres. Pauvre toi, Georgina ! Tu peux me traiter de bâtarde si tu veux, mais je sais que je vaux mille fois plus que toi, parce que moi au moins, j'ai des amies qui tiennent à moi !

Flavie et Simone sortirent, laissant Georgina seule avec sa rage et son ressentiment.

* * *

Georgina s'était excusée de devoir quitter la soirée, car elle ne se sentait pas bien. Alfred l'avait suivie pour la raccompagner. Seules Flavie et Simone connaissaient la raison de son « malaise ». Après son altercation avec les deux jeunes femmes,

Georgina avait regagné sa place et était demeurée muette pendant de longues minutes avant de feindre un malaise. Évelina n'était pas au courant de ce qui s'était passé dans la salle de bains. Elle faisait la tête à Bastien qui ne comprenait pas qu'elle n'attendait qu'une invitation à danser. Paul avait invité Simone à danser ; elle avait suivi le jeune homme avec joie pour fuir la tension palpable entre Bastien et Évelina. Flavie avait essayé de faire quelques plaisanteries pour détendre l'atmosphère, mais elle s'était fait rabrouer par Évelina qui semblait vraiment furieuse. Voyant qu'il n'y avait rien à faire pour ramener la paix dans le couple, Clément avait entraîné Flavie sur la piste de danse.

— Je ne sais pas ce qui se passe à cette table, mais on n'a vraiment pas envie de s'y trouver. Évelina est d'une humeur massacrante. Et que dire de Georgina qui s'est sauvée, prétextant un malaise ? Tu sais pourquoi elle est partie si vite, Flavie ?

— Je suis en partie responsable. Disons qu'on a eu une petite discussion dans la salle de bains.

— Ce n'est pas ton genre de te quereller. Georgina l'a sûrement cherché.

Flavie baissa la tête.

— Elle m'a piquée au vif.

— Qu'a-t-elle fait ?

Flavie décida que c'était le bon moment pour lui parler de Victor. Elle lui raconta comment elle avait appris que celui-ci était son père. Clément l'écouta en silence.

— Georgina a dit que tu me verrais peut-être d'un autre œil maintenant que tu sais que je suis une enfant illégitime, conclut-elle.

— Qu'est-ce que ça change, franchement, Flavie ? Tu es la même, quelles que soient tes origines, et c'est ta personnalité que j'aime. Peu importe qui est ton véritable père, ça n'enlève rien à tes qualités et à ce que tu es.

Flavie se rapprocha de Clément qui l'enlaça tout en continuant de danser. Le terme « bâtarde » utilisé par Georgina avait attristé la jeune femme. Les autres la considéreraient probablement aussi comme telle. Flavie n'avait pas songé une seule minute à cette éventualité en apprenant ses origines. C'était peut-être pour cette raison que sa mère lui avait caché, pendant toutes ces années, l'identité de son véritable père ; elle avait voulu la protéger.

Flavie et Clément allèrent rejoindre Simone et Paul, qui étaient retournés s'asseoir. Évelina et Bastien n'avaient pas dansé une seule fois. Ce dernier discutait avec quelques collègues qui avaient pris place près de lui. Les bras croisés et la mine boudeuse, Évelina regardait évoluer les danseurs. Elle s'ennuyait ferme. Clément, encouragé par Flavie, proposa une danse à Évelina.

— Non ! Ça va aller, lui répondit-elle d'un ton sec.

Évelina croisa les bras et poussa un long soupir. Trop absorbé par sa conversation, Bastien ne remarqua rien. Flavie observait son amie qui boudait depuis un bon moment. La connaissant, elle savait qu'Évelina devait rager intérieurement. Cette dernière regardait constamment l'heure. « Elle est furieuse et je ne sais vraiment pas ce qui pourrait la rendre de meilleure humeur. Bastien a commis une erreur. Il n'a pas saisi qu'Évelina a besoin de se mettre en valeur. Je suis surprise qu'elle soit encore assise là. » Quand le docteur Jobin arriva à sa hauteur, Évelina bondit sur ses jambes. Le médecin l'invita à danser en prétextant qu'il ne pouvait laisser une pauvre étudiante infirmière se morfondre pendant une aussi belle soirée. Quand Bastien se rendit compte qu'Évelina n'était plus à ses côtés, elle tournoyait déjà depuis un moment sur la piste de danse. Sans plus de façon, il continua sa discussion avec ses collègues.

* * *

Évelina s'était éclipsée après sa danse avec le docteur Jobin et elle demeurait introuvable. Paul, qui était de garde cette nuit-là, était retourné à l'hôpital depuis un certain temps. Clément et Bastien proposèrent de raccompagner Flavie et Simone.

Celle-ci s'était aperçue que le départ précipité d'Évelina avait blessé Bastien. Sans excuser le geste commis par son amie, elle essaya de minimiser les dégâts.

— Évelina doit être rentrée. Il ne faut pas s'imaginer les pires scénarios.

— Oh ! Je ne suis pas inquiet pour elle du tout. Elle est assurément entre de bonnes mains alors que moi, je l'ai attendue ici comme un parfait imbécile !

— Voyons, Bastien, Évelina n'aurait pas fait ça, tu le sais bien, tenta de le rassurer Clément.

— Justement ! Je ne sais que trop bien ce qu'elle est capable de faire ! De toute façon, Évelina n'était pas la seule fille intéressante dans la salle.

En disant cela, il s'était tourné vers Simone. La jeune femme s'empourpra et lui sourit timidement. Mais elle n'était pas dupe : Bastien était humilié par le comportement d'Évelina et il essayait de le cacher en la complimentant. Mais l'attention que Bastien lui portait soudainement lui fit oublier tous ses principes, et elle se prêta au jeu.

— En effet, il n'y a pas qu'Évelina qui mérite de l'attention.

Bastien tendit son bras à Simone, qui s'y accrocha. Flavie pinça les lèvres. Peu importe où se trouvait Évelina, elle n'aimerait sûrement pas que Bastien jette son dévolu sur Simone. Elle prit le bras de Clément et suivit le couple nouvellement formé.

* * *

Évelina rentra bien après le couvre-feu. Simone et Flavie dormaient déjà. Sans faire de bruit, la jeune femme se glissa dans son lit. Finalement, la soirée s'était plutôt bien terminée pour elle. Marcel, qui n'était pas accompagné, avait passé le reste de la soirée à la complimenter sur sa magnifique robe et il lui avait dit à quel point elle lui avait manqué au cours des mois précédents. « Ma femme a préféré rester à la maison ce soir, c'est aussi bien comme ça ! Évelina, tu m'as tellement manqué. J'ai besoin de toi dans ma vie même si c'est compliqué. » Évelina savait pertinemment qu'elle jouait un jeu dangereux, mais ô combien plus amusant que de fréquenter l'ennuyant Bastien Couture ! Elle était encore jeune et avait envie de s'amuser.

Simone et Flavie n'attendirent pas Évelina pour aller prendre leur petit-déjeuner. Cette dernière avait l'habitude de se lever tôt pour avoir le temps de se préparer et pour pouvoir être la première à utiliser le miroir. Ce matin-là, elle dormait encore, le drap ramené sur la tête pour obtenir un peu d'obscurité. Simone et Flavie quittèrent la chambre sur la pointe des pieds pour ne pas réveiller la dormeuse.

Les deux jeunes femmes terminaient leur repas quand Évelina se présenta à la salle à manger. La retardataire déposa un bol de gruau et un café dans son plateau et rejoignit ses amies. Pendant quelques minutes, le silence régna à la table. Flavie brûlait d'envie de lui demander pourquoi elle était rentrée si tard, même si elle savait qu'Évelina confierait ses secrets quand bon lui semblerait. Simone était gênée de lui poser la question. Elle était mal à l'aise à cause de la situation dans laquelle elle se trouvait. Bastien l'avait raccompagnée et, en apprenant qu'elle passerait l'été à travailler à l'hôpital, il lui avait proposé de sortir quelquefois avec lui.

N'en pouvant plus de ce silence, Évelina déposa sa cuillère avec fracas.

— Ben quoi ? Vous allez me dévisager longtemps comme ça en silence ?

— C'est parce qu'on ne sait pas quoi te dire. Simone et moi, on se doute bien où tu as fini la soirée, et ça ne nous regarde pas.

— Marcel a loué une chambre à l'hôtel Windsor, si vous voulez tout savoir. Et je n'ai pas envie que vous me fassiez la morale sur la façon dont j'ai abandonné Bastien hier soir. Je me suis tellement ennuyée avec lui !

— On l'a bien vu, Simone et moi.

— Vous n'auriez pas tenu une minute de plus avec lui, je vous le garantis !

Simone remuait son café pour se donner une contenance. Elle avait envie de dire à Évelina que Bastien l'avait invitée à souper la semaine suivante et qu'elle comptait bien accepter. Elle ne savait pas comment lui annoncer la nouvelle. Elle ne voulait surtout pas qu'Évelina l'accuse de profiter de la situation.

Cette dernière continua sur sa lancée.

— Marcel m'a demandé si c'était possible qu'on se revoie tous les deux. Il m'a manqué terriblement. Je pense que je vais accepter.

Simone se racla la gorge.

— Et Bastien, dans tout ça ?

— Bah ! On a fait le tour de notre histoire Bastien et moi, je pense. Je me suis bien amusée avec lui, mais c'est de l'histoire ancienne. Il est beaucoup trop modéré pour moi. Je vous le laisse !

Simone saisit la perche tendue par Évelina.

— Ça te fâcherait beaucoup si nous nous donnions parfois rendez-vous ?

— Pas du tout, Simone ! Cependant, tu m'étonnes, car je pensais sincèrement que Paul était davantage ton genre. Mais si Bastien te plaît, eh bien il est officiellement libre, alors tu peux le prendre !

Flavie vit un léger sourire s'afficher sur le visage de Simone. Elle avait le champ libre avec Bastien et elle souhaitait en profiter, de toute évidence. Regardant sa montre, Flavie soupira.

— Je vais retourner à la chambre, car je dois préparer mes bagages. Antoine vient me chercher en fin d'avant-midi. Nous allons voir Victor et nous rentrons ensuite à La Prairie. Vous me manquerez toutes les deux.

— Bof! Tu n'auras pas le temps de t'ennuyer, Flavie, avec la vie tumultueuse de la ferme! Et puis, Simone et moi t'avons promis de te rendre visite quelques jours à la fin de l'été. Tu vas devoir me montrer comment on fait ça, les foins. Je meurs d'envie de jouer à l'agricultrice!

Flavie éclata de rire. Elle ne voyait pas du tout Évelina fouler le foin sur la charrette et encore moins s'occuper du bétail. Ne voulant pas la décourager, car elle souhaitait sincèrement que ses amies viennent la voir – sinon, elle allait beaucoup trop s'ennuyer de Simone et d'Évelina –, Flavie ne dit rien.

— Et puis, le téléphone existe, Flavie, déclara Simone. On peut s'appeler n'importe quand.

— Une bonne infirmière rentre fraîche et dispose de sa vie sur la ferme. Profites-en pour te reposer parce que la deuxième année sera incroyable! Celle-ci était de la «petite bière», crois-moi!

Évelina avait imité une fois de plus sœur Désuète, ce qui fit rire Flavie. Elle s'apprêtait à quitter ses amies quand elle vit Clément qui arrivait dans sa direction. Simone et Évelina s'éclipsèrent.

— Je suis content de trouver ici, Flavie. Je voulais te souhaiter un excellent été chez toi et te dire que tu vas beaucoup me manquer.

— Tu as promis à mon frère de venir voir ses installations, alors j'imagine que tu vas tenir parole. Tu es le bienvenu chez nous en tout temps. Ma mère te l'a dit à mon anniversaire.

— Ce sera avec le plus grand des plaisirs, Flavie. Dès que je peux me libérer, je descends à La Prairie.

Clément se pencha vers elle. Même si plusieurs infirmières et médecins se trouvaient dans la salle à manger, il l'embrassa sur les lèvres. Flavie aurait voulu que cette étreinte dure plus longtemps. Elle fut émue que Clément se permette de l'embrasser devant le personnel de l'hôpital. Elle espérait le revoir avant la fin de l'été, mais elle savait très bien à quel point il serait pris par son travail. Rares étaient les médecins qui se permettaient de prendre des vacances. Il repartit, son sarrau détaché volant derrière lui. Elle ne savait pas où son histoire avec Clément la conduirait, mais pour lors, elle profitait de chacun des moments passés avec lui.

* * *

Simone et Évelina accompagnèrent Flavie jusqu'à l'entrée de l'hôpital. Simone lui prêta main-forte avec ses bagages ; Évelina voulait saluer Antoine qui attendait sa sœur dans la Ford de monsieur Beaudoin. Flavie et Simone peinaient à traîner les deux lourdes valises, remplies à pleine capacité. Pendant ce temps, Évelina, penchée à la fenêtre de l'automobile, riait à gorge déployée d'une plaisanterie d'Antoine.

— Pff! pesta Simone. Je n'ai pas de misère à croire qu'elle remplacera rapidement Bastien. Le docteur Jobin a d'affaire à se tenir sur ses gardes !

— Pas de danger, mon frère est beaucoup trop *farmer* pour Évelina.

— On ne sait jamais. Évelina pourrait rapidement « virer son capot de bord ». Tu la connais !

Flavie la connaissait effectivement. Elle décida donc de mettre fin à la discussion entre son frère et son amie.

— On a besoin d'un homme fort pour mettre mes bagages dans le coffre de la voiture, lança-t-elle.

— Simonac, Flavie ! Si je n'étais pas certain que tu reviens en ville à l'automne, je pourrais croire que tu as tout apporté afin de ne jamais remettre les pieds à Montréal !

Antoine forçait avec exagération pour placer les deux malles dans le coffre de la voiture, sous les gloussements d'Évelina.

— Je vais devoir vérifier dans mon armoire, dit Évelina. Peut-être que tu as pris quelques trucs qui m'appartiennent, Flavie.

— Ne t'en fais pas, je ne t'ai rien pris. J'apporte quelques livres pour me préparer pour septembre. Je n'aurai pas la chance de travailler à l'hôpital cet été, alors je ne veux pas oublier les trucs importants !

— Pff ! Les trucs importants ! Simone et moi, on se fera probablement refiler les tâches dont personne ne veut. Pas besoin de livres pour savoir comment « torchonner » un patient !

— Passe un bel été, Flavie. Dès que nous le pourrons, Évelina et moi, nous irons te rendre visite.

— En route, Flavie ! J'espère que nous ne serons pas trop lourds pour traverser le pont !

Après avoir embrassé pour la énième fois ses amies depuis le matin, Flavie les enlaça avant le départ. Antoine lui ouvrit la portière pour qu'elle s'assoie dans la voiture. Flavie lui avait dit qu'elle voulait passer saluer Victor avant de rentrer chez eux. Du coin de l'œil, elle observa Antoine, les deux mains sur le volant, qui essayait de garder son calme dans la circulation dense du début de l'après-midi. « Il ne sait pas encore qu'il n'est que mon demi-frère. Je redoute le moment où il l'apprendra. Notre relation privilégiée risque de changer. » Antoine ne se doutait pas des sentiments qui secouaient Flavie. Il s'informa à propos de la soirée de remise des diplômes des « docteurs » et demanda si Clément comptait venir faire son tour à La Prairie durant l'été. « Il essaye de meubler la conversation, car il voit que je suis tendue. »

Antoine arrêta la voiture devant la maison de Victor. Il se dépêcha de sortir pour aller ouvrir la portière à sa sœur. Prenant la main de Flavie, il dit simplement :

— Madame…

La jeune femme lui sourit et descendit. Ils continueraient probablement d'avoir la même relation frère-sœur tous les deux même s'ils n'avaient pas le même père. Ils avaient grandi ensemble, après tout. Arthur les conduisit dans le petit salon où « monsieur Victor » se reposait. Flavie s'approcha doucement et posa la main sur le bras de Victor, assoupi. Quand ce dernier ouvrit les yeux, il vit Flavie penchée sur lui.

— Antoine et moi voulions prendre de tes nouvelles avant de partir pour La Prairie.

— Je vais bien, mais je me fatigue vite. Le médecin m'a dit que je serais moins résistant qu'avant. Je vieillis, que voulez-vous !

— Tu as quand même l'air en forme, oncle Victor, déclara Antoine. Peut-être que ça te ferait du bien, un petit séjour à la campagne.

— Je ne sais pas trop. Je verrai.

Victor regarda pendant quelques secondes Flavie sans rien dire. « Il a réellement envie de venir à La Prairie, mais il s'en abstiendra pour ne pas déranger ma mère. »

Antoine continua sur sa lancée.

— Je suis certain que tu passerais du bon temps avec nous. Ma grand-mère te concocterait de bons petits plats pour te remettre d'aplomb.

— Vous êtes bien gentils tous les deux de vous soucier de ma santé. J'ai eu la chance d'être soigné par la meilleure infirmière de l'hôpital durant mon séjour.

— Je ne suis pas encore infirmière, oncle Victor. Il me reste deux ans d'études.

— Tu verras, ça passera dans le temps de le dire. Tu as déjà terminé ta première année.

Antoine regarda l'heure sur la pendule du manteau de la cheminée.

— Je ne voudrais pas paraître impoli, mais il faut qu'on y aille, Flavie et moi. On doit traverser le pont, et je ne veux pas prendre la chance d'arriver trop tard. La dernière fois, j'ai presque manqué la traite des vaches à cause de la circulation.

— Quand même, tu exagères un peu, Antoine. Avoue-le donc que tu t'ennuies de tes vaches et que tu ne supportes pas de te retrouver en ville !

— C'est un peu ça, aussi…

Antoine serra affectueusement la main de Victor avant de sortir dans le couloir. Flavie se pencha pour embrasser son père – quand elle parlait de lui, elle l'appelait encore avec affection « mon oncle », mais dans son cœur et dans son esprit, l'oncle avait cédé la place au père – et elle se releva. Victor lui prit la main et l'attira près de lui en lui murmurant :

— Tu ne dois pas en vouloir à ta mère, Flavie. Laisse-la s'expliquer. Bernadette avait sûrement une bonne raison de garder aussi longtemps son secret.

* * *

Antoine poussa un soupir en garant la voiture devant la maison.

— Je ne sais pas comment tu fais, Flavie, pour habiter en ville. Je détesterais ça ! On est bien mieux ici, avec l'air frais de la campagne, tu ne trouves pas ?

— C'est vrai que ça m'a manqué, mais j'aime bien aussi l'effervescence de Montréal, les théâtres, les salles de cinéma, le quartier chinois… La prochaine fois que tu viens en ville, je t'invite au restaurant des Zheng. C'est vraiment délicieux.

— Bof! Moi, la nourriture d'ailleurs…

— Je sais à quel point tu raffoles des patates pilées et des carottes bouillies, mais pour une fois ça te changerait.

Delvina était déjà sortie sur le perron. Elle se précipita vers Flavie pour l'embrasser et la prendre dans ses bras.

— Ma belle Flavie ! Que je suis contente de te voir ! Enfin de retour ! Ta mère est au potager pour ramasser un peu de salade pour le souper. Je t'ai cuisiné ce que tu préfères : un ragoût de bœuf. Ça sent bon dans la maison.

Flavie se laissa cajoler par sa grand-mère. Elle verrait sa mère bien assez vite.

* * *

Bernadette était heureuse d'avoir tout son monde à sa table. Elle avait trouvé Flavie songeuse et fatiguée. Après le souper, elle proposa à sa fille d'aller s'asseoir sur le balcon pour prendre l'air pendant qu'elle s'occuperait de la vaisselle.

— Profite de ta première soirée pour te reposer. Je vais préparer le thé et venir le prendre avec toi après la vaisselle.

Flavie n'argumenta pas ; elle laissa sa mère s'occuper de la vaisselle. Sa grand-mère, qui aimait lire au lit avant de s'endormir, lui parla avant de monter à sa chambre.

— Je me couche de bonne heure ; comme ça, je suis la première réveillée. Je ne suis plus une jeunesse, tu sais, ma belle Flavie. On se fatigue vite à mon âge. Demain, garde-toi du temps pour me raconter toute ton année à l'hôpital et, surtout, pour me parler de ce Clément dont Antoine ne cesse de vanter les mérites depuis qu'il est allé à Montréal.

Delvina embrassa Flavie et la laissa seule. Antoine s'occupait des vaches ; la jeune femme avait tout son temps pour réfléchir avant de parler avec sa mère. Elle n'en pouvait plus d'attendre pour la questionner sur ses origines et sur les raisons qui l'avaient poussée à lui cacher l'identité de son père.

Bernadette lui tendit sa tasse de thé et s'installa sur la chaise à ses côtés. Flavie ne savait pas comment entrer dans le vif du sujet. Sa mère lui en fournit l'occasion.

— Comment va Victor depuis sa crise cardiaque ?

— Je lui ai rendu visite avec Antoine avant de venir ici. Il va bien. Par contre, les médecins lui ont dit qu'il devait se reposer. Il se fatigue vite.

— Il ne m'a pas donné de nouvelles depuis sa sortie de l'hôpital.

— Il a préféré prendre ses distances, je pense.

— Ah bon ? Et pourquoi donc ?

— Tu ne t'en doutes pas un peu, maman ?

Bernadette déposa sa tasse de thé sur la table d'appoint et s'adossa à sa chaise.

— Je ne sais pas de quoi tu parles, Flavie.

— Tu l'ignores vraiment ?

Bernadette ferma les yeux.

— Victor m'a tout dit, maman. Pourquoi m'avoir caché pendant toutes ces années qu'il était mon père ?

Bernadette ouvrit les yeux. Flavie vit que sa mère se tordait les mains et que ses lèvres tremblaient.

— Pourquoi m'avoir fait croire pendant si longtemps que mon père était Edmond Prévost ? J'ai passé toute ma vie à regretter de n'avoir pas connu mon père.

— J'étais trop honteuse, Flavie. C'est moi qui ai tué Edmond en lui disant que je l'avais trompé avec Victor.

— Je pense que tu exagères un peu, maman.

— Quand Edmond a su qu'il y avait quelque chose entre Victor et moi, il est parti pour le front, me laissant seule avec ton frère. Victor s'est enrôlé par la suite pour le retrouver et lui expliquer que nous avions fait une erreur, mais Edmond n'a rien voulu entendre. De toute façon, il était trop tard, j'étais enceinte de toi et j'étais certaine que c'était Victor ton père. Peu de temps après, Edmond s'est fait tuer par un tir ennemi à Vimy. Je n'ai jamais eu le temps de m'expliquer, de lui dire que j'avais commis une erreur en tombant amoureuse de Victor. Car je l'aimais, Victor.

Bernadette se cacha le visage dans les mains. Elle pleura quelques instants avant de reprendre son récit. Flavie aurait voulu consoler sa mère, mais il fallait d'abord que celle-ci termine son histoire.

— Quand Edmond est mort au combat, je me suis retrouvée seule avec ton frère et toi qui n'avais que quelques mois. Je m'étais promis de nous laisser une chance, à Edmond et à moi. Mais la mort en a décidé autrement.

— Pourquoi tu ne t'es pas remariée avec Victor ? Il doit certainement t'avoir demandée en mariage après la mort de mon père… euh… d'Edmond, je veux dire.

— Il l'a fait et à plusieurs reprises. J'avais trop honte et je me sentais coupable du départ précipité d'Edmond pour le front. Il était inconcevable que je sois heureuse auprès de son ami qui l'avait trompé. Nous ne méritions pas d'être heureux alors que lui était mort. Comprends-tu ?

Flavie comprenait le sacrifice que sa mère avait fait durant toutes ces années.

— Et Victor, tu l'aimes toujours ?

— Je n'ai jamais cessé de l'aimer, mais je me suis construit une vie sans lui et je suis fermement décidée à continuer ainsi. Il m'a offert à maintes reprises de subvenir à nos besoins, mais j'ai refusé par fierté. Je ne voulais pas te causer de tort, Flavie. Je refusais qu'on te considère comme une enfant illégitime. Tu aurais été montrée du doigt par les gens du village. Ta grand-mère est la seule au courant. Antoine ne le sait pas.

Flavie demeura silencieuse. Bernadette poursuivit d'une voix hésitante :

— Que comptes-tu faire maintenant que tu connais la vérité ?

— J'ai envie d'apprendre à connaître Victor. Il aurait pu mourir sans que je sache qu'il était mon père.

— Je comprends que tu souhaites le connaître davantage et je ne t'en veux pas. Je parlerai à Antoine. Après toutes ces années, il est peut-être temps que tout le monde connaisse la vérité.

— Je le crois aussi. Tu n'avais pas à tout sacrifier, maman, pour m'éviter la honte. Victor est là, et ce qui a été brisé peut encore être réparé. Il est temps que tu penses à toi et à ce que tu veux vraiment.

Bernadette leva les yeux vers sa fille. Flavie avait raison. Pendant trop longtemps, elle s'était fait violence pour ne pas aller rejoindre Victor à Montréal. Elle avait été réticente à laisser partir sa fille pour Montréal, mais désormais elle ne regrettait pas sa décision. Flavie était revenue plus mature et plus réfléchie, et surtout, elle venait de lui faire réaliser que la vie passe vite et qu'il faut profiter de chaque instant.

Flavie posa sa main sur celle de sa mère.

— Peut-être que demain nous pourrions appeler Victor pour l'inviter à venir passer quelque temps parmi nous ?

# Remerciements

Merci à Vicky d'avoir lu et relu mon texte afin d'en faire la correction et d'en améliorer la continuité. Sans cette aide, il serait possible qu'un personnage soit déjà assis à table avant même d'être entré au restaurant !

Merci à Kim, ma première lectrice « officielle », notamment pour ses judicieux conseils de médecin.

Merci à toute l'équipe des Éditeurs réunis, dont Marie-Michèle et Robin, pour leur excellent travail. Merci particulièrement à Vivianne et Daniel de m'avoir donné l'occasion de présenter une fiction historique mettant en vedette les premières infirmières laïques du Québec.

Merci à tous mes lecteurs. C'est toujours un plaisir de recevoir vos courriels et de vous rencontrer lors des salons du livre.

Un gigantesque merci à ma famille pour leurs encouragements et leur soutien dans mes moments de doute. Merci de m'endurer !